MARY HIGGINS CLARK

I'LL WALK ALONE

МЭРИ
ХИГГИНС
КЛАРК

Я ПОЙДУ ОДНА

ЭКСМО
МОСКВА
САНКТ-ПЕТЕРБУРГ
ИД ДОМИНО
2012

УДК 82(1-87)
ББК 84(7США)
Х 42

Руководитель проекта *А. Жикаренцев*

Иллюстрация на переплете *В. Лесникова*

Оригинал-макет подготовлен ООО «ИД «Домино»

Хиггинс Кларк М.

Х 42 Я пойду одна / Мэри Хиггинс Кларк ; [пер. с англ. Т. В. Голубевой]. – М. : Эксмо, 2012. – 416 с.

ISBN 978-5-699-58302-7

Два года назад у Александры Морланд пропал сын – был похищен среди бела дня в парке, где гулял с няней. Бедная женщина до сих пор разрывается между надеждой и отчаянием. И вот неожиданно в пятый день рождения мальчика всплывают фотографии, на которых ясно видно, что похитительница – сама Александра! Полиция возобновляет расследование, бывший муж прямо обвиняет Александру в этом преступлении, и даже у нее самой появляются сомнения в своем душевном здоровье. Но затем Александра начинает понимать, что эти фотографии, как и другие события последних дней, являются частью какого-то дьявольского плана. Кто-то намеренно и целеустремленно пытается разрушить ее жизнь...

Мэри Хиггинс Кларк – признанная королева детектива, мастер закрученной интриги и неожиданных сюжетных развязок. Совокупный тираж ее книг превышает 100 000 000 экземпляров.

УДК 82(1-87)
ББК 84(7США)

ISBN 978-5-699-58302-7

БЛАГОДАРНОСТИ

Я часто говорю как бы в шутку, что мое любимое слово — «конец».

Но это действительно мое любимое слово. Оно означает, что история рассказана до конца, путешествие завершилось. Люди, которые в это же время в прошлом году были здесь,— не просто результаты моего воображения. Они то ли живут той жизнью, какую я для них выбрала, то ли меняют ее к лучшему по своему усмотрению.

Мы с моим редактором Майклом Корда путешествуем вот так уже тридцать шесть лет, с того самого дня в марте 1974 года, когда мне, как ни странно, позвонили из издательства «Саймон и Шустер» и сообщили, что они покупают мою первую книгу «Дети не вернутся» за три тысячи долларов. Все это время Майкл был капитаном моего литературного корабля, и я даже представить не могу чего-то более радостного и почетного, чем это наше сотрудничество. В прошлом году как раз в это же время он предложил: «Думаю, книга о раскрытии кражи — то, что надо для тебя». Вот так.

Старший редактор Кэти Саган была моей подругой многие годы. Десять лет назад она редактировала «Детективный журнал Мэри Хиггинс Кларк» и тогда в первый раз работала со мной, вместе с Майклом, над новым романом. Я тебя люблю, Кэти, и благодарна тебе.

Вечная благодарность помощнику директора Джипси да Сильва и читателям моих незаконченных сочинений Ирэн Кларк, Агнес Ньютон, Надин Петри и Лизл Кад.

Снова и снова благодарю сержанта Стивена Мэррона и детектива Ричарда Мэрфи из нью-йоркской окружной прокуратуры — они были моими проводниками в том, как именно шаг за шагом осуществляется правосудие после совершения преступления.

Конечно же, я безмерно благодарна моему невероятному супругу Джону Конхини и всей нашей семье, состоящей из десяти детей и семнадцати внуков.

И наконец, спасибо вам, мои читатели, за все те годы, что мы с вами вместе. Да будет гладкой дорога под вашими ногами...

В память преподобного Джозефа А. Келли,
1931–2008

Вечная искра в этих иезуитских глазах.
Вечная улыбка на красивом лице.
Вечные вера и сострадание, переполняющие его душу.
Он был создан из того материала,
из которого делают святых.
Когда небеса огорчились отсутствием этого человека,
Творец призвал его домой.

1

Отец Эйден О'Брайен слушал исповедь в нижней церкви Святого Франциска Ассизского на Западной Тридцать первой улице на Манхэттене. Семидесятилетний францисканский монах вполне одобрял альтернативный вариант проведения таинства, позволявший кающемуся сидеть в исповедальне вместе с ним, вместо того чтобы стоять на коленях на жестком полу за занавеской, скрывающей его или ее лицо.

Правда, однажды он почувствовал, что новые методы не всегда удачны. Сидя лицом к лицу с кающимся, отец Эйден понял, что тот не в силах заставить себя сказать то, в чем мог бы признаться в темноте.

Это произошло снова в холодный, ветреный мартовский день.

За первый час, проведенный им в комнате для исповедей, явились только две женщины, его постоянные прихожанки, обе в возрасте хорошо за восемьдесят, чьи грехи, если они вообще когда-то существовали, давно остались в прошлом. Сегодня одна из них призналась в том, что вспомнила совсем недавно. Когда ей было восемь лет, она солгала своей матери. Девчонка тогда съела два кекса и в недостаче одного из них обвинила своего брата.

Отец Эйден перебирал четки, молясь и ожидая того времени, когда можно будет уйти, но вдруг открылась дверь, и вошла стройная женщина, на вид чуть за тридцать. У нее было напряженное лицо, она медленно направилась к креслу, стоявшему напротив отца Эйдена, и неуверенно опустилась в него. Ее темно-рыжие волосы свободно падали на плечи. Костюм с меховым воротником выглядел откровенно дорогим, как и кожаные туфли на высоких каблуках. Единственным украшением женщины были серебряные серьги.

Отец Эйден безмятежно ждал, потом, видя, что молодая особа продолжает молчать, ободряющим тоном спросил:

— Чем я могу вам помочь?

— Я просто не знаю, с чего начать...

Голос у женщины был низким и приятным, без каких-либо признаков иностранного акцента.

— Вряд ли вы можете сказать мне что-то такое, чего я до сих пор не слышал,— мягко произнес отец Эйден.

— Я...— Женщина помолчала, а потом слова полились из нее потоком: — Я знаю об убийстве, которое кое-кто собирается совершить, и не могу это пресечь.— Ее лицо исказилось от ужаса, она вдруг зажала рот ладонью, стремительно поднялась и прошептала: — Мне не следовало приходить сюда. Благословите меня, отец, потому что я согрешила,— дрожащим от чувств голосом добавила незнакомка.—

Признаюсь, я соучастница преступления, происходящего в настоящее время, и убийства, которое будет совершено очень скоро. Вы наверняка прочтете о нем в газетах. Я не хочу быть с этим связана, но уже поздно, ничего не остановить.

Она повернулась и в пять шагов очутилась у двери.

— Погодите! — окликнул ее отец Эйден, пытаясь встать на ноги.— Поговорите со мной! Я могу вам помочь.

Но она уже ушла.

Скорее всего, эта женщина психопатка, подумал отец Эйден. Неужели то, о чем она говорила, правда? Если так, что он может сделать?

«Даже если она говорила правду, я все равно ничего не могу изменить,— подумал в конце концов отец Эйден, снова опускаясь на стул.— Я не знаю, кто эта женщина и где живет. Я могу лишь молиться о том, чтобы она оказалась лишенной разума и весь этот сценарий существовал только в ее фантазии. Но если она не лишена разума, то должна понимать, что я связан тайной исповеди. Пожалуй, эта дама может быть католичкой. Слова, которые она произнесла: “Благословите меня, отец, потому что я согрешила”,— именно те, с каких прихожане обычно начинают исповедь».

Несколько долгих минут монах сидел в одиночестве. Когда женщина вышла, над дверью исповедальной комнаты автоматически зажегся зеленый свет, означавший, что тот, кто ожидает снаружи, вправе войти. Отец Эйден вдруг заметил, что жарко молится о том, чтобы молодая женщина вернулась... но этого не случилось.

Отец Эйден мог уйти в шесть часов. Но лишь в двадцать минут седьмого он наконец оставил надежду на то, что женщина может еще вернуться. Наконец, ощущая весь груз своих лет и духовную тяжесть, лежащую на исповеднике, отец Эйден положил руки на подлокотники кресла и медленно поднялся, поморщившись от острой боли в коленях, пораженных артритом. Покачивая головой, он направился к двери, но на мгновение задержался перед креслом, в котором так недолго сидела молодая женщина.

«Нет, она не была сумасшедшей,— печально подумал старый монах.— Я могу только молиться о том, что если она действительно знает что-то о готовящемся убийстве, то поступит так, как ей подсказывает совесть. Она должна предотвратить преступление».

Он открыл дверь и увидел двоих человек, зажигавших свечи перед скульптурой святого Иуды во внутреннем дворике церкви. Еще один стоял на коленях на низенькой скамеечке перед усыпальницей святого Антония, закрыв лицо руками. Отец Эйден заколебался, гадая, не следует ли спросить этого человека, хочет ли тот исповедаться. Потом он подумал о том, что отведенное для исповеди время кончилось уже почти полчаса назад. Может быть, этот посетитель просто молит о какой-то помощи или благодарит за то, что получил ее. Гробница святого Антония была излюбленным местом поклонения для многих.

Отец Эйден прошел через внутренний двор к двери, выводившей в коридор, идущий к монастырю. Он не ощутил пристального взгляда мужчины, который уже не был погружен в молитву, а развернулся, приподнял темные очки и внимательно изучал его, отмечая ободок седых волос и медленную походку.

«Она пробыла там меньше минуты,— думал наблюдатель.— Много ли она успела рассказать этому старому священнику? Могу ли я позволить себе считать, что она не выложила ему все до конца?»

Мужчина услышал, как открывается наружная дверь церкви, потом раздался звук приближавшихся шагов. Он быстро вернул на место темные очки и поднял воротник свободного плаща. Имя отца Эйдена этот человек уже прочитал на табличке на двери.

— Что мне с тобой делать, отец О'Брайен? — сердито спросил себя мужчина, быстро проходя мимо десятка или около того посетителей, входящих в церковь.

В этот момент ответа он не нашел.

Но чего он не заметил, так это того, что за ним, наблюдателем, тоже приглядывали. Неподалеку от него находилась шестидесятишестилетняя Альвира Михан, бывшая уборщица, а ныне прославленная личность и знаменитая писательница, выигравшая сорок миллионов долларов в нью-йоркской лотерее. Она делала кое-какие покупки на Геральд-сквер, а потом, прежде чем вернуться домой, в район Центрального парка, решила пройти пешком несколько кварталов ради того, чтобы заглянуть в эту церковь и поставить свечу перед гробницей святого Антония. Заодно Альвира решила раздать немного денег безработным, стоявшим в очереди за бесплатным обедом. Она только что получила неожиданно крупный чек за книгу своих воспоминаний, озаглавленную «Из грязи в князи».

Когда Альвира Михан увидела человека, погруженного в глубокую молитву перед усыпальницей святого Антония, она решила сначала нанести визит в грот Лурдской Богоматери. Несколько минут спустя, заметив отца Эйдена, своего старого друга, выходившего из исповедальной комнаты, она уже собралась было догнать его, чтобы поздороваться. Но тут, к ее изумлению, человек, который казался полностью ушедшим в молитву, внезапно вскочил и поднял с глаз темные очки. Ошибиться было невозможно. Он следил за отцом Эйденом, шедшим к монастырской двери.

Альвира отмахнулась от промелькнувшей в ее голове мысли о том, что тот парень, возможно, хотел попросить отца Эйдена выслушать его исповедь. Она увидела, как мужчина снова опустил очки и поднял воротник, и решила, что он просто хотел как следует рассмотреть монаха. Мужчина находился слишком далеко, чтобы можно было видеть его как следует, но Альвира решила, что ростом он около шести футов. Лицо скрывалось в тени, однако ясно было, что этот человек худощав. Когда Альвира проходила мимо него, у нее создалось впечатление, что в его густых черных волосах нет ни единой седой пряди. Мужчина закрывался ладонями.

«Кто знает, что заставляет людей делать то или иное»,— думала Альвира, наблюдая за незнакомцем, который теперь быстро направлялся к выходу, ближайшему от него.

Но кое-что она могла сказать с уверенностью. После того как отец Эйден вышел из исповедальной комнаты, весь интерес незнакомца к святому Антонию исчез, что бы уж там он ни собирался ему сказать до того.

2

Наступило двадцать второе марта.

«Если мой Мэтью до сих пор жив, то ему сегодня исполнилось пять лет»,— думала Зан Морланд.

Она открыла глаза и несколько минут лежала неподвижно, лишь смахивала слезы, которые так часто увлажняли ее лицо и подушку в течение ночи. Зан посмотрела на часы, стоявшие на туалетном столике. Было четверть восьмого. Она проспала почти восемь часов. Конечно же, только потому, что, прежде чем лечь в постель, женщина приняла снотворное, то есть позволила себе крайне редкую роскошь. Но из-за приближавшегося дня рождения Мэтью она почти не спала всю последнюю неделю.

Ей вспомнились обрывки сна о поисках Мэтью. В этот раз она снова была в Центральном парке, искала и искала его, звала по имени, умоляла ответить. Любимой игрой мальчика были прятки. Во сне Зан твердила себе, что никуда он на самом деле не исчез. Сын просто прячется.

Но он действительно исчез.

«Если бы только я могла отменить встречу в тот день»,— в миллионный уже раз подумала Зан.

Тиффани Шилдс, няня мальчика, призналась, что, пока Мэтью спал, она поставила его прогулочную коляску так, чтобы солнце не било ему в лицо, а сама расстелила на траве одеяло и тоже заснула. Шилдс даже не догадывалась, что он исчез, пока не проснулась.

В полицию после появления сообщений о пропавшем малыше позвонила одна пожилая свидетельница и сказала, что они с мужем гуляли в парке с собакой и заметили, что коляска была пуста почти за полчаса до того времени, которое няня назвала полиции, когда Тиффани якобы заглянула в коляску.

— Я в тот момент ничего такого не подумала,— сказала свидетельница сердито и огорченно.— Просто решила, что кто-то забрал малыша на игровую площадку. Возможно, это сделала мать. Мне и в голову не пришло, что та молодая женщина может за кем-то присматривать. Она спала как убитая.

Да и Тиффани в конце концов сама призналась, что не потрудилась пристегнуть Мэтью ремнем, поскольку он спал, когда они выходили из квартиры.

Зан гадала, могло ли случиться так, что мальчик сам выбрался из коляски, а потом кто-то увидел его одного, взял за руку и увел. Она тупо повторяла и повторяла этот вопрос. Столько разных уродов болтается вокруг!.. Господи, пожалуйста, не допусти этого!

Фотографии Мэтью были разосланы по всей стране, размещены в Интернете.

«Я молилась о том, чтобы его просто забрал какой-то очень одинокий человек, а потом побоялся признаться в этом. Но в конце концов ему придется отвести малыша в полицию либо оставить в каком-то безопасном месте, где его найдут»,— думала Зан.

Прошло уже почти два года, и до сих пор не было найдено никаких следов. Он, наверное, уже забыл свою маму...

Зан медленно села и забросила за плечи длинные темно-рыжие волосы. Она регулярно делала гимнастику, но ее стройное тело напряглось и болело. Доктор говорил ей, что все дело в напряжении. Мол, вы не можете расслабиться двадцать четыре часа в сутки, семь дней в неделю. Зан спустила ноги на пол, потянулась и встала, а потом подошла к окну и стала его закрывать, всматриваясь в раннее утро, в статую Свободы, в нью-йоркский порт...

Именно из-за вида она решила снять эту квартиру через полгода после исчезновения Мэтью. Ей необходимо было сбежать куда-то от того здания на Восточной Восемьдесят шестой улице, где пустая комната, маленькая кроватка и игрушки ежедневно терзали ее сердце.

Именно тогда, осознавая, что ей необходимо вернуть свою жизнь в нормальное русло, Зан с головой погрузилась в маленький бизнес по дизайну интерьеров, который начала после развода с Тедом. Они были вместе совсем недолго. Зан даже не знала, что беременна, когда супруги разбежались.

До брака с Тедом Карпентером Зан была старшим помощником прославленного дизайнера Бартли Лонга. Уже тогда в ней признавали новую яркую звезду, восходящую на дизайнерском небосводе.

Критики, знавшие, что Бартли оставлял все на Зан, когда отправлялся на продолжительные каникулы, писали о ее ошеломляющей способности смешивать ткани, цвета и мебель так, что дом полностью отражал вкусы и образ жизни его владельца.

Зан закрыла окно и поспешила в ванную. Ей нравилось спать в холодной комнате, вот только длинная футболка ничуть не защищала от сквозняка. Зан намеренно составила для себя очень плотное расписание на сегодняшний день. Сейчас она протянула руку к просторному халату, который так ненавидел Тед, а Зан со смехом называла своим спасательным одеялом. Для нее халат превратился в некий символ. Когда женщина выскакивала из постели, а в комнате царил жуткий холод, ей стоило набросить на себя этот халат, и она тут же не просто согревалась, ей становилось жарко. От холода к теплу, от пустоты к переполненности. Мэтью исчез, он найден, находится в ее руках, рядом с ней, дома. Сынишке нравилось забираться в этот халат вместе с ней.

Но больше никакой игры в прятки. Так думала Зан, смаргивая слезы, завязывая пояс халата и засовывая ноги в шлепанцы. Если Мэтью сам выбрался из коляски, то во что он стал бы играть? Нет, такой маленький ребенок сразу привлек бы внима-

ни из Зеленых крыш"*, тощая как палка, с ужасными морковными лохмами. Но у Мэтью такие волосы были бы просто восхитительны».

Зан росла, и мать нередко обращала внимание дочери на то, как наливается соками ее тело, а волосы темнеют, приобретая теплый, богатый осенний тон. Мама часто шутливо называла ее «Энни из Зеленых крыш». Но это было еще одно из тех воспоминаний, на которых в этот день не стоило сосредотачиваться.

Тед настоял на том, чтобы они сегодня поужинали вместе, только вдвоем.

— Мелисса все поймет,— сказал он, когда позвонил Зан.— Я хочу вспомнить нашего мальчика с тем единственным человеком, который понимает, что я чувствую в день его рождения. Пожалуйста, Зан!

Они договорились встретиться во «Временах года» в половине восьмого.

«Когда живешь в районе Баттери-Парк, то главная проблема — это автомобильное движение к центру и из него,— думала Зан.— Мне не хочется возвращаться домой, чтобы переодеваться, и не хочется тащить с собой в офис кучу вещей. Так что лучше сразу надеть черный костюм с меховым воротником. Он вполне годится для вечера».

Пятнадцать минут спустя она уже вышла на улицу — высокая стройная женщина тридцати двух лет, с темно-рыжими волосами, падающими на спину, одетая в черный костюм с меховым воротником,

---

* «Энни из Зеленых крыш» – фильм, снятый режиссером Кевином Салливаном в 1985 г. *(Здесь и далее прим. ред.)*

в темных очках, с дизайнерской сумкой через плечо — и шагнула к краю тротуара, чтобы остановить такси.

3

Во время ужина Альвира рассказывала Уилли о том, как забавно незнакомец смотрел на ее друга отца Эйдена, когда тот вышел из исповедальной комнаты, и за завтраком снова вернулась к этой теме:

— Знаешь, Уилли, тот человек приснился мне ночью. Когда такое случается, это обычно означает, что начнутся какие-то неприятности.

Все еще в халатах, они уютно устроились у круглого стола в обеденной зоне своей квартиры рядом с Центральным парком. На улице, как уже успела отметить Альвира, стоял типичный мартовский день, холодный и ветреный. Ветер громыхал мебелью на их балконе. Насколько им было видно через улицу, Центральный парк был почти пуст.

Муж через стол влюбленно посматривал на свою жену, с которой они были вместе уже сорок пять лет. Об Уилли частенько говорили, что он настоящая копия легендарного спикера палаты общин О'Нейла. Он был крупным мужчиной с пышной седой шевелюрой и, как говорила Альвира, с самыми синими во всем мире глазами.

По мнению Уилли, Альвира была прекрасна. Он не замечал того, что, как бы она ни старалась, ей всегда нужно было сбросить десять — пятнадцать фунтов веса. Не замечал он и того, что всего через неделю после окрашивания волос на ее голове уже становилась заметной седина у корней, хотя сами волосы благодаря стараниям лондонского парикмахера приобрели мягкий каштановый цвет. В прежние дни, еще до того, как они выиграли в лотерею, Альвира красила волосы сама, над раковиной в ванной комнате их старой квартирки в Квинсе, и они всегда были огненно-рыжего цвета.

— Милая, судя по тому, что ты говоришь, тот парень, скорее всего, пытался набраться храбрости для исповеди. Потом он увидел, что отец Эйден уходит, и никак не мог решить, стоит его догонять или нет.

Альвира покачала головой.

— Нет, там крылось нечто большее.— Она протянула руку к чайнику, налила себе вторую чашку чая, и выражение ее лица изменилось.— А знаешь, сегодня ведь день рождения малыша Мэтью. Ему могло бы исполниться пять лет.

— Или исполняется,— поправил ее Уилли.— Альвира, у меня тоже есть интуиция. Я тебе говорю: этот парнишка живет себе где-то.

— Мы говорим о Мэтью так, как будто хорошо его знаем.— Альвира вздохнула, кладя в чашку заменитель сахара.

— Но у меня такое чувство, как будто мы действительно знаем его,— серьезно произнес Уилли.

Минуту-другую они молчали, вспоминая, как около двух лет назад, после того как заметку Альвиры о пропавшем ребенке напечатали в «Нью-Йорк глоуб» и разместили в Интернете, ей позвонила

Александра Морланд и сказала:

— Миссис Михан, я не в силах даже выразить, как мы с Тедом ценим вашу статью. Если нашего Мэтью увел кто-то такой, кому отчаянно хотелось иметь ребенка, вы показали в своей статье, как отчаянно мы хотим вернуть его. Ваше предположение, что похититель мог бы припрятать мальчика в каком-то безопасном месте и остаться незамеченным камерами наружного наблюдения, может дать результат...

Альвире было так больно за несчастную мать.

— Уилли, у той бедной девушки был всего один ребенок, она к тому же потеряла обоих родителей, которые разбились на машине, когда ехали встречать ее в римском аэропорту. Александра разошлась с мужем еще до того, как узнала о своей беременности, и после всего этого исчез ее ребенок! Я прекрасно понимаю, в каком положении она очутилась. Я тогда сказала, что, если ей просто захочется с кем-то поговорить, она может позвонить мне в любое время... но знаю, что бедняжка этого не сделает.

Вскоре после того Альвира прочитала на шестой странице «Пост», что преследуемая роком Зан Морланд вернулась к работе, открыв агентство по оформлению квартир «Морланд-интерьер» на Восточной Пятьдесят восьмой улице. Жена заявила мужу, что их квартира нуждается в ремонте.

— Не думаю, что она так уж плохо выглядит,— заметил тот.

— Может, и так, Уилли, но мы купили ее вместе с мебелью уже шесть лет назад. По правде говоря, из-за того, что вокруг все белое — и занавески, и ковры, и мебель,— мне постоянно кажется, что я живу в аптеке. Конечно, транжирить деньги грешно, но я думаю, что в данном случае мы поступили бы правильно.

Результатом их разговора стала не только преображенная квартира, но еще и тесная дружба с Александрой Морланд – Зан. Теперь она постоянно звонила своим новым родным, и они частенько виделись.

— А ты пригласила Зан на ужин сегодня? — спросил Уилли.— Я хочу сказать, день для нее наверняка просто ужасный.

— Я приглашала,— ответила Альвира.— Сначала она согласилась, но потом снова позвонила. Ее бывший муж захотел побыть с ней, и она решила, что не вправе отказаться. Они встречаются вечером во «Временах года».

— Пожалуй, бывшие супруги и вправду могут дать друг другу некоторое утешение в день рождения Мэтью.

— Да, притом место публичное, так что Зан не позволит чувствам вырваться наружу. Хотя... когда она говорит о Мэтью, мне всегда хочется, чтобы бедняжка поплакала хоть немножко, но Морланд не делает этого никогда, даже с нами.

— Могу поспорить, что она очень даже часто плачет вечерами перед сном,— возразил Уилли.— Согласен, что ей полезно будет встретиться с бывшим мужем сегодня. Зан ведь говорила нам, что уверена, будто Карпентер никогда не простит ей того, что она оставила Мэтью с такой юной няней. Надеюсь, он не начнет говорить об этом снова в день рождения сына.

— Он ведь отец Мэтью... или был им,— напомнила ему Альвира, а потом добавила скорее для себя, чем для Уилли: — Из всего того, что мне приходилось читать, следует: один из родителей всегда берет на себя всю вину и ответственность за случившееся. То ли он нанял неправильную няню, то ли отсутствовал дома в тот день, когда хотел остаться. Уилли, кого-то всегда винят сверх всякой меры, если пропадает ребенок. Я лишь молю Бога о том, чтобы Тед Карпентер не выпил лишнего и не начал все валить на Зан сегодня вечером.

— Не стоит заранее беспокоиться, дорогая,— предостерег ее Уилли.— Не приманивай неприятности.

— Да, я понимаю, что ты имеешь в виду,— задумчиво произнесла Альвира, а потом потянулась еще за одним ломтиком поджаренного хлеба.— Но, Уилли, ты ведь знаешь!.. Если я предчувствую какие-то неприятности, то они всегда случаются. Как ни невероятно это может прозвучать, но я просто знаю, что Зан ожидает нечто очень серьезное, по-настоящему тяжелое.

4

Эдвард — Тед — Карпентер кивнул секретарю в приемной, не сказав ни слова, и просто быстро прошел через внешнюю комнату комплекса помещений его фирмы на тринадцатом этаже здания на Западной Сорок шестой улице. Стены этого помещения были сплошь увешаны фотографиями нынешних и бывших прославленных клиентов за последние пятнадцать лет. На всех имелись автографы. Обычно Тед поворачивал налево, в большую комнату, где работали десять его помощников, но этим утром направился прямиком в свой личный кабинет.

Он заранее предупредил своего секретаря, Риту Моран, никак не упоминать о дне рождения его сына и не приносить никаких газет. Но когда Тед подошел к ее столу, Рита его не заметила, потому что была полностью погружена в чтение какой-то новой истории в Интернете. Эдвард остановился у нее за спиной, глядя на монитор компьютера. На нем красовался портрет Мэтью. Когда Рита наконец ощутила присутствие Карпентера, она подняла голову. Ее лицо залилось краской, когда Тед наклонился над ней, схватил мышку и выключил компьютер. Потом он в несколько шагов исчез за дверью своего кабинета и снял пальто, но, прежде чем повесить его в шкаф, подошел к письменному столу и посмотрел на фотографию сына в рамке. Снимок был сделан в третий день рождения Мэтью.

«Даже тогда он уже был похож на меня. Такой же высокий лоб и темные карие глаза. Сразу видно, что это мой сын. Наверное, с возрастом он стал бы точно таким же, как я»,— думал Карпентер, сердито переворачивая фотографию изображением вниз.

Он подошел к шкафу и повесил в него пальто. Поскольку вечером предстояла встреча с Зан во «Временах года», Эдвард надел темно-синий костюм вместо обычных спортивной рубашки и свободных брюк.

Накануне вечером его самая главная заказчица, рок-звезда и актриса Мелисса Найт, откровенно огорчилась, когда Карпентер сказал ей, что не сможет сопровождать ее на некое мероприятие этим вечером.

— У тебя свидание с бывшей женой! — заявила она сердито, с явным опасением.

Тед не мог позволить себе ссориться с Мелиссой. Ее первые три альбома были проданы тиражом более миллиона, и благодаря именно ей другие знаменитости заинтересовались его рекламным агентством. К несчастью, в какой-то момент Мелисса влюбилась в него, или ей так показалось.

— Ты знаешь все мои планы, принцесса,— сказал Тед как можно мягче и добавил, не пытаясь скрыть горечь в голосе: — Но наверняка поймешь, почему я встречаюсь с матерью моего сына в его пятый день рождения.

— Ох, прости, Тед! — Мелисса мгновенно переполнилась раскаянием.— Мне действительно очень жаль. Конечно, я понимаю, почему ты с ней встречаешься. Это просто...

Воспоминание об этом эпизоде болезненно царапнуло Теда. Мелисса постоянно подозревала его в том, что он до сих пор любит Зан, и эта ревность приводила к регулярным взрывам. Причем с каждым днем их отношения становились все хуже.

«Мы с Зан разошлись только потому, что она сказала, будто наш брак был всего лишь эмоциональной реакцией на внезапную смерть ее родителей,— думал Карпентер.— Она в тот момент даже не успела еще понять, что беременна. Все это произошло больше пяти лет назад. Из-за чего же Мелисса так переживает? Но я не могу допустить, чтобы она злилась на меня. Если Найт решит уйти, для агентства это будет означать конец. Она привела с собой всех своих приятелей, значит, является нашей самой прибыльной статьей. Если бы только я не купил это чертово здание!.. О чем только я думал тогда?»

Вошла расстроенная Рита с утренней почтой и сказала с осторожной улыбкой:

— Бухгалтер у Мелиссы — просто сказка. Ежемесячный чек поступил сегодня утром, точно в срок, вместе с оплатой дополнительных расходов. Вот если бы и все остальные клиенты были такими!

— Да, этого стоит пожелать,— тепло откликнулся Тед, понимая, что Риту слишком огорчила его резкость.

— Ее бухгалтер приложил к чеку записку с сообщением, что тебе следует ждать звонка от Джеймибоя. Он только что отказался от услуг своих рекламщиков, и Мелисса порекомендовала ему тебя. Это был бы еще один потрясающий клиент для нас.

Теда охватило искреннее сожаление, когда он посмотрел на огорченное лицо Риты. Моран была с ним каждый день все последние пятнадцать лет, с тех самых пор, как он, самоуверенный типчик двадцати трех лет от роду, открыл свое рекламное агентство. Она присутствовала на крестинах Мэтью, на первых трех днях его рождения. Рите было сейчас хорошо за сорок, она не имела детей и была замужем за тихим школьным учителем. Женщине очень нравилось то волнение, которое вызывали в ней их знаменитые клиенты, и она приходила в полный восторг, когда Тед приводил Мэтью в офис.

— Рита! — заговорил Эдвард.— Ты, конечно, помнишь, что сегодня день рождения Мэтью. Я знаю, что ты молишься о том, чтобы он вернулся домой. Теперь начинай просить Господа, чтобы через год мы праздновали день его рождения вместе с ним.

— Ох, Тед, обязательно буду! — с жаром ответила Рита.— Буду!

Когда она снова вышла из кабинета, Карпентер несколько минут бездумно таращился на закрытую дверь, а потом вздохнул и потянулся к телефону. Он был уверен, что трубку снимет горничная, и приготовился передать сообщение. Они с Мелиссой накануне вечером были на кинопремьере, и та, скорее всего, еще спала.

Но она ответила после первого же гудка:

— Тед!..

То, что его телефонный номер и имя были записаны в определителе на телефоне Мелиссы, до сих пор заставало Карпентера врасплох.

«Когда я жил в Висконсине, мы о таком и не мечтали»,— подумал он.

Но в Нью-Йорке никого не удивишь подобной мелочью.

Тед постарался добавить в голос бодрости, здороваясь с Мелиссой:

— С добрым утром, Мелисса, королева сердец!

— Тед, я подумала, ты будешь очень занят подготовкой к вечерней встрече и даже не позвонишь мне сегодня...— Как обычно, она говорила раздраженно.

Тед подавил искушение швырнуть телефонную трубку и вместо того очень ровным и мягким тоном, который использовал для разговоров с самыми ценными заказчиками, когда те вели себя просто невыносимо, сказал:

— Ужин с моей бывшей женой вряд ли продолжится больше двух часов. Это значит, что я уйду из «Времен года» около половины десятого вечера. Не можешь ли ты найти в своем ежедневнике строчку для меня, примерно в девять сорок пять?

Через две минуты, уверенный в том, что вернул расположение Мелиссы, Тед повесил трубку и опустил голову на руки.

«Боже мой! — подумал он.— Почему я должен ее терпеть?»

5

Зан отперла дверь своего маленького офиса в дизайнерском центре, держа под мышкой журналы. Она пообещала себе, что будет избегать любых упоминаний о Мэтью, какие только могут обнаружиться в средствах массовой информации, но, проходя мимо газетного киоска, не удержалась и купила два популярных еженедельных журнала, специализировавшихся на историях с продолжением. В прошлом году на день рождения Мэтью оба они опубликовали пространные статьи о его похищении.

Всего неделю назад кто-то сфотографировал ее на улице, когда она шла к ближайшему от ее дома ресторану в Баттери-Парке. Зан с горечью подумала, что фотография, наверное, будет использована для какой-то очередной сенсационной публикации, заново пересказывающей историю исчезновения Мэтью.

Она машинальным жестом включила свет, остановилась и окинула взглядом свой офис с несколькими рулонами ткани, сложенными вдоль ослепительно-белых стен, образцами ковров, разбросанными по полу, и полками, заполненными тяжелыми книгами, в которых скрывались лоскуты тканей.

Когда они с Тедом разошлись, Зан начала свою дизайнерскую авантюру в этом самом маленьком офисе и решила все сохранить как есть, когда довольные заказчики стали присылать к ней друзей и знакомых. Антикварный письменный стол, вокруг которого красовались три эдвардианских стула, был достаточно широким для того, чтобы на нем помещались наброски оформления разных домов и комнат, лежали разнообразные сочетания цветов, предлагаемые заказчику.

Именно здесь, в этом помещении, ей иногда удавалось не думать о Мэтью по несколько часов подряд и таким вот образом заставлять тяжкую неутихающую боль потери скрываться в подсознании. Но Зан знала, что сегодня не тот случай.

Остальная часть ее фирмы состояла из заднего помещения, в котором едва хватало места для компьютерного стола, стойки с дисками, столика с неизбежной кофеваркой и маленького холодильника. Шкаф для одежды располагался напротив туалета. Джош Грин, ее помощник, с ироничной точностью отмечал, что площадь стенного шкафа и туалета абсолютно одинакова.

Зан устояла, когда Джош пытался уговорить ее арендовать помещения, освободившиеся по соседству. Она хотела свести к минимуму накладные расходы. В таком случае мать, наверное, снова сможет обратиться в частное детективное агентство, специальность которого — розыск пропавших детей, и они примутся за поиски Мэтью. Зан уже проходила по этому пути, истратила все то, что получила по скромной родительской страховке, в первый год после исчезновения Мэтью. Она с безумной расточительностью бросала деньги частным сыщикам и разным шарлатанам-медиумам, вот только никому из них так и не удалось найти хоть какую-то нить, способную привести к Мэтью.

Зан повесила в шкаф жакет. Мех на его воротнике еще раз напомнил ей, что вечером, за ужином, она должна встретиться с Тедом.

«Он-то почему хлопочет? — раздраженно подумала Зан.— Постоянно винит меня за то, что я позволила Тиффани Шилдс повести Мэтью в парк».

Но Тед действительно пылко любил мальчика, хотя все его обвинения в адрес Зан и сравниться не могли с тем, как она сама ругала себя.

Чтобы отвлечься от этих мыслей, Зан взяла журналы и быстро пролистала их. Как и предполагала, в одном из них она увидела ту фотографию Мэтью, которая была передана в средства массовой информации, когда он исчез. Заголовок гласил: «Жив ли до сих пор Мэтью Карпентер, празднует ли он свой пятый день рождения?»

Статья заканчивалась теми словами, которые произнес Тед в день исчезновения сына. Он предостерегал родителей, просил их не доверять своих детей слишком юным няням. Зан вырвала эту страницу, смяла ее, потом швырнула в корзину для бумаг оба журнала и попыталась понять, почему не в силах удержаться от поиска подобных статей.

Ничего не придумав, она быстро подошла к большому письменному столу и придвинула к нему стул.

В сотый раз за последние несколько недель Зан развернула рисунки, которые собиралась представить на рассмотрение Кевину Уилсону, архитектору и совладельцу тридцатичетырехэтажного многоквартирного здания, возвышавшегося над новой аллеей, протянувшейся вдоль Гудзона на западе. Если бы она получила заказ на оформление и меблировку трех квартир-образцов, это было бы для нее не только прорывом, но и первым успехом в противостоянии с Бартли Лонгом.

Для Зан по-прежнему оставалось непостижимым, что человек, так ценивший ее, когда она была его помощницей, вдруг резко изменил свое отношение. Когда Морланд только начала работать у него девять лет назад, сразу после того, как закончила

Институт прикладных наук, она с радостью согласилась на напряженный график и готова была терпеть тяжелый характер Лонга, потому что знала, что может многому научиться у него. Бартли Лонг, разведенный, в возрасте слегка за сорок, был настоящим прожигателем жизни. С ним изначально было трудно, но, когда Бартли обратил на Зан свое особое внимание, а она ясно дала ему понять, что не заинтересована в том типе отношений, которые он пожелал ей навязать, он сделал ее жизнь по-настоящему невыносимой, обливая Александру ядовитым сарказмом и бесконечной критикой.

«Из-за него я постоянно откладывала поездку к маме и папе, в Рим,— думала Зан.— Бартли просто бесился, когда я говорила, что мне нужны две недели отпуска. Я полгода медлила с этим путешествием, а когда наконец заявила, что уезжаю, нравится ему это или нет, было уже слишком поздно...»

Зан прилетела в римский аэропорт, где ее должны были встречать родители, но так и не дождалась их: автомобиль, за рулем которого сидел отец, врезался в дерево. Ее родители погибли мгновенно. Вскрытие показало, что у отца случился сердечный приступ.

«Не думай о них сегодня,— приказала себе Зан.— Сосредоточься на образцовых квартирах. Бартли предложит свой вариант, совсем другой план. Ты знаешь, как он мыслит. Ты побьешь этого типа его же собственным оружием.

Бартли наверняка предложит вариант декора, в котором традиционные элементы будут объединены с ультрамодерновыми, он отлично умеет сочетать их. Зан заставила себя сосредоточиться, посмотреть еще раз, не сможет ли найти еще более удачный вариант, как-то улучшить наброски интерьеров и сочетание цветов, которые предложит заказчику.

Как будто это имело какой-то смысл!.. Как будто хоть что-то, кроме Мэтью, могло иметь значение...

Зан услышала, как в дверном замке поворачивается ключ. Джош пришел. Ее помощник учился в Институте прикладных наук, на последнем курсе. Двадцать пять лет, умен и сообразителен, выглядит скорее как первокурсник, чем как одаренный дизайнер. Джош стал для Зан чем-то вроде младшего брата. Ей почему-то было проще с ним общаться из-за того, что он еще не работал с ней рядом тогда, когда исчез Мэтью. Им было приятно работать вместе.

Но сегодня, едва взглянув на лицо помощника, Зан поняла, что на нем написана некая тревога, непонимание.

Джош заговорил, даже не поздоровавшись:

— Зан, я вчера задержался здесь допоздна, проверял ежемесячные счета. Я не стал тебе звонить, потому что ты сказала, что собираешься принять снотворное. Но, Зан, зачем ты купила на следующую среду билет в Буэнос-Айрес, да еще в один конец?

6

Мальчик услышал шум машины, повернувшей на подъездную дорогу, даже раньше, чем Глори. В одно мгновение он соскользнул со стула перед столом, за которым завтракал, и бегом бросился по коридору к большому чулану. Там, как ему прекрасно было известно, Мэтью должен был сидеть как маленькая мышка, пока за ним не придет Глори.

Он ничего не имел против. Глори объяснила ему, что это некая игра, которая придумана ради его безопасности. В чулане на полу стояла лампа и лежал надувной резиновый плотик, достаточно большой, чтобы мальчик мог лечь и поспать, если устанет. Имелись там также и подушки с одеялом. Глори сказала, что в чулане Мэтью может делать вид, что он — пират, плывущий по океану. Или же мальчик мог почитать какую-нибудь книгу. Их в чулане было множество. Но вот чего он никогда не должен делать, так это издавать хоть какие-нибудь звуки. Мэтью всегда знал, когда Глори собиралась куда-нибудь уйти и оставить его одного, потому что в таких случаях она всегда предварительно вела его в ванную комнату, нужно то было ему или нет, а потом ставила в чулан большую пустую бутылку на случай, если ему понадобится пописать. Еще она оставляла ему сэндвич, печенье, воду и пепси.

Так было и в других домах, где они жили. Глори всегда устраивала для мальчика потайное местечко, где он мог прятаться, а потом расставляла там его игрушки, машинки, головоломки и книги, цветные мелки и карандаши. Она объясняла, что он все равно будет умнее всех других детей, хотя ребенок никогда не играл с ними.

— Ты уже читаешь лучше большинства семилетних ребят, Мэтти,— говорила она ему.— По-настоящему сообразителен, очень умный благодаря мне. Тебе здорово повезло, ты просто счастливчик.

Но поначалу мальчик совсем не чувствовал себя счастливым. Ему постоянно снилось, что он лежит под теплым пушистым одеялом рядом с мамой. Какое-то время спустя он уже не мог как следует припомнить ее лицо, но все равно не забывал, как себя чувствовал, когда она его обнимала. Мэтью часто плакал, но потом эти сны перестали ему сниться. Еще позже Глори купила новое мыло, которым он умывался перед сном, и сны вернулись, потому что после этого мыла от его рук пахло точно так же, как от мамы. Мальчик снова вспомнил ее имя и даже то, как она кутала его в свой халат... Утром он забрал мыло в свою комнату и спрятал под подушку. Когда Глори спросила его, зачем он это сделал, Мэтью честно ей рассказал, и она заявила, что все в порядке.

Однажды мальчику захотелось поиграть и спрятаться от нее, но больше он никогда этого не делал. Глори бегала вверх-вниз по лестнице, громко звала его, была по-настоящему взбешена, когда наконец заглянула под кушетку и обнаружила его. Она трясла кулаком перед лицом Мэтью и кричала, что он никогда не должен так поступать! Лицо у нее было таким злым, что мальчик испугался не на шутку.

Людей он видел только тогда, когда они ехали куда-нибудь на машине. Это всегда случалось поздно вечером или ночью. Они не задерживались подолгу ни в одном месте, и где бы ни останавливались, рядом никогда не было других жилищ. Иной раз Глори играла с ним в задней части дома, рассматривала его рисунки. Но потом они снова переезжали в другой район, и она опять устраивала для мальчика потайную комнату.

Иногда мальчик просыпался ночью, когда Глори уже запирала его в тайной комнате, слышал, как она с кем-то разговаривает, и гадал, кто бы это мог быть. Он никогда не слышал другого голоса и знал, что это не может быть его мама. Если бы она очутилась в этом доме, то сразу прибежала бы к нему. Но все-таки когда мальчик был уверен, что в доме есть кто-то еще, он брал в руки тот кусок мыла и представлял, что это мама.

На этот раз дверь чулана распахнулась почти сразу после того, как закрылась. Глори смеялась.

— Владелец этого дома прислал какого-то парня из охранной фирмы, чтобы тот убедился, что сигнализация работает. Настоящее бесчинство, а, Мэтти?

7

После того как Джош сообщил Зан об оплате авиабилета с ее кредитки, он предложил сразу же проверить все ее карты.

Грин без труда обнаружил, что в универмаге «Бергдорф Гудман» за счет Зан была приобретена некая очень дорогая одежда того размера, который она носила, вот только сама Морланд ничего об этом не знала.

— Надо же было такому случиться именно сегодня,— пробормотал Джош, посылая сообщение о том, что карту необходимо блокировать, и тут же добавил: — Зан, ты думаешь, что справишься с этим разговором одна? Может, мне все-таки пойти с тобой?

Александра поклялась, что все будет в порядке, и ровно в одиннадцать часов уже стояла перед входом в офис Кевина Уилсона, создателя потрясающего многоквартирного дома, смотревшего прямо на Гудзон. Дверь оказалась слегка приоткрыта. Офис был расположен на первом этаже нового здания. Любой архитектор устроил бы его точно в таком же месте ради удобства наблюдения за продвижением предстоящего проекта.

Уилсон сидел спиной к Зан, склонившись над большим столом, стоявшим рядом с письменным. Там были разложены какие-то бумаги. Возможно, это были эскизы Бартли Лонга. Зан знала, что с ним архитектор должен был встретиться раньше, чем с ней. Она постучала в дверь, Уилсон обернулся и пригласил ее войти.

Прежде чем Зан успела дойти до его письменного стола, Кевин развернулся вместе с креслом, встал и сдвинул на лоб очки. Зан поняла, что он куда моложе, чем она предполагала, ему явно было не больше тридцати пяти. При высоком росте и худощавой фигуре Уилсон куда больше походил на баскетболиста, чем на архитектора. Крепкий подбородок и яркие голубые глаза были самыми заметными чертами грубоватого, но интересного лица.

— Александра Морланд? — Он протянул ей руку.— Рад познакомиться с вами и благодарю за то, что приняли наше предложение разработать дизайнерский проект для квартир-образцов.

Зан постаралась улыбнуться, пожимая его руку. За два без малого года после исчезновения Мэтью она в общем научилась как бы делиться надвое, заставлять сына покинуть ее мысли в деловой ситуации. Но сегодня на нее навалились и день рождения Мэтью, и потрясение от того, что она узнала о воровстве денег с кредиток. Все это пробило брешь в стене самозащиты, которую Александра так тщательно выстраивала.

Она знала, что рука у нее ледяная, и порадовалась тому, что Кевин Уилсон как будто и не заметил этого, но пока не слишком доверяла себе и не решалась заговорить. Прежде всего ей нужно было как-то избавиться от кома, который застрял у нее в горле, иначе, как Морланд прекрасно понимала, скрытые слезы вырвутся наружу и потекут по ее лицу. Зан могла надеяться только на то, что Уилсон ошибется и примет ее молчание за застенчивость.

Похоже, так оно и случилось.

— Почему бы нам не посмотреть на то, с чем вы пришли? — мягко предложил он.

Зан тяжело сглотнула, потом произнесла ровным невыразительным тоном:

— Если не возражаете, давайте лучше поднимемся в квартиры. Тогда я смогу прямо на месте объяснить вам, как хотела бы все оформить.

— Конечно,— кивнул архитектор.

В несколько длинных шагов Уилсон обогнул письменный стол и забрал из рук Зан тяжелую кожаную папку. Они прошли по коридору ко вторым лифтам. Этот холл еще не был окончательно завершен, над головой висели какие-то провода, а на пыльном полу валялись обрезки лестничных ковров.

Уилсон продолжал говорить, и Зан чувствовала, что он делает это для того, чтобы помочь ей преодолеть нервозность:

— Это должен быть один из самых энергосберегающих домов в Нью-Йорке. Мы используем солнечную энергию и сделали здесь максимально большие окна, чтобы во всех квартирах постоянно присутствовало ощущение тепла и света. Я, знаете ли, вырос в такой квартире, где окно моей спальни смотрело прямо на кирпичную стену соседнего здания. В комнате день и ночь было так темно, что я едва мог рассмотреть собственные руки. Представьте, когда мне было десять лет, я сделал надпись на своей двери: «Пещера». Мать заставила меня стереть ее, пока отец не вернулся домой. Она сказала, что он очень расстроится из-за того, что мы не можем переехать в местечко получше.

«А я объездила весь мир,— подумала Зан.— Очень многим людям кажется, что это просто прекрасно. Маме с папой нравилась их дипломатическая жизнь, но мне-то хотелось постоянства. Я мечтала иметь соседей, которые оставались бы рядом лет двадцать подряд, жить в собственном доме. Когда мне было тринадцать, я желала не оставаться в школе-интернате, а быть рядом с родителями, даже пообижаться на них за то, что они так часто переезжают с места на место...»

Они вошли в лифт. Уилсон нажал кнопку на панели, и двери закрылись.

Зан искала что сказать и наконец нашла:

— Полагаю, вы слышали о том, что, после того как ваш секретарь позвонил мне и предложил разработать дизайн для нескольких квартир, я много раз приходила в этот дом и гуляла вокруг него.

— Да, знаю.

— Мне хотелось увидеть комнаты в разное время дня, при том или ином освещении, почувствовать их и то, как они должны выглядеть, чтобы самые разные люди могли войти в них и сказать: «Я дома».

Они начали осмотр с квартиры с одной спальней и совмещенным санузлом.

— Полагаю, что люди, которые хотели бы снять вот такое жилье, делятся на две категории,— начала Зан.— Квартиры достаточно дорогие, так что вряд ли здесь поселится молодежь, едва окончившая колледж, разве что счета будут оплачивать папочки. Думаю, этот вариант скорее выберут молодые специалисты. Если исключить романтическую ситуацию, большинство из них не захотят снимать квартиру пополам с приятелем.

Уилсон улыбнулся и спросил:

— А другая категория?

— Пожилые люди, которым нужно временное пристанище. Если даже они в состоянии позволить себе такое жилье, им все же не нужна гостевая спальня, потому что они не желают оставлять у себя кого-то на ночь.

Ей становилось все легче. Она находилась на знакомой, безопасной территории.

— Давайте вот отсюда и начнем.— Кухню от обеденной зоны отделял длинный стол-стойка.— Я ведь могу здесь разложить свои эскизы и образцы ткани? — поинтересовалась Зан, забирая у архитектора свой портфель.

Она говорила почти два часа, по очереди объясняя Кевину Уилсону свое ви́дение всех трех квартир.

Когда они наконец вернулись в его офис, архитектор положил ее планы на большой стол рядом с письменным и сказал:

— Вы проделали просто чудовищно большую работу, Зан.

После того как в первый момент он назвал ее Александрой, она тут же попросила:

— Давайте попроще. Все зовут меня Зан, наверное, потому, что, когда я только начинала говорить, имя Александра было для меня слишком длинным.

Теперь она сказала:

— Но я же хочу получить эту работу. Мне самой нравятся те планы, которые я вам представила. Они стоили того, чтобы отдать им много времени и усилий. Я знаю, что вы и Бартли Лонгу предложили разработать свой проект. Конечно, он опытнее меня. Но на самом деле все обстоит очень просто. Мы соревнуемся, а вам может не понравиться ни один наш проект.

— Вы к нему куда более милосердны, чем он к вам,— сухо заметил Уилсон.

Зан было неприятно слышать нотку горечи в собственном голосе, когда она отвечала:

— Боюсь, мы с Бартли теперь не слишком любим друг друга. С другой стороны, я уверена, что вы не затеяли все это просто ради развлечения.

«Еще я знаю, что моя работа обойдется тебе по меньшей мере втрое дешевле, чем услуги Бартли,— подумала Зан, расставаясь с архитектором у внушительного входа в небоскреб.— Ладно, пусть это будет моей личной головной болью. Я не смогу заработать много денег, получив этот заказ, но для меня сейчас куда важнее сделать себе имя».

Когда Зан ехала в такси в свой офис, она вдруг заметила, что слезы, сдерживаемые так долго, потекли наконец по ее щекам. Она поспешно достала из сумки темные очки и надела их. Когда такси остановилось на Пятьдесят Восьмой улице, Морланд, как обычно, оставила водителю щедрые чаевые. Александра была уверена в том, что каждый, кому приходится ради заработка ежедневно колесить по улицам Нью-Йорка, честно их заслуживает.

Таксист, пожилой чернокожий с ямайским акцентом, горячо поблагодарил ее, а потом добавил:

— Мисс, уж извините, я не мог не заметить, что вы плачете. У вас сегодня плохой день. Но может быть, завтра все будет выглядеть намного лучше. Вот увидите.

«Если бы только это было правдой»,— подумала Зан и ответила таксисту шепотом:

— Спасибо.

Она еще раз промокнула глаза платком и вышла из машины. Но завтра все не будет выглядеть намного лучше.

Может, этого никогда не случится.

8

Отец Эйден О'Брайен провел бессонную ночь, переживая за молодую женщину, которая призналась ему на исповеди, что имеет отношение к готовящемуся преступлению и не в силах предотвратить некое убийство. Он мог лишь надеяться, что раз уж совесть заставила ее хотя бы отчасти избавиться от страшной ноши, рассказав все священнику, то, возможно, она же вынудит бедняжку и не допустить смертного греха, подтолкнет к тому, чтобы не позволить лишить жизни человеческое существо.

Он молился за эту женщину во время утренней мессы, а потом с тяжелым сердцем приступил к своим обычным дневным делам. В особенности ему нравилось помогать в раздаче пищи и одежды нуждающимся. Их церковь занималась этим уже восемьдесят лет. В последнее время число людей, которых они кормили и одевали, заметно выросло. Отец Эйден трудился, раздавая завтрак, и с удовольствием наблюдал за тем, как светлели голодные лица, когда люди принимались за овсяную кашу и яичницу-болтунью, прихлебывали горячий кофе...

Потом, уже в середине дня, настроение отца Эйдена улучшилось еще больше, потому что ему позвонила старая подруга Альвира Михан и пригласила на ужин этим вечером.

— Я должен отслужить пятичасовую мессу в верхней церкви,— сказал он ей.— Но она закончится около половины седьмого.

В общем, отцу Эйдену предстояло провести приятный вечер, хотя он и знал: ничто не в силах освободить его от той ноши, которую возложила на его плечи та молодая женщина.

В 6.25 отец Эйден сел в городской автобус и поехал к южной части Центрального парка, к тому дому, где Альвира и Уилли Михан жили с тех пор, как на них обрушился лотерейный водопад в сорок миллионов долларов. Консьерж по громкой связи сообщил Миханам о его прибытии, и, когда лифт остановился на шестнадцатом этаже, Альвира уже ожидала гостя. Аппетитный запах жареного цыпленка заполнил холл, и отец Эйден с удовольствием направился следом за хозяйкой к источнику этого аромата. Уилли стоял в прихожей, чтобы помочь монаху снять пальто. Он уже заранее приготовил его любимую выпивку — бурбон.

Однако очень скоро отец Эйден заметил, что настроение у Альвиры далеко не такое бодрое, как обычно. В ее глазах читалась непонятная озабоченность, и францисканцу показалось, что она хочет что-то сказать, но не решается.

Наконец он решил подтолкнуть ее.

— Альвира, вы как будто чем-то встревожены. Не могу ли я вам помочь?

Она вздохнула и ответила:

— Ох, Эйден, вы просто читаете людей, как книги! В общем, я ведь вам рассказывала о Зан Морланд. Это та женщина, малыш которой исчез в Центральном парке.

— Конечно. Я в то время был в Риме,— кивнул отец Эйден.— Что, никаких следов мальчика так и не нашли?

— Ничегошеньки. Абсолютно ничего. Родители Зан погибли в автомобильной аварии, она потратила всю их страховку на частных детективов, но малыш просто растворился бесследно. Как раз сегодня ему исполнилось бы пять лет. Я приглашала нынче Зан к нам, но она встречается со своим бывшим мужем, и это мне кажется ошибкой. Он ведь постоянно винит ее в том, что она позволила молоденькой няне увести Мэтью на прогулку.

— Мне бы хотелось с ней познакомиться,— сказал отец Эйден.— Я иной раз гадаю, что хуже для родителей — похоронить ребенка или потерять его вот так, как она.

— Альвира, спроси отца Эйдена насчет того парня, которого ты вчера видела в церкви,— напомнил Уилли.

— Да, об этом я тоже хотела поговорить. Я вчера зашла в церковь, чтобы подойти к усыпальнице святого Франциска...

— И наверное, опустить в ящик перед святым Антонием небольшое пожертвование,— с улыбкой перебил ее отец Эйден.

— Вообще-то да. Но там стоял какой-то мужчина, закрывая лицо ладонями. Вы ведь понимаете, что бывают такие моменты, когда человеку не хочется, чтобы кто-то топтался рядом?

— Это мне понятно.— Отец Эйден кивнул.— Вы очень внимательны.

— Вот только на самом деле эта идея могла оказаться ошибочной,— не согласился Уилли.— Милая, расскажи Эйдену, что ты увидела.

— Как бы то ни было, я отошла назад, к последней скамье, откуда можно было бы проследить, когда уйдет этот человек. К несчастью, мне было не очень хорошо его видно. Потом вы вышли из исповедальной комнаты и через внутренний двор направились к входу в монастырь. Я как раз думала, не стоит ли мне вас догнать, но тут этот мистер Погруженный-в-молитву, кем бы он там ни был, вдруг вскочил и поднял свои темные очки. Уж поверьте, он не спускал с вас глаз ни на секунду, пока вы не скрылись из вида.

— Может быть, хотел исповедаться, но никак не мог набраться храбрости? — предположил отец Эйден.— К несчастью, такое нередко случается. Людям хочется освободиться от какой-то тяжести на душе, а потом они понимают, что не могут заставить себя признаться в том, что совершили.

— Нет. Тут было что-то другое. Как раз поэтому я и встревожилась,— твердо заявила Альвира.— Я хочу сказать, такое ведь тоже случается — когда какой-нибудь сумасшедший зацикливается на том или ином священнике. Если вы знаете хоть одного безумца, у которого появились претензии к вам, то будьте поосторожнее.

Похоже, отцу Эйдену пришла какая-то мысль, потому что морщины на его лбу стали вдруг глубже.

— Альвира, вы говорите, что тот человек всего несколько минут преклонял колени перед усыпальницей святого Антония, до того как я вышел из исповедальни?

— Да.— Хозяйка дома поставила на стол бокал с вином и подалась вперед.— Вы кого-то подозреваете, да?

— Нет,— не слишком убедительно произнес отец Эйден и подумал о той молодой женщине.

Она сказала, что не в силах спасти человека, которого собираются убить. Возможно, за ней следили, когда она шла в церковь, или же дама была не одна? Она просто ворвалась в исповедальную комнату, поддалась внезапному порыву, а потом сильно пожалела об этом?

— Эйден, а у вас в церкви есть камеры слежения? — спросила Альвира.

— Да, у каждого входа.

— Разве вы не можете проверить их и выяснить, кто мог прийти в церковь в течение часа после половины шестого? Я хочу сказать, что народу-то там было не слишком много.

— Да, это можно сделать,— согласился отец Эйден.

— Вы не против того, чтобы я посмотрела записи завтра утром? — спросила Альвира.— Я, конечно, не видела лица того человека, но у меня осталось общее впечатление. Высокий рост, внесезонная куртка, что-то непромокаемое... У него очень густые черные волосы.

«Еще запись покажет ту молодую женщину, что заходила в церковь»,— подумал отец Эйден.

Он не очень-то надеялся выяснить, кто она такая, но было бы интересно проверить, следили за ней или нет. Тревога, терзавшая францисканца весь этот день, стала еще сильнее.

— Конечно, Альвира, давайте встретимся в церкви в девять утра.

Если за той женщиной кто-то наблюдал, боялся того, что она могла бы рассказать священнику, то не грозит ли теперь ей опасность?

Доброму монаху и в голову не пришло задать себе вопрос, не находится ли теперь под угрозой его собственная жизнь, просто из-за того, что кого-то очень пугает то, в чем могла признаться ему встревоженная молодая женщина...

9

Ровно в половине восьмого Зан вошла в ресторан «Времена года». Ей достаточно было окинуть взглядом зал, чтобы обнаружить Теда. Ничего другого она и не ожидала. Семь лет назад, когда они только начали встречаться, Карпентер объяснил ей, что ради дела привык всегда являться немного раньше назначенного времени.

— Если встреча важна для клиента, я таким образом даю понять, что ценю чужое время. Если же я должен увидеться с человеком, которому что-то нужно от меня, то учитываю его волнение и ставлю собеседника в невыгодное положение. Пусть он приходит вовремя, но все равно чувствует себя опоздавшим.

— Да что может кому-то понадобиться от тебя? — спросила тогда Зан.

— Например, менеджер какой-нибудь будущей звезды, актера или певца хочет, чтобы я помог ему справиться с его клиентом. Такого рода вещи.

— Мисс Морланд, рады видеть вас снова! Мистер Карпентер ждет вас.

Метрдотель повел ее через зал к тому столику на двоих, который всегда заказывал Тед.

Тед встал, наклонился, поцеловал ее в щеку и задел плечом, когда они садились.

— Зан!..— Его голос прозвучал хрипло.— Что, день был довольно трудным, да?

Александра решила ни слова не говорить бывшему мужу о том, что кто-то украл деньги с ее карт. Она знала, что стоит Теду об этом узнать, как он сразу захочет ей помочь, и не желала ничего такого, что заставило бы ее поддерживать отношения с ним, кроме, разумеется, вопросов, касавшихся Мэтью.

— Да, паршивый денек,— негромко ответила Зан.

Тед накрыл ладонью ее руку и сказал:

— Я не оставляю надежды на то, что однажды зазвонит телефон и ты услышишь хорошие новости.

— Я и сама заставляю себя в это верить, но потом сразу думаю, что Мэтью, наверное, уже забыл меня. Ему ведь было всего три года и три месяца, когда он исчез. Я потеряла целых два года его жизни...— Зан умолкла, потом осторожно добавила: — Я хочу сказать, мы потеряли.

Она заметила вспышку гнева в глазах Теда и не усомнилась в том, что знает, о чем он подумал. Та няня. Тед никогда не простит ей того, что она наняла какую-то беспечную девчонку, когда Зан понадобилось встретиться с заказчиком. Когда он заговорит об этом? После пары порций спиртного?

На столе уже стояла бутылка ее любимого красного вина. Тед кивнул, и официант начал разливать его.

Карпентер поднял свой бокал и предложил:

— За нашего малыша.

— Не надо,— прошептала Зан.— Тед, я просто не могу говорить о нем. Мы оба знаем, какие чувства терзают нас сегодня.

Он ничего не ответил и сделал большой глоток из бокала. Зан, всматриваясь в него, уже второй раз за этот день подумала, что Мэтью вырос бы очень похожим на отца, с такими же широко расставленными карими глазами и правильными чертами лица. Тед по любым меркам был интересным мужчиной. Потом Александра заставила себя признать, что точно так же, как ей самой не хочется говорить о Мэтью, Теду необходимо поделиться какими-то воспоминаниями о нем.

«Но почему именно здесь? — с горечью спросила она себя.— Я прекрасно могла бы приготовить ужин для нас и в моей квартире.— Нет, не могла бы»,— тут же поправилась Морланд.

Но они могли бы отправиться в какое-нибудь маленькое уютное местечко, где их не беспокоило бы ощущение, что другие посетители наблюдают за ними. Сколько человек в этом зале могли прочесть статьи в сегодняшних журналах?

Зан понимала, что должна позволить Теду поговорить о Мэтью.

— Я сегодня утром думала о том, что он с каждым днем становился все больше похожим на тебя,— пустила она пробный шар.

— Согласен. Я помню, как однажды, всего за несколько месяцев до того, как он пропал, мы с ним отправились пообедать вместе. Ему хотелось погулять, пойти пешком, и я взял его за руку и повел по Пятой авеню. Сын был таким чертовски хорошеньким, что люди смотрели на него и улыбались. Я тогда наткнулся на одного из своих старых клиентов, и тот пошутил: «Вам никогда не удалось бы отказаться от отцовства!»

— Не думаю, что тебе захотелось бы от него отказываться.— Зан попыталась улыбнуться.

Как будто поняв, каких усилий стоила ей эта попытка, Тед сменил тему:

— Как твой дизайнерский бизнес? Я где-то читал о том, что тебя пригласили отделывать тот новенький дом, который построил Кевин Уилсон.

Это была безопасная территория.

— Я искренне надеюсь, что так оно и будет.

Зан действительно верила, что Теду это интересно, ей было просто необходимо увести разговор в сторону от Мэтью. Поэтому она подробно рассказала бывшему мужу, какой проект оформления предложила Уилсону, и добавила, что у нее есть неплохой шанс получить этот заказ.

— Конечно, Бартли Лонг тоже претендует на эту работу. Судя по одному замечанию Кевина Уилсона, я предполагаю, что он снова говорил обо мне разные гадости.

— Зан, этот человек опасен. Я всегда это чувствовал. Как он ревновал тебя ко мне, когда у нас завязался роман! Да и теперь проблема не только в деловом соперничестве. Он не хочет выпускать тебя из вида, не желает, чтобы ты добилась самостоятельности, и, могу поспорить, до сих пор сходит по тебе с ума.

— Тед, он на двадцать лет старше меня! Лонг разводился, имел бесконечно много интрижек. У него отвратительный характер. Даже если он испытывает какие-то чувства ко мне, то скорее из-за того, что я отнюдь не была польщена его неожиданным вниманием. Я больше всего на свете сожалею о том, что позволила ему командовать мной, когда меня просто тянуло в Рим, вся душа рвалась к маме и папе...

Она сразу вспомнила все это. Прибытие в аэропорт Да Винчи. То, как искала лица родителей, проходя через сканнеры. Разочарование. Потом тревога. Зан получила багаж, растерянно ждала в терминале, потом позвонила по международной карте и услышала сообщение об аварии и о гибели родителей...

Морланд прекрасно помнила суету и шум римского аэропорта тем ранним утром. Она и теперь как будто видела себя со стороны, застывшей с телефонной трубкой возле уха, с раскрытым в беззвучном крике ртом...

— Потом я позвонила тебе,— сказала она Теду.

— Я рад, что ты это сделала. Когда я прилетел в Рим, ты была совершенно вне себя.

«Я была вне себя несколько месяцев,— подумала Зан.— Тед поддерживал меня, как какой-нибудь спасательный круг. Он отлично это умеет. Многие женщины были бы счастливы выйти за него замуж...»

— Ты женился на мне, чтобы заботиться, а я только тем тебя и вознаградила, что позволила неопытной няне потерять твоего сына.— Зан сама не могла поверить в то, что произнесла эти слова.

— Я прекрасно помню, что сказал в тот день, когда пропал Мэтью. Неужели ты так и не поняла, что я был просто бесконечно расстроен?

«Ходим кругами, и никто не знает, где и когда остановимся»,— подумала Зан.

— Тед, неважно, что ты сказал, я все равно виню себя. Может, ни одно из тех детективных агентств, в которые я обращалась, и не добилось...

— Это была пустая трата денег, Зан. В ФБР завели дело, нью-йоркский полицейский департамент тоже этим занимается. А ты веришь любому шарлатану, который заявляет, что может отыскать Мэтью. Даже той сумасшедшей ведунье, которая заставила нас проехаться во Флориду, в долину Аллигаторов!*

— Не думаю, что все то, что может хоть как-то помочь нам найти Мэтью,— пустая трата денег. Мне наплевать, если даже придется обзвонить все частные агентства, которые есть в телефонной книге. Может быть, я со временем найду того единственного детектива, который нападет на след Мэтью. Ты спрашивал меня насчет того заказа на оформление квартир. Если я его получу, передо мной откроются многие двери. Я заработаю кучу денег, и каждый цент, который мне не понадобится собственно на жизнь, потрачу на новые попытки найти Мэтью. Должен же был хоть кто-то что-то заметить. Я по-прежнему в это верю.

Зан ощущала, что дрожит, и только теперь поняла, что постепенно повышала голос. Рядом стоял метрдотель и пытался сделать вид, что не подслушивает.

— Вы готовы сделать заказ? — спросил он.

— Да,— поспешно ответил Тед и тут же прошептал: — Бога ради, Зан, постарайся сдерживаться! Зачем ты так упорно терзаешь себя?

В этот миг на его лице отразилось удивление, и Морланд оглянулась.

Через зал к ним спешил Джош. Бледный как бумага, он остановился возле их столика.

— Зан, я как раз уходил из офиса, когда туда явились несколько репортеров с камерами из «Тел-Олл-

* Долиной Аллигаторов называют национальный парк Эверглейдс, расположенный на юге Флориды.

уикли», они искали тебя. Я сказал, что не знаю, где ты. Тогда они мне сообщили, что некий парень, бывший в парке в день исчезновении Мэтью, только что решил увеличить несколько фотографий, которые сделал в день годовщины свадьбы своих родителей. Один репортер мне сказал, что тот парень вдруг заметил, что на заднем плане снимка при увеличении обнаружилась какая-то женщина, достающая ребенка из прогулочной коляски. Рядом еще одна спит на одеяле...

— Боже мой! — воскликнул Тед.— Что там можно было разобрать?

— Когда фотографии увеличили еще сильнее, прояснились другие детали заднего плана. Лица мальчика не видно, но на нем голубая клетчатая рубашка и шорты.

Зан и Тед уставились на Джоша.

У Александры так пересохли губы, что она с трудом смогла выговорить:

— Именно так был одет Мэтью. Тот человек отнес фотографии в полицию?

— Нет. Он их продал тем паршивцам из «Тел-Олл». Зан, это безумие, но они клянутся, что женщина, забирающая ребенка из коляски,— ты! Тут якобы невозможно ошибиться. Это ты!

Искушенные посетители «Времен года» повернули головы в поисках источника внезапного шума, когда Тед схватил Зан за плечи, рывком поднял на ноги и заорал:

— Черт тебя побери, сумасшедшая идиотка! Где мой сын? Что ты с ним сделала?!

10

Пенни Смит Хэммел, как и многие крупные женщины, всегда двигалась с природной грацией. В молодости, несмотря на вес, она была одной из самых популярных девушек в школе, потому что обладала приятными чертами лица, заразительным юмором и способностью заставить даже самого неуклюжего партнера по танцу почувствовать себя настоящим Фредом Астером*.

Уже через неделю после окончания школы она вышла замуж за Берни Хэммела, который тут же устроился работать шофером-дальнобойщиком. Довольные тем, что им давала судьба, Берни и Пенни вырастили троих детей в Мидлтауне, тихом районе, который находился в часе с небольшим езды от Манхэттена и на целые века отстоял от него по образу жизни.

Теперь им было по пятьдесят девять лет, их дети и внуки рассыпались по стране от Чикаго до Калифорнии. Берни слишком часто бывал в отъезде, поэтому Пенни с удовольствием бралась за работу няни. Она обожала всех своих подопечных, дарила им ту любовь, которая могла бы достаться ее внукам, находись они поближе.

Но настоящее событие случилось в ее жизни четыре года назад, когда они с Берни и с десятью его друзьями-водителями выиграли в лотерею пять

---

* Фред Астер (1899–1987) — американский актер, танцор, хореограф и певец, звезда Голливуда, один из величайших мастеров музыкального жанра в кино.

миллионов долларов. Эта группа оказалась одной из самых больших, разделивших выигрыш за всю историю лотереи. После уплаты налогов каждому из них досталось не так уж и много, около трехсот тысяч долларов, которые Берни и Пенни тут же вложили в образование своих внуков.

Частью этой волнующей истории стало еще и то, что Берни и Пенни получили приглашение посетить Манхэттен и познакомиться с Альвирой и Уилли Михан, а также побывать на встрече их группы поддержки победителей лотерей. Миханы создали ее, чтобы помогать людям не проматывать выигрыши, не пускать деньги на ветер, делая какие-нибудь безумные вложения или разыгрывая из себя Санта-Клауса перед невесть откуда взявшимися родственниками.

Пенни и Альвира моментально поняли, что они — родственные души, и с тех пор регулярно встречались.

Ребекка Шварц, лучшая подруга Пенни, с которой они не расставались со школы, была агентом по продаже и аренде недвижимости. Она постоянно сообщала приятельнице о тех домах, что продавались или покупались в ее районе. Двадцать второго марта они обедали в любимом ресторанчике, и Ребекка ошарашила Пенни сообщением о том, что дом в тупике рядом с ними наконец сдан в аренду. Новая жиличка переехала туда первого марта.

— Ее зовут Глория Эванс,— доверительно сказала она.— Ей около тридцати. Очень привлекательная. Натуральная блондинка. Знаешь, я ведь всегда могу отличить природную от крашеной. В прекрасной форме, не то что ты и я. Она хотела снять дом всего на три месяца, но я ей сказала, что Сай Оуэнс и говорить о таком не станет, не сдаст меньше чем на год. Эванс и глазом не моргнула, сказала, что готова заплатить за год вперед, потому что пишет книгу. Мол, просто необходимо, чтобы ей никто не мешал.

— Недурная сделка для Оуэнса,— заметила Пенни.— Он, надо полагать, сдает дом с обстановкой?

— Конечно.— Ребекка рассмеялась.— А что еще он стал бы делать со всем этим старьем? Сай вообще-то хочет продать дом таким, какой он есть, со всем барахлом внутри. Можно подумать, это Букингемский дворец!

Пенни, как это было в ее обычае при появлении каких-либо новых соседей, на следующий день поехала познакомиться с Глорией Эванс, прихватив с собой тарелку черничных плюшек, испеченных собственноручно. Когда она постучала в дверь, ей пришлось ждать несколько долгих минут, хотя хозяева были дома: под навесом стоял автомобиль.

Пенни хотела сразу войти, но Глория Эванс придержала дверь, и гостье сразу стало ясно, что эта женщина ничуть не рада вторжению.

Пенни тут же принялась извиняться:

— Ох, мисс Эванс, я знаю, что вы пишете книгу, и предварительно позвонила бы вам, если бы знала номер телефона. Я просто хотела приветствовать вас и угостить черничными плюшками. Их здесь все знают. Пожалуйста, не подумайте, что я из тех людей, которые станут докучать вам телефонными звонками или внезапными визитами...

— Это очень мило с вашей стороны. Но я сюда переехала ради полного уединения,— огрызнулась Эванс и с явной неохотой приняла из щедрой руки Пенни тарелку с черничными плюшками.

Не желая чувствовать себя оскорбленной, гостья продолжила:

— Насчет тарелки не беспокойтесь. Она рекламная. Еще я приклеила снизу на донышко свой номер телефона, просто на всякий случай, вдруг вам что-нибудь срочно понадобится.

— Вы очень добры, но во всем этом нет необходимости,— напряженно произнесла Эванс.

Ей пришлось открыть дверь чуть пошире, чтобы принять тарелку.

Пенни бросила взгляд внутрь, тут же заметила на полу игрушечный грузовик и воскликнула:

— Я и не знала, что у вас есть малыш! Я очень хорошая няня, имейте это в виду. У меня есть рекомендации от половины жителей нашего района.

— У меня нет ребенка! — рявкнула Эванс, проследила за взглядом Пенни, оглянулась, тоже увидела грузовик и пояснила: — Моя сестра помогала мне устроиться здесь. Это игрушка ее сына.

— Что ж, если она вас навестит и вы с ней захотите пойти куда-нибудь пообедать, то у вас есть мой телефон,— вежливо сказала Пенни.

Три последних слова она произнесла уже в дверь, захлопнувшуюся перед ее лицом. Мгновение-другое женщина неуверенно стояла на месте, потом, испытывая сильное желание снова нажать на кнопку звонка и вырвать у новой соседки тарелку с плюшками, повернулась и направилась к машине.

— Надеюсь, эта Глория Эванс не пишет книгу о хороших манерах,— пробормотала Пенни, совершенно раздавленная и униженная.

Она села в машину, развернулась и уехала прочь.

11

Альвира и Уилли услышали потрясающую новость о том, что Зан Морланд, возможно, сама причастна к исчезновению своего сына, в вечернем выпуске новостей, в одиннадцать часов. Они уже собирались ложиться спать, поужинав с отцом Эйденом. Потрясенная Альвира тут же позвонила Зан, а когда та не ответила, надиктовала сообщение на автоответчик.

Утром Альвира встретилась с отцом Эйденом в монастыре, соединяющемся с церковью Святого Франциска Ассизского. Вместе с Нейлом Хантом — так звали человека, работающего в храме,— они поспешили в офис, чтобы просмотреть записи камер наблюдения начиная с половины шестого вечера понедельника. В первые двадцать минут не обнаружилось ничего необычного. Разные люди просто входили в церковь и выходили из нее. Пока все ждали появления нужной им фигуры, Альвира, полная тревоги, рассказала отцу Эйдену о том, что средства массовой информации утверждают, будто Зан могла быть вовлечена в похищение Мэтью.

— Они же точно так же могли бы заявить, что мальчика украли мы с Уилли! — настойчивым тоном заявила Михан.— Это настолько глупо, что остается лишь удивляться тому, что кто-то способен это проглотить. Если у них есть какие-то фотографии, то могу сказать одно. Тот типчик из Англии подсунул им фальшивку, чтобы выманить деньги, вот и все...— В этот момент Альвира наклонилась и быстро спросила: — Нейл, можно остановить запись? Это Зан. Она, должно быть, заходила сюда в понедельник вечером. Я знаю, как бедняжка горевала вчера, ведь Мэтью должно было исполниться пять лет.

Отец Эйден О'Брайен тоже узнал дорого одетую молодую женщину в темных очках и с длинными волосами. Это была та самая дама, которая пришла в исповедальную комнату и сказала ему, что вовлечена в готовящееся преступление. Мол, кто-то где-то намерен совершить убийство.

Монах постарался, чтобы его голос звучал вполне спокойно, когда спросил Альвиру:

— Вы уверены, что это именно ваша подруга?

— Конечно же! Вы только взгляните на ее костюм! Зан купила его в прошлом году после уценки. Она так экономит деньги! Все то, что досталось ей после родителей, Морланд истратила на частных детективов, лишилась последнего цента, пытаясь найти Мэтью. Теперь Александра снова копит, чтобы нанять еще кого-нибудь и заново начать поиски.— Прежде чем Эйден успел что-либо ответить, Альвира снова подтолкнула Ханта и попросила его пустить запись дальше.— Я просто сгораю от нетерпения, мне хочется наконец-то увидеть того парня, который следил за вами, святой отец!

Францисканец спросил, тщательно выбирая слова:

— Как вы думаете, он не мог прийти вместе с вашей подругой? Или следом за ней?

Но Альвира как будто не расслышала вопроса и воскликнула:

— Ох, смотрите! Вот входит тот самый тип! — Она тут же покачала головой.— А лица-то и не рассмотреть, воротник поднят. Еще и темные очки... Видны только волосы.

В следующие полчаса она просмотрела остальные видеозаписи. Нетрудно было выделить среди прочих фигуру той женщины, в которой Альвира опознала Зан, когда та покидала церковь. Она была все в тех же темных очках, но теперь шла, склонив голову, а ее плечи вздрагивали. Женщина прижимала к губам носовой платок, как будто пыталась подавить рыдания, выбежала наружу и скрылась из поля зрения камер.

— Она и пяти минут здесь не пробыла,— грустно сказала Альвира.— Очень боится сорваться... Морланд мне рассказывала, что после гибели родителей в аварии просто не могла остановить слезы и боялась выходить на люди. Она говорила, что, если бы такое случилось снова после похищения Мэтью, она бы не смогла работать, а это ей необходимо, чтобы не впасть в безумие.

— Безумие...— повторил последнее слово отец Эйден, но так тихо, что ни Альвира, ни Нейл его не расслышали.— «Признаюсь, я соучастница преступления, происходящего в настоящее время, и убийства, которое будет совершено очень скоро... Я не хочу быть с этим связана, но уже поздно, ничего не остановить».

В последние два дня это отчаянное заявление не выходило из ума отца Эйдена.

— Вот снова этот тип. Он уходит, но рассмотреть его опять невозможно.— Альвира подала Ханту знак остановить запись.— Видите, как Зан расстроена вечером в понедельник? Вы можете вообразить, как она чувствует себя теперь, после той истории в новостях? Ее обвинили в похищении Мэтью!

Но молодая женщина сказала отцу Эйдену и еще кое-что, и он этого не забыл. «Вы прочтете о нем в газетах». Вдруг убийство, которое она не в силах предотвратить, уже совершено? Что, если эта особа уже убила собственное дитя или, что еще хуже, несчастный малыш пока жив, но вот-вот умрет?

12

После яростного потока обвинений, которые Тед выплеснул на Зан, Джош схватил ее за руку, выдернул из-за стола и стремительно вытащил из «Времен года» на глазах потрясенных посетителей. Они промчались вниз по лестнице, через вестибюль — на улицу.

— Боже, они, похоже, следили за мной! — пробормотал он, когда невесть откуда тут же появились папарацци и защелкали фотокамерами.

Перед входом в ресторан остановилось такси. Джош, теперь уже обнимавший Зан за плечи, рванулся к машине и ровно в тот момент, когда подъехавший к ресторану пассажир поставил ноги на землю, втолкнул Зан внутрь и сам ввалился следом.

— Вперед! — рявкнул он водителю.

Таксист кивнул и тронул машину с места, успев к зеленому свету на перекрестке Пятьдесят Второй улицы и Третьей авеню.

— Направо по Второй авеню,— сказал ему Джош.

— Она кто, кинозвезда или рок-певица? — спросил таксист, но не услышал ответа и пожал плечами.

Грин, все это время продолжавший обнимать Зан за плечи, наконец-то убрал руку и спросил:

— Ты как, в порядке?

— Не знаю,— шепотом ответила Морланд.— Джош, что все это значит? Они все сразу посходили с ума? Откуда у них могла взяться такая фотография? Я вынимаю Мэтью из коляски! Бога ради, да у меня куча свидетелей того, что я была в то время в городском доме Элдричей! Нина Элдрич меня пригласила туда, чтобы обсудить оформление интерьеров!

— Зан, расслабься,— сказал Джош, стараясь говорить как можно спокойнее, хотя уже отлично представлял, что начнется после того, как вспышка Теда, заснятая кем-то, появится в новостях.— Мы можем доказать, где и когда ты была в тот день. Что ты собираешься делать теперь? Боюсь, если поедешь домой, папарацци уже будут ждать тебя там.

— Но мне нужно домой,— возразила Зан, голос которой прозвучал уже немного увереннее.— Ты меня там высади, но такси не отпускай, и если там есть фотографы, проводишь меня до двери, чтобы я вошла в дом. Джош, что вообще происходит? У меня такое чувство, как будто я очутилась в кошмарном сне и никак не могу проснуться.

«Да ты и живешь в постоянном кошмаре»,— подумал Джош.

Остаток пути до Баттери-Парка они молчали. Когда такси остановилось перед многоквартирным домом, в котором жила Зан, пассажиры, как и предвидел Джош, заметили фотографов, толпящихся у входа. Низко опустив головы, они не обращали внимания на окрики вроде: «Посмотри сюда, Зан!» или «Зан, Зан, обернись!», пока не очутились в безопасности вестибюля.

— Джош, такси ждет. Отправляйся домой,— сказала Морланд, когда они остановились перед лифтом.

— Ты уверена?

— Уверена.

— Зан!..

Джош прикусил язык. Вообще-то он собирался сказать, что полиция, без сомнения, захочет задать ей кое-какие вопросы. Прежде чем отвечать, Александре лучше обзавестись адвокатом.

Но вместо того он просто сжал ее руку, подождал, пока она скроется в лифте, и только после этого ушел. Папарацци увидели, что Грин вышел один, почуяли, что сенсационных фотографий больше не получить, и сразу начали расходиться.

«Но они вернутся,— думал Джош, садясь в такси.— Если в чем-то сейчас и можно быть уверенным, так только в этом, черт бы их всех побрал».

13

После эмоционального взрыва во «Временах года» Тед отправился в мужскую комнату. Когда он вскочил и схватил Зан, бокал, который Карпентер держал в руке, перевернулся, и вино залило его рубашку и галстук. Взяв полотенце, Тед принялся — без особого успеха — промокать пятна, глядя в зеркало.

«У меня такой вид, будто я истекаю кровью»,— подумал он, на мгновение отвлекшись от ошеломительного открытия... Надо же было такому приключиться, что фотоаппарат случайного туриста запечатлел женщину, уводящую Мэтью из Центрального парка!

Тед почувствовал, как в кармане пиджака завибрировал телефон. Он догадывался, что это должна быть Мелисса.

Это действительно оказалась она.

Тед подождал, пока Найт закончит передавать сообщение, потом прослушал голосовую почту.

«Я знаю, что сейчас ты не можешь разговаривать, но встреть меня в половине десятого у “Лолы”.— В голосе Мелиссы на этот раз не звучало ничего сексуального, как это бывало обычно, и Тед понял, что получил приказ.— Это касается только нас двоих. Потом, около половины двенадцатого, мы поедем в клуб,— продолжила рок-звезда, в тоне которой послышалось раздражение.— Не целуй свою бывшую на прощание!»

«Вряд ли мы могли расстаться так нежно, после того как я узнал, что моя бывшая жена похитила и, судя по всему, спрятала где-то моего ребенка,— подумал Тед, объятый злобой.— Когда я позвоню Мелиссе и расскажу ей о случившемся, она все сразу поймет».

Фотографии.

Наверное, она о них еще не слышала.

«Да с чего вдруг я стал беспокоиться из-за Мелиссы? — спросил себя Тед.— Я должен сейчас интересоваться только одним: настоящие ли это снимки?»

Он ведь прекрасно знал, что фотографии легко подделать, с ними вообще несложно манипулировать. Сколько раз ему самому приходилось убирать со снимков ненужные фигуры? Если их можно удалить, то нетрудно и вставить. Очень даже нередко лицо какой-нибудь звезды пристраивают к более приличному туловищу. Вдруг фотография, на которой Зан уводит Мэтью,— просто фотомонтаж? Что они там говорили?.. Сколько получил тот турист от редакции «Тел-Олл»?

Мужчина, вошедший в туалетную комнату, бросил на Теда сочувственный взгляд. Карпентер поспешил выйти, не желая вступать в разговор.

«Если те фотографии окажутся фальшивкой, я буду выглядеть настоящим подлецом из-за того, что вот так набросился на Зан,— думал он почти в отчаянии.— Я ведь считаюсь специалистом по рекламе, по связям с общественностью, и вдруг такое!..»

Ему необходимо было поговорить с Мелиссой. Он должен был встретиться с ней. Но у него еще оставалось время на то, чтобы заехать домой, сменить рубашку и отправиться к «Лоле». Если журналисты уже ждут снаружи, то Эдвард, по здравом размышлении, должен бы им сказать, что готов попросить прощения у матери Мэтью за то, что так быстро поверил в ее виновность...

Собравшись с духом, Карпентер прошагал к двери фойе, где, как он и предполагал, его уже подкарауливали репортеры. Кто-то сунул микрофон прямо ему в лицо.

— Ох, прошу вас! — воскликнул Тед.— Я готов сделать заявление, но вы же меня совсем задавили!

Когда поток громко выкрикиваемых вопросов иссяк, он взял микрофон из рук какого-то репортера и твердым голосом произнес:

— Прежде всего я должен принести извинения матери Мэтью, моей бывшей жене Александре Морланд, за мое совершенно непристойное поведение этим вечером. Мы оба в отчаянии оттого, что наш ребенок пропал. Я услышал, что якобы существует фотография, на которой мальчика уводит его мать, и в буквальном смысле потерял голову. Мне следовало бы подумать хоть несколько мгновений, и тогда я бы понял, что эта фотография должна быть фальшивкой или подделкой, называйте как хотите.— Тед немного помолчал, а потом добавил: — Я теперь настолько уверен в том, что упомянутая фотография — фальшивка, что намерен сейчас отправиться на встречу с моей талантливой и прекрасной клиенткой Мелиссой Найт и поужинать с ней в кафе «Лола». Но как видите, услышав ужасную новость о той фотографии, я пролил на рубашку вино. Так что сначала я заеду домой и переоденусь, а потом отправлюсь к «Лоле».— Тед не сумел скрыть дрожь в голосе.— Моему сыну Мэтью сегодня исполняется пять лет. Ни его мать, ни я не верим, что он мертв. Некто, возможно какая-то одинокая женщина, отчаянно желающая иметь ребенка, воспользовался возможностью, украл мальчика и сейчас находится рядом с ним. Если эта особа видит нас, я прошу ее: пожалуйста, скажите Мэтью, как сильно любят его мама и папа. Они очень хотят вновь увидеть сына.

Репортеры хранили почтительное молчание, пока Тед шел к краю тротуара. Ларри Пост, друг Теда по колледжу и давний его водитель, ждал, открыв заднюю дверцу машины.

14

После того как Джош ушел, Зан поднялась к себе, тщательно заперла за собой дверь квартиры, быстро сняла всю одежду и закуталась в старый теплый купальный халат, который надевала по утрам, встав с постели. Автоответчик мигал, говоря о полученном сообщении. Зан подошла к телефону и выключила его. Остаток вечера она просидела в кресле в спальне, где зажгла только одну лампочку — ту, что освещала фотографию Мэтью. Ее глаза жадно изучали каждую черточку детского лица.

Растрепанные волосы песочного цвета, которые, возможно, теперь подстрижены как-то по-другому. Легкий красноватый оттенок на макушке. Стал ли он теперь полностью и окончательно рыжим?

«Мэтью всегда был таким ласковым ребенком, солнечным, приветливым к незнакомцам, не в пример другим детям. Обычно в трехлетнем возрасте малыши довольно застенчивы. Папа всегда был экстравертом,— думала Зан.— Мама тоже. Что же со мной-то произошло? Многие месяцы после их гибели слились в нечто неразличимое. Теперь мне говорят, что это я вытащила Мэтью из коляски в тот день...»

— Я ли? — вслух прошептала мать, и вся чудовищность этого вопроса вдруг обрушилась на нее.

Она через силу включила логику и спросила себя:

— Но если я его забрала тогда, то что с ним сделала?

Ответа у нее не нашлось.

«Я никогда не причинила бы ему вреда,— сказала себе Зан.— Пальцем его не тронула бы. Даже когда я выговаривала ему, если он вел себя плохо, мое сердце таяло при виде малыша, с несчастным выражением лица сидевшего в маленьком креслице...

Прав ли Тед? Неужели я погрязла в жалости к себе и хочу, чтобы все меня жалели? Не хотел ли он сказать, что я принадлежу к тем сумасшедшим мамашам, которые злятся на собственных детей просто потому, что хотят внимания к самим себе?»

Зан думала, что чувство онемения, ощущение, что от боли она проваливается внутрь самой себя, больше никогда не повторится. Такое случилось с ней там, в римском аэропорту, в тот день, когда она позвонила Теду через несколько минут после того, как узнала о гибели родителей. Ноги вдруг подогнулись под ней... Зан ничего не могла сказать людям, столпившимся вокруг нее, вызывавшим «скорую», несшим ее на носилках, доставившим в госпиталь, но слышала каждое их слово. Просто при этом она не могла открыть глаза, пошевелить губами или поднять руку. Морланд как будто оказалась в запечатанной комнате и не знала, как оттуда выбраться, объяснить всем, что она пока еще здесь...

Зан осознавала, что это начинается снова, откинулась на спинку мягкого кресла и закрыла глаза.

Милосердная пустота охватила ее, пока она шептала снова и снова:

— Мэтью... Мэтью... Мэтью...

15

Что именно Глория сказала тому старому священнику? Это был вопрос, преследовавший его день и ночь. Она начала ломаться именно теперь, в такое критическое время, когда все уже подходило к главному моменту. Его планы, вынашиваемые в течение двух лет, готовы были осуществиться, и тут Глория вдруг ринулась в исповедальню.

Он родился католиком и знал, что все сказанное ею надежно запечатано тайной исповеди. Старый священник будет молчать. Но он не был уверен в том, что сама Глория — католичка. Если нет и она зашла туда просто для небольшого сердечного разговора, то нельзя исключать, что старик сочтет вполне возможным сказать кому-нибудь, что у Зан есть двойник, выдающий себя за нее...

Если такое случится, копы могут начать копать, и тогда очень скоро все кончится...

Старый священник.

Район, где он живет, окрестности Западной Тридцать первой улицы,— тихое местечко. Но ведь шальные пули в наши дни попадают в людей в любой части города. Одной больше, одной меньше...

Ему следовало бы самому позаботиться об этом. Он не должен оставлять в живых еще одного человека, благодаря которому его можно связать с исчезновением Мэтью Карпентера. Лучше всего было бы вернуться в ту церковь и постараться выяснить, когда именно тот старик выслушивает исповеди. Должно же там быть какое-то расписание.

Но на это понадобится время.

«Может быть, никто не увидит в этом ничего странного, если я просто позвоню туда и спрошу, когда отец О'Брайен в следующий раз будет принимать кающихся грешников,— подумал он.— Я уверен, есть люди, которые предпочитают каждый раз иметь дело с одним и тем же исповедником. Кроме того, не могу же я просто сидеть на месте и ждать, когда он отправится к копам».

Решение созрело. Он позвонил в церковь, и ему сказали, что часы работы отца О'Брайена — с понедельника по пятницу с четырех до шести вечера в течение двух следующих недель.

«Похоже, пора и мне отправиться на исповедь»,— подумал он.

Еще до того как он нанял Глорию присматривать за ребенком, ему было известно, что она — непревзойденный мастер грима. Девушка рассказывала, что иногда гримировала себя и своих друзей под каких-нибудь знаменитостей и они дурачили всех подряд. Глория говорила, что потом они здорово веселились, читая на шестой странице «Пост» о том, что якобы те знаменитости, которых они изображали, замечены за тихим ужином в каком-то совершенно неожиданном месте, где звезды любезно раздавали автографы.

— Ты просто не поверишь, как часто нам даже счет не подавали! — хихикала она.

Теперь же он думал:

«Когда мы с ней встречаемся в городе, я всегда надеваю парик, который она подобрала для меня. В нем, в плаще и в темных очках меня бы даже лучшие друзья не узнали».

Он громко рассмеялся. В юности ему очень нравилось участвовать в театральных постановках. Его любимой ролью был Томас Бекет в «Убийстве в соборе»*.

16

После разговора с репортерами перед «Временами года» Карпентер на обратном пути включил свой телефон и нашел фотографии особы, которая выни-

* «Убийство в соборе» — поэма Томаса Стернза Элиота, посвященная гибели архиепископа Кентерберийского Томаса Бекета.

мала Мэтью из коляски. Выглядела она точь-в-точь как Зан. Пораженный Тед рассматривал снимки, пока не доехал до своего дома в недавно вошедшем в моду районе Митпэкинг, в нижней части Манхэттена. Потом некоторое время размышлял, стоит ли ему ехать в кафе «Лола» на встречу с Мелиссой. Как это будет выглядеть со стороны, если он только что узнал о снимках, на которых бывшая жена крадет его ребенка?

Тед позвонил в полицейский участок Центрального парка, и некий детектив объяснил ему, что на определение того, не являются ли снимки фотомонтажом, уйдет не меньше двадцати четырех часов.

«Мне хотя бы есть что им ответить, если папарацци начнут меня об этом спрашивать»,— думал Тед, когда переоделся и возвращался в машину.

Репортеров, толпившихся перед популярным кафе, сдерживали бархатные канаты. Один из вышибал, дежуривших у входа, открыл и придержал дверцу машины.

Тед быстро прошел к входу, но там остановился, потому как не мог не услышать вопроса, прозвучавшего очень громко:

— Вы уже видели те фотографии?

— Да, видел и сразу же связался с полицией,— огрызнулся Тед.— Уверен, все это грубая фальшивка.

В кафе он взял себя в руки, осознавая, что опоздал на встречу с Мелиссой на добрых полчаса. Карпентер был совершенно уверен, что найдет ее в крайне дурном настроении, но Мелисса сидела за большим столом в компании пяти старых друзей из оркестра, с которым когда-то выступала как солистка. Она явно наслаждалась их лестью. Тед был знаком со всеми и порадовался их присутствию. Если бы Мелисса ждала его в одиночестве, то ему не поздоровилось бы.

Мелисса в качестве приветствия воскликнула:

— Эй, а о тебе сейчас пишут и говорят больше, чем обо мне!

Эта ее шутка вызвала бурное веселье людей, сидевших рядом.

Тед наклонился к Мелиссе и поцеловал ее в губы.

— Что будете заказывать, мистер Карпентер? — спросил официант, возникший рядом.

На столе в ведерке со льдом уже красовались две бутылки самого дорогого шампанского.

«Не хочу я этого проклятого шампанского,— думал Тед, садясь рядом с Мелиссой.— От него всегда жуткая головная боль...»

— Джин с мартини,— сказал он официанту.

«Только одну порцию,— пообещал себе Карпентер.— Но один глоточек мне необходим. Как еще я могу вести себя здесь и сейчас, если, может быть, начался совершенно новый этап поисков моего сына?»

Он нежно обнял Мелиссу за плечи и не сводил с нее глаз, тем самым помогая разным внештатным корреспондентам хоть что-то заработать. Они ведь получали плату за то, что поставляли сведения тем, кто заполнял газетные колонки. Тед прекрасно понимал, что его пассия желает завтра прочесть в газетах что-нибудь вроде: «Широко известная актриса Мелисса Найт разорвала отношения с рок-певцом Лейфом Эриксоном и теперь крутит безумный роман с генератором рекламных идей и пиарщиком Тедом Карпентером. Они вчера вечером нежничали в кафе “Лола”, не скрывая своих отношений».

«Я помню рассказы о том времени, когда Эдди Фишер, позже женившийся на Элизабет Тейлор, прислал из Италии телеграмму, подписанную “Принцесса и ее любимый раб”,— думал Тед.— Мелисса ждет от меня какой-нибудь дряни в этом же роде. Она еще некоторое время будет себя обманывать, думая, что влюблена в меня.

Но мне нужна не только она, но и ее солидные чеки, которые я получаю каждый месяц. Если бы только я не купил то здание, когда кончился срок аренды... Это истощило меня досуха. Мое общество надоест Мелиссе довольно скоро,— рассуждал он, залпом проглатывая джин с мартини, вместо того чтобы пить его маленькими глотками.— Фокус, который необходимо проделать, состоит в том, чтобы не отпустить Мелиссу в другое агентство. Она должна остаться при мне и не увести с собой своих приятелей».

— Повторить, мистер Карпентер? — спросил официант, проходя мимо.

— Почему бы и нет? — сердито бросил Тед.

К полуночи Мелисса решила, что пора отправляться в клуб. Если они осядут там, то это часа на четыре, не меньше. Карпентер понимал, что пора удирать. Способ для этого был только один.

— Мелисса, я что-то отвратительно себя чувствую,— сказал он негромко, но так, чтобы его можно было расслышать сквозь общий шум.— Что-то мне кажется, что я подхватил то ли грипп, то ли еще какую-то мерзость. Боюсь, как бы и ты не заразилась. У тебя очень плотный график выступлений. Ты не можешь позволить себе болеть.

Скрестив в кармане пальцы на удачу, Тед наблюдал за тем, как Мелисса бросила на него оценивающий взгляд. Ему всегда казалось странным то, что по-настоящему красивое лицо звезды вдруг становилось каким-то кривым, теряло всю свою прелесть, стоило ей расстроиться или рассердиться. Ее глубокие, как океан, темно-синие глаза прищурились, она быстро свернула длинные светлые волосы в толстый жгут и перекинула их через плечо вперед.

«Ей всего двадцать шесть лет, но она самая эгоистичная особа из всех, с кем только мне приходилось иметь дело,— подумал Тед.— Как бы мне хотелось послать ее ко всем чертям...»

— Но ты ведь не собираешься встречаться со своей бывшей, нет? — требовательно спросила Мелисса.

— Ох... Да моя бывшая — вообще последняя из женщин, кого мне захотелось бы видеть прямо сейчас. Пора бы уже знать, что я схожу с ума по тебе.

Тед даже рискнул добавить легкую нотку раздражения в голос и в выражение лица. Карпентер время от времени позволял себе это, зная, что таким образом как бы сообщает Мелиссе самое главное. Мол, было бы безумием воображать, что он может хотя бы посмотреть на другую женщину.

Мелисса пожала плечами, повернулась к старым знакомцам и со смехом сказала:

— Тедди предпочитает сбежать. Кто хочет со мной — вперед!

Все встали.

— Ты на машине? — спросил Тед.

— Нет. Я пешком сюда пришла. Черт побери, конечно же, я на машине! — Она игриво похлопала его по щеке, и это был жест, рассчитанный исключительно на зрителя.

Тед махнул рукой официанту, прося подать счет, как обычно, и вся компания вывалилась из кафе. Мелисса, держа его за руку, приостановилась у выхода и улыбнулась фотографам. Тед проводил ее к лимузину, обнял и крепко, нежно поцеловал.

«Немножко дополнительных сплетен не повредит,— подумал он.— Мелисса будет только рада».

Ее бывшие оркестранты забрались в лимузин вместе с ней. Когда к входу подогнали машину Теда, один репортер шагнул вперед, что-то держа в руке, и полюбопытствовал:

— Мистер Карпентер, вы видели те фотографии, которые сделал турист-англичанин в момент похищения вашего сына?

— Да, видел.

— Не скажете ли что-нибудь по этому поводу? — Репортер протянул Теду несколько увеличенных снимков.

Тот уставился на фотографии, потом взял их, шагнул к ярко освещенному окну, чтобы рассмотреть получше, и сказал:

— Повторяю, я уверен в том, что эти фотографии окажутся грубой фальшивкой.

— Но разве это не ваша бывшая жена Зан Морланд вынимает ребенка из коляски? — настойчиво спросил репортер.

Тед очень остро ощущал объективы, направленные на него. Он покачал головой. Ларри Пост стоял у его автомобиля, держа дверцу открытой. Карпентер быстро подошел к машине и сел в нее.

Когда он добрался до дома, он был слишком потрясен, чтобы хоть что-то чувствовать, просто разделся и принял снотворное. Его ночь была полна мучительных кошмаров. Тед проснулся с головной болью и тошнотой, как будто грипп, выдуманный накануне, превратился в реальность.

«Может, во всем был виноват тот проклятый джин с мартини?» — спрашивал он себя.

В девять часов следующего утра Тед позвонил в свой офис, чтобы поговорить с Ритой. Не дав ей выразить свое потрясение из-за фотографий, он велел секретарше связаться с детективом Коллинзом, ведшим следствие по делу об исчезновении Мэтью, и договориться о встрече с ним на завтра.

— Я намерен остаться дома по крайней мере до полудня,— сообщил он Рите.— У меня, похоже, что-то вроде лихорадки, но, думаю, это скоро пройдет. Мне нужно просмотреть те фотографии, которые Мелисса сделала для журнала «Селеб», прежде чем отправить их в печать. Всем, кто будет звонить из средств массовой информации, отвечай, что я не стану делать никаких заявлений до тех пор, пока полиция не проверит подлинность тех снимков.

В три часа, белый, как бумага, Тед наконец явился в свой офис.

Рита, ничего не спрашивая, приготовила ему чай и уверенно заявила:

— Тебе было бы лучше остаться дома. Обещаю, что никому не скажу об этом ни слова, но тебе следует держать это в уме. Зан обожала Мэтью. Она никогда не причинила бы ему ни малейшего вреда.

— Отметим, что ты произнесла слово «обожала». В учебнике грамматики это называется прошедшим временем. Так, а теперь скажи-ка, где снимки Мелиссы для «Селеба»?

— Они великолепны,— заверила Теда Рита, кладя на стол конверт.

Тед разложил перед собой фотографии, внимательно всмотрелся в них и проговорил:

— Для тебя они великолепны. Для меня тоже. Но могу с уверенностью тебе сказать, что Мелисса придет от них в ужас. Смотри, у нее тени под глазами, а губы кажутся слишком тонкими. Не забывай, именно я убедил ее в том, что она должна сфотографироваться для их обложки. Господи, да что же это такое? Все идет хуже и хуже!

Рита с сочувствием посмотрела на человека, который вот уже пятнадцать лет был ее боссом. Теду Карпентеру было сейчас тридцать восемь, но выглядел он намного моложе своих лет. У него были густые волосы, карие глаза, твердый рот и худощавое тело. Рита всегда была уверена в том, что он выглядит куда лучше и обладает более мощной харизмой, чем многие его клиенты. Но прямо сейчас вид у Эдварда был такой, словно кто-то напал на него с мачете в руках.

«Подумать только, что я все эти два года тратила на Зан свою жалость! — рассуждала Рита.— Если она сделала что-нибудь с этим милым малышом, то я от всей души сама пристрелила бы ее!»

17

Зан моргнула, открыла глаза и снова зажмурилась.

«Что случилось?» — спросила она себя.

Морланд пыталась понять, почему она сидит в кресле. Ей было очень холодно, хотя она закуталась в купальный халат, у нее болело все тело...

Руки Зан онемели. Она потерла ладони друг о друга, пытаясь ощутить собственные пальцы. Ноги не желали шевелиться. Женщина осторожно приподняла их, почти не осознавая собственного движения.

Она снова открыла глаза. Прямо перед ней стояла фотография Мэтью. Лампа рядом со снимком была включена, несмотря на то что между не полностью задернутыми занавесками сочился тусклый, туманный свет.

Зан прашивала себя, почему не легла в постель вчера вечером, старалась не обращать внимания на тупую пульсацию в голове, а потом вспомнила.

«Они думают, что это я забрала Мэтью из коляски. Но это невозможно. Это безумие. Зачем я стала бы так поступать, что сделала бы с малышом?»

— Что я могла бы с тобой сделать? — вслух простонала мать, глядя на фотографию Мэтью.— Неужели кто-то всерьез может поверить, что я способна причинить тебе вред, дитя мое? — Зан вскочила, в несколько шагов пересекла комнату, схватила фотографию сына и прижала ее к груди.— Да как они могли такое подумать? — Теперь она говорила шепотом.— Разве на тех снимках могу быть я? В то время я была у Нины Элдрич, весь день провела в ее новом доме и, конечно же, могу это доказать. Я знаю, что не забирала Мэтью из коляски,— продолжила Морланд громче, пытаясь утихомирить дрожь в голосе.— Это я тоже могу доказать, но не должна позволить, чтобы со мной снова случилось то же, что вчера вечером. Нельзя допускать появления провалов в памяти, как после смерти мамы с папой. Но если существует фотография какой-то женщины, уносящей Мэтью, это должно стать первым реальным следом в его поисках. Я должна думать именно так. Я не могу позволить себе отступить, сдаться. Прошу тебя, Боже, не дай мне снова утонуть в эмоциях! Позволь надеяться, что на тех снимках найдутся какие-то подсказки, ключи, которые помогут найти Мэтью!

Было всего шесть утра. Вместо того чтобы встать под душ, Зан открыла все краны в джакузи, зная, что вихрящиеся потоки горячей воды снимут боль в теле.

«Я уверена, что у детектива Коллинза уже есть эти снимки,— думала она.— В конце концов, именно он ведет следствие по этому делу».

Зан вспоминала о том, как накануне вечером репортеры толпились перед «Временами года» и успели собраться возле дома, когда Джош привез ее. Будут ли они ждать у выхода и сегодня или, может быть, уже топчутся у офиса?

Закрыв краны, Зан проверила рукой воду, поняла, что та слишком горячая, и подумала о телефоне. Она помнила, что выключила звонок, войдя в квартиру вчера вечером, и прошла в спальню, к ночному столику. На дисплее мигал значок, извещающий о получении СМС. Еще имелось девять пропущенных звонков.

Первые восемь были от репортеров, просивших об интервью. Решив, что ни за что не позволит им расстраивать себя, Зан старательно, по одному удалила все. Последней звонила Альвира Михан, оставившая голосовое сообщение. Морланд с благодарностью выслушала его, впитывая уверения в том, что тот парень, который утверждал, будто сфотографировал Зан в момент похищения Мэтью в парке, наверняка завзятый жулик.

«Просто стыд, что тебе приходится терпеть подобную чушь,— сердито гудела Альвира.— Конечно, скоро выяснится, что все это полный бред, но для тебя-то все равно хорошего мало, приходится переживать! Мы с Уилли это понимаем. Пожалуйста, позвони нам и приезжай, поужинаем завтра вместе. Мы тебя любим».

Зан дважды прослушала это послание. Потом, как инструктировал компьютерный голос — «Нажмите на тройку для сохранения, на единицу для удаления»,— она нажала на кнопку «Сохранить».

«Еще слишком рано для того, чтобы звонить Альвире,– подумала Морланд.– Я поговорю с ней позже, когда буду уже в офисе. Хорошо бы провести сегодняшний вечер с ней и Уилли. Вдруг уже сегодня днем меня навестит детектив Коллинз и все прояснится. А может быть... ох, Боже, пожалуйста... если тот человек из Англии действительно заснял момент похищения Мэтью, то у Коллинза будут какие-то улики, от которых можно оттолкнуться...»

Отчасти успокоенная такими размышлениями, Зан переключила настройку кофеварки, чтобы та приготовила кофе не к семи утра, а прямо сейчас. Сев в джакузи, она позволила целительному теплу воды начать растворять напряжение в ее теле. Потом, прихлебывая кофе, Морланд надела просторные брюки, свитер с высоким воротом и туфли на низком каблуке.

Зан уже оделась, а до семи часов оставалось еще несколько минут. Тут она сообразила, что сейчас, возможно, достаточно рано для того, чтобы выскользнуть из дома, не нарвавшись на репортеров. Такая перспектива заставила ее быстро заколоть волосы в узел и набросить на них шарф, чтобы не тратить времени на прическу. Потом она порылась в ящике комода и нашла пару старых солнечных очков в широкой круглой оправе, совершенно не похожих на те, что Морланд носила обычно.

Наконец она выхватила из шкафа жилетик из искусственного меха, взяла сумку с длинным ремнем и вызвала лифт, чтобы спуститься в подвал, в гараж. Там женщина быстро прошла мимо длинных рядов машин и выбралась на улицу с задней стороны здания. Зан быстро пошла к Уэстсайдскому шоссе, встретив по дороге только несколько человек, прогуливавших собак либо бегавших трусцой с утра пораньше. Когда Александра окончательно убедилась в том, что ее никто не преследует, она остановила такси и уже совсем было собралась назвать адрес своего офиса, но передумала. Вместо того Морланд попросила водителя высадить ее на Пятьдесят седьмой улице.

«Если я замечу перед входом каких-нибудь репортеров, то смогу пройти через пожарный выход»,— подумала Зан.

Только после этого она наконец откинулась на спинку сиденья, понимая, что по крайней мере в то время, пока едет в такси, никто не станет выкрикивать ей в ухо вопросы или направлять на нее объектив камеры. Значит, у нее пока имелась возможность сосредоточиться на другой проблеме, то есть на том факте, что кто-то купил по ее картам одежду и билет на самолет.

«Повлияет ли это на мою кредитоспособность? — тревожилась Зан.— Конечно. Но если я получу заказ у Кевина Уилсона, то буду приобретать очень дорогие ткани и мебель...

Но почему все это происходит со мной?»

Зан вдруг заметила, что ей почти физически кажется, будто ее увлекает некий водоворот, яростное течение тащит в глубину... Она судорожно вздохнула, набирая воздуха в грудь, потому что женщине показалось, что ей нечем дышать.

На нее наваливался панический страх.

«Не позволяй этому вернуться»,— умоляла она себя.

Крепко закрыв глаза, Зан заставила себя сделать несколько глубоких вдохов, отсчитывая секунды. К тому времени, когда такси обогнуло угол Пятьдесят седьмой улицы и Третьей авеню, Морланд отчасти сумела взять себя в руки. Но и теперь ее пальцы дрожали, когда она протягивала таксисту сложенные купюры.

Заморосил дождь. Холодные капли поползли по щекам Зан. Она подумала, что напрасно надела жилет, надо было взять плащ-дождевик.

Впереди нее какая-то женщина торопливо вела к ожидавшей машине мальчика лет четырех. Александра прибавила шагу, чтобы обогнать их и заглянуть в лицо ребенку. Но конечно же, это был не Мэтью.

Зан повернула за угол, не увидела никаких признаков репортеров, поэтому толкнула вращающуюся дверь и вошла в вестибюль. Газетный киоск находился слева.

— Мне «Пост» и «Ньюс», пожалуйста,— сказала она пожилому продавцу.

Когда Сэм протягивал ей газеты, его лицо выглядело совсем не таким приветливым, как обычно.

Зан не позволила себе заглянуть в статьи, пока не оказалась в своем офисе, где уже никто не мог ее увидеть. Там она положила газеты на стол и стала их просматривать. На первой странице «Ньюс» красовалась фотография Александры Морланд, уносящей Мэтью.

Не веря собственным глазам, она взглянула на другую газету и мысленно воскликнула:

«Но это же не я! Это просто не могу быть я! Кто-то похожий на меня унес Мэтью...»

Но во всем этом не было никакого смысла.

Сегодня в первой половине дня Джош не должен был появиться. Зан пыталась сосредоточиться, но к полудню сдалась и схватилась за телефон. Она хотела позвонить Альвире, зная, что та получает «Пост» и «Таймс» каждое утро.

Михан ответила уже на второй гудок.

Когда она услышала голос Зан, то сразу сказала:

— Я видела газеты и просто сбита с ног. Зачем кому-то, так похожему на тебя, похищать Мэтью?

Александра пыталась понять, что хотела сказать этим Альвира, почему она спрашивала именно о причинах, интересовалась, зачем было кому-то, кто добился полного сходства с Зан, уносить ребенка. Неужели она думала, что мать сама его украла?

— Альвира! — заговорила Зан, тщательно подбирая слова.— Кто-то затеял все это против меня. Я не знаю, кто именно, но у меня имеются кое-какие подозрения. Даже если это устроил Бартли Лонг, чтобы погубить меня, есть кое-что, в чем я совершенно уверена. Он никогда не причинит зла Мэтью. Альвира, нам следует поблагодарить Бога за те фотографии. Спасибо Господу. Я намерена вернуть Мэтью. Фотографии будут доказательством того, что некто выдает себя за меня, ненавидит настолько, что похитил моего ребенка, а теперь еще и подставил.

Последовала небольшая пауза, потом Альвира сказала:

— Зан, я знаю одну очень хорошую частную детективную контору. Если у тебя нет сейчас денег на это, я сама им заплачу. Если эти снимки — фотомонтаж, мы узнаем, кто оплатил такую авантюру. Погоди-ка. Не так. Если ты говоришь, что те фотографии — фальшивка, я тебе безусловно верю, но думаю, что тот, кто все это затеял, переиграл. Надеюсь, ты поставила свечу перед святым Антонием в тот день, когда заходила к Франциску Ассизскому.

— Я заходила... куда? — Зан было страшно задавать этот вопрос.

— В прошлый понедельник, примерно в половине шестого или без четверти шесть. Я как раз зашла в церковь, чтобы немножко пожертвовать святому Антонию, как обещала, заметила там одного человека, который следил за моим другом отцом Эйденом, и мне это не понравилось. Поэтому я просмотрела сегодня утром записи камер наблюдения, чтобы выяснить — может, это какой-то знакомый отца Эйдена? В нашем безумном Нью-Йорке предупрежден — значит вооружен. В церкви я тебя не заметила, но ты была на записи, вошла в храм и вышла уже через несколько минут. Я решила, что ты заходила помолиться за Мэтью.

«Понедельник, день, от половины шестого до без четверти шесть... Я тогда решила отправиться домой пешком и пошла прямо туда,— думала Зан.— На запад по Тридцать первой или Тридцать второй улице... но потом поняла, что слишком устала, и поймала такси.

Но я не заезжала в церковь Святого Франциска. Я знаю, что этого не делала.

Или делала?

Зан осознала, что Альвира продолжает говорить и что-то спрашивает насчет ужина.

— Я приду,— пообещала она.— В половине седьмого.

Морланд повесила телефонную трубку и обхватила голову руками.

«Неужели у меня снова начались провалы в памяти? Я схожу с ума и украла собственного ребенка? Но если я его унесла тогда, то что сделала с ним?

Если я не способна вспомнить то, что происходило меньше двух суток назад, то что еще могу забыть?» — в отчаянии спрашивала себя Зан.

18

В те дни, когда ему приходилось работать под прикрытием, детективу Билли Коллинзу не составляло труда изображать из себя бездомного босяка. Худой до костлявости, с резкими чертами лица, редкими седеющими волосами и печальным взглядом, он легко входил в доверие торговцев наркотиками как потенциальный покупатель дозы.

Но теперь, когда его перевели в полицейский участок Центрального парка, Билли приходил на работу в деловом костюме, рубашке и галстуке. Все это в сочетании с его мягкими скромными манерами заставляло людей при первом знакомстве воспринимать его как рядового, ничем не примечательного парня, возможно не блещущего умом.

Это суждение разделяли и многие подозреваемые в разных преступлениях, которых вводили в заблуждение скучные ординарные вопросы, задаваемые Коллинзом, и его кажущееся согласие с их версией преступных событий. Для большинства из них это оказывалось фатальной ошибкой. Острый как бритва ум сорокадвухлетнего Билли запоминал информацию, которая могла бы показаться тривиальной и не имеющей особого значения в тот момент, когда он ее слышал. Но если обстоятельства менялись, то Коллинз мог в одно мгновение извлечь нужные сведения из хранилища своей памяти.

Личная жизнь Билли была проста. Несмотря на свою унылую внешность, он обладал отличным чувством юмора, был прекрасным рассказчиком и бесконечно ценил Эйлин, свою жену, за которой начал ухаживать еще в старших классах школы. Коллинз говорил, что Эйлин единственная во всем мире сочла его достаточно интересным и именно поэтому он влюбился в нее навсегда. Два его сына, которые, к счастью, внешностью удались в красавицу мать, учились в университете в Фордхэме.

Билли оказался первым детективом, прибывшим на место преступления почти два года назад, когда в службу 911 поступило сообщение об исчезновении маленького ребенка. Он примчался туда с тяжелым сердцем. Наихудшей частью своей работы Коллинз считал дела, связанные с гибелью или похищением детей.

В тот жаркий июньский день он увидел Тиффани Шилдс, юную няню, которая, истерически рыдая, сообщила, что заснула рядом с коляской, а когда опомнилась — Мэтью уже не было. Пока полицейские обыскивали каждый квадратный дюйм парка и опрашивали всех тех, кто гулял неподалеку, порознь прибыли разведенные родители малыша. Тед Карпентер, отец, готов был поколотить Шилдс, признавшуюся, что она спала. Зан Морланд, мать, выглядела зловеще спокойной, и ее реакцию Билли оценил как крайнее потрясение. Даже по мере того, как шли часы, никаких следов Мэтью не обнаруживалось, не находилось ни единого свидетеля, который мог бы заметить, как его уводят или уносят, ее поведение не менялось.

С того дня прошло почти два года, но Билли Коллинз продолжал постоянно держать дело Мэтью на столе перед собой. Он тщательно проверил объяснения родителей по поводу того, где именно они находились в момент исчезновения ребенка, и слова каждого из них подтвердились свидетельскими показаниями. Коллинз расспрашивал обоих насчет врагов, которые могли бы ненавидеть их настолько, чтобы похитить ребенка. Зан Морланд неуверенно призналась, что вообще-то есть один человек, которого можно считать ее врагом. Это был Бартли Лонг, известный дизайнер по интерьерам, но тот с презрением отверг мысль о том, что мог бы похитить ребенка своей бывшей служащей.

— Если Зан Морланд говорит подобное, то это лишь подтверждает мое мнение о ней,— с гневом и отвращением заявил Лонг Коллинзу.— Сначала она практически обвинила меня в смерти своих родителей, потому что у ее отца не случилось бы сердечного приступа по дороге и автокатастрофы не произошло бы, если бы они не поехали встречать ее в аэропорт. Александра, видите ли, думала, что если бы ей не приходилось так много работать на меня, то она чаще виделась бы со своими родителями. Теперь эта особа решила, что я похитил ее ребенка! Детектив, окажите услугу самому себе. Не теряйте времени понапрасну, не ищите там, где ничего не найдете. Что бы ни случилось с бедным малышом, это произошло потому, что его ненормальная мамаша допустила несчастье.

Билли Коллинз внимательно слушал, но в конце концов доверился своему инстинкту. Из всего того, что он узнал, следовало: злость Бартли Лонга на Зан Морланд была вызвана тем фактом, что она стала его соперницей в бизнесе. Но Билли быстро решил, что ни Лонг, ни Морланд не имели никакого отношения к исчезновению маленького мальчика. Он всем сердцем и душой верил в то, что Зан оказалась жертвой, глубоко раненной, готовой перевернуть небо и землю, чтобы возвратить своего ребенка.

Именно поэтому, когда вечером во вторник ему позвонили и сообщили о поразительном повороте в деле Мэтью Карпентера, ему захотелось тут же прыгнуть в машину и помчаться из дома в Форест-хиллз, что в Квинсе, в участок.

Но шеф велел ему не суетиться и заявил:

— Пока мы знаем только то, что эти фотографии, проданные в паршивый журнальчик, могут быть и фальшивкой. Но если они настоящие, тебе необходимо иметь ясный ум, чтобы заново пересмотреть все дело.

Утром в среду Билли проснулся ровно в семь утра. Двадцать минут спустя, уже приняв душ, побрившись и одевшись, он ехал в город. К тому времени, когда детектив туда добрался, фотографии, опубликованные в «Тел-Олл-уикли» и в Интернете, уже лежали на его столе.

Их было шесть. Три из них сделал английский турист, еще столько же представляли собой увеличения для семейного альбома. Это были именно те фотографии, где на заднем плане можно было рассмотреть, как Зан Морланд похищает собственного сына.

Билли негромко присвистнул, и это было единственным внешним проявлением того, что он был потрясен и раздосадован.

«А я ведь действительно поверил этой рыдающей крошке,— думал Коллинз, внимательно рассматривая фотографии, на которых было видно, как Зан наклоняется над легкой коляской, потом берет на руки спящего ребенка и наконец уходит по аллее из поля зрения фотокамеры. Ошибиться тут невозможно,— рассуждал Билли, поочередно рассматривая снимки. Длинные, прямые, темно-рыжие волосы, стройная фигура, модные солнечные очки...»

Он открыл папку, всегда лежавшую на углу его стола. Из нее детектив достал снимок, тайком сделанный полицейским фотографом в тот момент, когда женщина примчалась на место преступления.

Короткое платье в цветочек и босоножки на высоком каблуке, в которых она приехала в парк, были теми же самыми, что на похитительнице.

Обычно Билли верно судил о людях, прекрасно зная человеческую натуру. Теперь его охватило глубочайшее разочарование из-за собственной ошибки... но оно мгновенно растаяло при мысли о том, что могла сделать Морланд со своим сынишкой.

Алиби Зан на момент преступления выглядело железным. Да, он явно что-то упустил...

«Начну-ка я опять с этой няньки,— решил Билли.— Снова просчитаю каждую минуту того дня. Надо выяснить, где именно она соврала. Потом, видит Бог, я заставлю ее признаться, куда мамаша подевала малыша».

19

Тиффани Шилдс жила все там же и заканчивала второй курс колледжа в Хантере. День исчезновения Мэтью Карпентера стал поворотным в ее жизни. Дело было не только в том, что она заснула, присматривая за Мэтью. Когда эта история попала в средства массовой информации, Тиффани была заклеймена как беспечная няня, которая не только не пристегивает детей ремнями к коляске, как то полагается делать, но еще и расстилает рядом с ними одеяло и спит как убитая. Так написал один репортер.

Почти во всех сообщениях упоминался и ее истерический звонок в службу 911. Его запись звучала и по телевидению, и по радио. За прошедшие два года Тиффани постоянно приходилось то слышать, то читать о том, была или не была она виновата в случившемся. Каждый раз, вспоминая о том давнем дне, Шилдс из-за несправедливости случившегося наполнялась гневом, который постепенно превратился в ком постоянной ярости.

Она до сих пор живо помнила тот день. Тиффани тогда проснулась от холода. Она отменила встречу с подругами, собиравшимися отпраздновать окончание учебного года. Ее мать уехала в Блумингдейл, она была там продавщицей. Отец работал управляющим в том самом доме, где они жили, на Восемьдесят шестой улице. В полдень в их квартире зазвонил телефон.

«Если бы я тогда не стала снимать трубку!..— снова и снова думала Тиффани все прошедшие месяцы.— Я ведь не хотела отвечать, решила, что это звонит кто-то из жильцов, чтобы пожаловаться на чертовы протекающие краны».

Но она ответила.

Это была Зан Морланд.

— Тиффани, ты не могла бы мне помочь? — жалобно сказала она.— Новая няня Мэтью должна была выйти на работу сегодня, но только что позвонила и сказала, что сможет приехать лишь завтра. А у меня ужасно важная встреча! Это, похоже, новая заказчица, и она не из тех, кого станут волновать мои домашние проблемы. Будь ангелом, погуляй с Мэтью пару часиков в парке, а? Я только что его накормила, и ему как раз пора спать. Обещаю, он, скорее всего, проспит все это время!

«Я и раньше сидела с Мэтью время от времени, когда у его постоянной няни был выходной, и очень любила этого малыша! — думала Тиффани.— В тот день я сказала Зан, будто заболеваю. Она была весьма настойчива, я в конце концов сдалась и погубила всю свою жизнь».

Но утром в среду, просматривая газету поверх стакана с апельсиновым соком, Тиффани испытала двойственные чувства. Она взорвалась яростью из-за того, что Зан Морланд просто использовала ее, и испытала несказанное облегчение, потому что теперь уже не считалась виновной в исчезновении Мэтью.

«Я ведь объясняла копам, что принимала в то время антигистамины, потому была такая сонная и вообще не хотела сидеть с ребенком в тот день,— думала девушка.— Но если они снова придут, чтобы поговорить со мной, я им прямо выложу: Зан Морланд знала, что я плохо себя чувствую! Когда я забирала Мэтью, она предложила мне пепси, сказала, что напиток меня взбодрит, сахар полезен в момент наступления холодов...

Интересно, не могла ли Зан что-нибудь подсыпать в шипучку, чтобы я совсем заснула? — размышляла теперь Тиффани.— А Мэтью даже не шелохнулся в своей коляске... Я потому и не позаботилась о том, чтобы пристегнуть его ремешком. Он спал как убитый».

Шилдс снова внимательно прочитала статью и изучила фотографии. Да, платье то самое, которое носила Зан, а вот туфли — нет. Зан случайно, по забывчивости, купила две пары почти одинаковых босоножек, бежевых, на высоком каблуке. Единственной разницей между ними была ширина перекрещенных ремешков. На одной паре они оказались заметно у́же, чем на другой.

«Она тогда отдала мне пару с узкими ремешками,— припомнила девушка.— Мы с ней были в них в то утро. Мои до сих пор живы.

Но я никому об этом не скажу,— решила Тиффани.— Если копы об этом узнают, они могут и забрать мои босоножки, а я их заработала, видит Бог!»

Три часа спустя, проверяя сообщения в сотовом после урока истории, Тиффани обнаружила, что одно из них — от детектива Коллинза, который после исчезновения Мэтью допрашивал ее снова и снова. Теперь он опять хотел о чем-то поговорить.

Тонкие губы Тиффани крепко сжались. Ее черты, обычно миловидные, мгновенно утратили привлекательность и юную свежесть. Она нажала на кнопку, чтобы ответить Билли Коллинзу.

«Я тоже хочу с вами поговорить, детектив,— подумала Тиффани.— Теперь уже не мне, а вам будет не по себе!»

20

Глори опять намазала его волосы какой-то липкой дрянью. Мэтью терпеть этого не мог. У него горела кожа на голове, да еще что-нибудь обязательно попадало в глаза. Глори старалась поймать стекающие капли полотенцем, но оно угодило в глаз Мэтью.

Ему было больно, но он прекрасно знал, что если скажет, что не хочет мазать волосы этой ерундой, то Глори просто ответит:

— Очень жаль, Мэтти. Мне и самой этого не хочется, но так надо.

Так что сегодня мальчик не произнес ни единого слова. Он знал, что Глори здорово сердится на него. Этим утром, когда зазвенел дверной звонок, ему пришлось убежать в чулан и закрыть за собой дверь. Мэтью ничего не имел против этого чулана, потому что здесь было просторнее, чем в предыдущих, и света хватало, так что он видел все вокруг себя. Но потом ребенок заметил, что забыл в холле свой любимый грузовик. Эту машинку он обожал потому, что она была ярко-красной и имела три скорости. Когда мальчик играл с ней, он мог заставить ее ехать то очень быстро, то по-настоящему медленно.

Мэтью выбрался из чулана, побежал за грузовиком и тут же увидел, что Глори как раз закрывает дверь, прощаясь с какой-то леди. Потом она заперла дверь, обернулась и увидела Мэтью.

Глори выглядела такой разозленной, что мальчику показалось, будто она вот-вот его ударит, и сказала тихим угрожающим тоном:

— В следующий раз я тебя там приклею и больше не выпущу!

Мэтью здорово испугался, убежал в чулан и так расплакался, что даже начал задыхаться.

Позже Глори сказала, что все в порядке. Он может выходить, и вообще на самом деле это не его вина. Мэтью всего лишь ребенок, и ей очень жаль, что она накричала на него. Но мальчик не мог успокоиться, продолжал плакать, снова и снова повторял: «Мамочка, мамочка...» Ему и самому хотелось остановиться, но он не мог.

Потом, когда Мэтью смотрел один из своих фильмов по DVD, он услышал, как Глори с кем-то разговаривала, осторожно подкрался к двери, приоткрыл ее и прислушался. Глори говорила по телефону. Он не мог разобрать ее слов, но голос звучал просто ужасно. Потом Мэтью услыхал, как она восклицает: «Мне так жаль, так жаль!», и понял, что Глори очень боится.

Теперь он сидел с полотенцем на плечах, а липкая гадость сползала по его лбу. Мальчик ждал, когда Глори велит ему пойти к раковине, потому что пора будет смывать краску с его волос.

Наконец она сказала:

— Думаю, уже все в порядке.— Когда Мэтью наклонил голову над раковиной в ванной комнате, Глори добавила: — Вообще-то дела идут так себе. Но если тебе повезет, ты будешь по-настоящему умным рыжим.

21

Бартли Лонг не спеша шагал по коридору к своему офису в доме четыреста на Парк-авеню, держа под мышкой утренние газеты и переполняясь самодовольством. Ему было пятьдесят два, в светло-каштановых волосах уже серебрились седые нити. Этот человек с ледяными голубыми глазами и важными манерами был из тех, кто одним взглядом ставит на место метрдотелей и собственных подчиненных. С другой стороны, он умел быть обаятельным со своими клиентами, поэтому ему с удовольствием делали заказы и прославленные личности, и тихие, незаметные богачи.

Служащие всегда с нервозностью ждали его появления в половине десятого утра. В каком настроении явится Бартли? Желая угадать, работники тайком бросали на него пристальные взгляды. Если выражение лица Бартли было мягким и он одаривал всех любезным: «С добрым утром», люди расслаблялись, по крайней мере на время. Если же он хмурился и поджимал губы, они знали, что ему что-то пришлось не по нраву, и тогда кому-нибудь грозила головомойка.

Но сейчас все восемь постоянных служащих уже прочитали ошеломляющие новости о Зан Морланд, которая когда-то тоже работала у Бартли, и узнали, что именно она, похоже, виновна в исчезновении собственного сына. Все прекрасно помнили тот день, когда Александра ворвалась в офис после гибели ее родителей в автокатастрофе и кричала на Бартли: «Я не видела своих родных почти два года, а теперь и никогда их не увижу! Это ты не дал мне возможности повидать их, потому что твердил, что без меня не пойдет то один проект, то другой! Ты мерзкий, самолюбивый хам! Даже хуже! Вонючий дьявол! Если не веришь этому, спроси людей, которые на тебя работают! Я намерена открыть собственное дело, и знаешь что, Бартли? Я собираюсь утереть тебе нос, добившись успеха!»

Потом она разрыдалась, и Элейн Райан, вечный референт Бартли, обняла ее за плечи и отвезла домой.

Теперь Бартли распахнул дверь офиса, и самодовольная ухмылка на его лице дала понять Элейн и секретарше в приемной, что служащим ничто не грозит, по крайней мере прямо сейчас.

— Думаю, если вы не оглохли и не ослепли, вам уже известно все о Зан Морланд? — спросил Бартли женщин.

— Да я ни единому слову не верю,— категорически заявила Элейн Райан.

Шестидесяти двух лет от роду, с темными каштановыми волосами, подстриженными у отличного стилиста, с прекрасными ореховыми глазами на узком лице, она была единственной из служащих, у кого хватало храбрости время от времени возражать Бартли. Как Элейн сама нередко говорила своему мужу, единственным, что удерживало ее на службе, было отличное жалованье и то, что она могла позволить себе уйти, если босс станет уж совсем отвратительным. Ее муж, отставной офицер десантных войск, теперь работал начальником службы охраны в одном из больших магазинов распродаж. Каждый раз, когда Элейн возвращалась домой, кипя от негодования из-за того, что сказал или сделал Бартли, он успокаивал ее одним-единственным словом: «Увольняйся».

— Не имеет значения, во что вы верите, Элейн. Доказательства — вот они, на снимках. Вы же не думаете, что журнал стал бы их покупать, если бы у редакции были сомнения в подлинности, нет? — Ухмылка соскользнула с лица Бартли.— Стало совершенно ясно, что Зан сама забрала своего ребенка и ушла из парка вместе с ним. Так что теперь полиции нужно просто выяснить, что она сделала с ним потом. Если хотите, могу изложить мою собственную теорию.— Ради большей выразительности Бартли даже ткнул пальцем в сторону Элейн и резко произнес: — Когда Зан работала здесь, сколько раз вы слышали, как она жаловалась на то, что росла в постоянных разъездах из-за службы своих родителей, хотя ей хотелось бы жить где-нибудь в тихом пригороде? Я предполагаю, что со временем ее горе по родителям иссякло и она стала испытывать потребность в новой трагедии.

— Полная ерунда,— от всей души высказалась Элейн.— Зан, может, и упоминала о том, что предпочла бы не переезжать постоянно с места на место, но она говорила это так, вообще, когда мы болтали о том, где и как росли. Конечно же, это не значит, что она постоянно искала какого-то сочувствия. Мать безумно любила Мэтью. Так что ваши инсинуации просто отвратительны, мистер Лонг.

Тут Элейн заметила, что щеки Бартли Лонга начинают краснеть, и подумала, что не надо было так резко возражать боссу. Но разве Райан могла допустить мысль, что Зан похитила Мэтью просто затем, чтобы ее все жалели?

— Я и забыл, как вы были неравнодушны к моей бывшей ассистентке,— рявкнул Бартли Лонг.—

Но могу поспорить, что пока мы тут разговариваем, Зан Морланд уже ищет адвоката. Уверяю вас, ей понадобится очень хороший специалист!

22

Кевин Уилсон в конце концов признался себе, что практически не в силах сосредоточиться на эскизах, лежавших на столе. Он просматривал варианты расстановки растений для вестибюля нового многоквартирного комплекса «Карлтон-плейс 701».

Это название появилось лишь после горячих обсуждений с директорами «Джаррел интернэшнл», компании, обладавшей миллиардами и финансировавшей строительство. Несколько человек из совета директоров предлагали свои названия, которые казались им самыми подходящими. Почти все они звучали романтично, а некоторые имели исторический уклон. «Герб Виндзоров», «Башни Камелота», «Версаль», «Стоунхендж», даже «Новый Амстердам».

Кевин слушал все это с нарастающим нетерпением. Наконец дошла очередь и до него.

Тогда он спросил:

— Какой самый привилегированный адрес в Нью-Йорке?

Семь из восьми членов директоров тут же назвали Парк-авеню.

— Вот именно,— согласился Кевин.— Хочу напомнить, что мы строим очень дорогой комплекс, а его нужно заселить. Но все мы знаем, что на Манхэттене строятся и другие недешевые дома. При этом мне незачем напоминать вам, что все это — чистая экономика, или о том, что наша задача — предложить потенциальным покупателям нечто весьма особенное. Наш комплекс расположен просто изумительно. Виды на реку Гудзон и на город великолепны. Но я хочу, чтобы мы, упоминая при возможных покупателях адрес нашего комплекса, сразу давали им понять: тот, кто там поселится,— настоящий везунчик, потому что будет жить в месте для избранных. «Карлтон-плейс семьсот один» — как раз такое и есть. Центр и прочее в этом роде.

«Как только я пережил тот день? — думал Кевин, разворачиваясь на вертящемся кресле от рисунков к письменному столу и покачивая головой.— Боже праведный, если бы дед был рядом, что он сказал бы, слыша все эти разглагольствования?»

Дед Кевина служил управляющим в доме, стоявшем рядом с тем, где жили внук и его родители. Это здание в шесть этажей, без лифта для жильцов, с чудовищно унылыми квартирами и скрипучими кухонными подъемниками, с древней водопроводной системой называлось «Башня Ланселота» и находилось в Бронксе, на Уэбстер-авеню.

«Дед счел бы, что я свихнулся,— решил Кевин.— Да и папа тоже подумал бы так, будь он жив. А мама уже привыкла к тому, что я умею продавать. Уже после смерти папы, когда я наконец-то переселил ее на Восточную Пятьдесят седьмую улицу, она както сказала, что я мог бы всучить дохлую лошадь конному полицейскому. Теперь мать любит Манхэттен.

Могу поклясться, что по вечерам она засыпает, напевая: “Нью-Йорк, Нью-Йорк...”

Но все это пустые мысли»,— решил Кевин, откидываясь на спинку кресла.

Снизу, из холла, доносились неумолчный стук молотков и пронзительное, рвущее уши завывание машины, начавшей полировать мраморный пол. Но для Кевина звуки строительных работ были куда приятнее, чем какая-нибудь симфония, исполняемая в Линкольн-центре.

«Еще ребенком я твердил отцу, что предпочел бы погулять по стройке, а не по зоопарку. Уже тогда я знал, что хочу создавать новые дома»,— думал Уилсон.

Он тут же решил, что все эскизы по оформлению вестибюля зеленью никуда не годятся. Надо начинать все сначала или нанимать другого человека для разработки этой части проекта. Кевин не хотел, чтобы вход в комплекс был похож на оранжерею, и считал, что парень, делавший эскизы, этого не уловил.

Квартиры-образцы. Прошлым вечером он несколько часов просидел над проектами Лонга и Морланд, изучая и сравнивая их. Оба производили сильное впечатление. Кевин вполне понял, почему Бартли Лонг считается одним из лучших дизайнеров в стране. Если он получит заказ, то квартиры будут выглядеть ошеломительно.

Но и проект Зан Морланд был тоже невероятно привлекательным. Кевин просто видел, как и чему она научилась у Лонга, но потом отказалась от его идей в пользу своих собственных. В ее проекте было больше тепла, ощущения дома, которое создавалось искусной компоновкой разных мелких деталей. К тому же стоимость этого варианта была на тридцать процентов ниже.

Кевин вынужден был признаться себе, что не в силах выбросить Зан Морланд из мыслей. Она была прекрасной женщиной, в этом сомневаться не приходилось. Стройная, даже, возможно, чуть-чуть излишне худая, с огромными карими глазами, сразу приковывавшими внимание... Странно, что Александра держалась так застенчиво, вплоть до робости, пока не начинала говорить о своем ви́дении оформления образцовых квартир. Тогда ее лицо сразу освещалось, глаза вспыхивали, голос звучал энергично...

«Когда Зан уходила вчера, я смотрел ей вслед, пока она не остановила такси,— думал Кевин.— День был такой ветреный. Я беспокоился о том, достаточно ли плотен ее костюм, пусть и украшенный меховым воротником. Не замерзнет ли?.. Мне казалось, что сильный порыв ветра может сбить ее с ног».

В дверь кто-то постучал. Прежде чем Кевин успел ответить, его секретарь Луиза Кирк уже вошла и направилась к письменному столу.

— Дайте-ка угадать,— сказал Кевин.— Сейчас ровно девять часов.

Луиза, сорокапятилетняя особа с похожей на грушу фигурой, пушистыми светлыми волосами, вечно переполненная энергией, была супругой одного из руководителей стройки.

— Разумеется, это так,— живо ответила она.

Кевин очень жалел о том, что дал Луизе это место. Теперь он надеялся, что она прямо сейчас не начнет снова повторять свои любимые истории об Элеоноре Рузвельт. Как постоянно твердила Луиза, фанатичная любительница истории, Элеонора всегда и везде приходила вовремя.

«Вплоть до того момента, когда она спустилась по ступеням лестницы Белого дома в Восточную гостиную ровно в ту секунду, когда должна была начаться церемония над прахом Франклина Делано Рузвельта»,— с гордостью сообщала секретарша.

Но сегодня у Луизы явно было что-то другое на уме.

— Вы успели просмотреть газеты? — спросила она.

— Нет. У меня была встреча за завтраком, в семь,— напомнил ей Кевин.

— В таком случае взгляните на это.

Явно радуясь тому, что может ошеломить Кевина новостями, Луиза положила на стол перед ним утренние газеты — «Нью-Йорк пост» и «Дейли ньюс». В обеих на первых страницах красовались фотографии Зан Морланд. Заголовки были похожими и сенсационными. Обе газеты утверждали, что мать сама похитила собственного ребенка.

Кевин уставился на фотографии, не веря собственным глазам, и спросил:

— А вы знали, что мальчик пропал?

— Нет, я не связала ее имя с тем давним событием. Но не забывайте, я вчера была в главном офисе. Конечно, я знала имя исчезнувшего малыша — Мэтью Карпентер. В газетах тогда постоянно писали о похищении, но, насколько я помню, его мать называли Александрой. Я не догадалась сложить два и два. Что вы теперь собираетесь делать, Кевин? Ее могут и арестовать. Наверное, мне придется вернуть ей проект, да?

— Я бы предположил, что другого выхода у нас нет,— тихо произнес Кевин, а потом добавил: — Самое забавное тут то, что я уже почти решил отдать заказ именно ей.

23

Утром в среду, после семичасовой мессы, отец Эйден смотрел новости по Си-эн-эн на кухне монастыря, попивая кофе. Когда прозвучало сообщение о том, что Александра Морланд похитила собственного ребенка, глубоко встревоженный францисканец покачал головой. Он смотрел, как камера показывает ту самую молодую женщину, которая приходила в исповедальную комнату в понедельник. Ее засняли в тот момент, когда она покидала ресторан «Времена года». Дама пыталась спрятать лицо, когда бежала к такси мимо репортеров и фотографов, но это безусловно была она.

Потом отец Эйден увидел фотографии, служившие, казалось бы, неопровержимым доказательством того, что именно эта женщина унесла малыша Мэтью.

«Признаюсь, я соучастница преступления, происходящего в настоящее время, и убийства, которое будет совершено очень скоро» — так она сказала.

Не означает ли все это, что Александра Морланд похитила собственного сына и солгала полиции о его исчезновении?

Отец Эйден внимательно слушал ведущего, который разговаривал с Джун Лангрин, сидевшей в тот вечер в ресторане неподалеку от Зан, расспрашивал ее о том, как взорвался в тот момент Тед Карпентер.

— Честно говоря, я думала, он ее ударит,— задыхаясь, говорила Лангрин.— Мой друг даже вскочил, чтобы остановить его, если понадобится.

Отец Эйден считал, что за те пятьдесят лет, что выслушивал исповеди, он повидал уже все градации человеческих чувств, познал все то зло, на какое способна человеческая душа. Много лет назад ему пришлось видеть перед собой истерически рыдающую девушку, саму-то бывшую почти ребенком. Она произвела на свет младенца и из страха перед своими родителями оставила его умирать в контейнере для мусора.

К счастью для всех, тот младенец не погиб, потому что какой-то прохожий услышал тихий плач новорожденного и спас его.

Но теперь был совсем другой случай.

«Убийство, которое будет совершено очень скоро».

Та женщина не сказала: «Я собираюсь совершить убийство». Она говорила только о том, что является соучастницей. Может быть, теперь, когда опубликованы фотографии момента похищения мальчика, тот, с кем связана женщина, испугается? Старый монах мог только молиться о том, чтобы так оно и было.

Немного позже в этот же день, после того как он вместе с Альвирой просмотрел записи камер наблюдения и та ушла домой, отец Эйден открыл свой ежедневник. За обедом на следующей неделе у него было назначено несколько встреч с щедрыми покровителями, благодаря которым монахи не нуждались в пище и одежде. Эти люди уже стали его хорошими друзьями. Отец Эйден хотел уточнить время, в которое собирался встретиться с одним из них, неким мистером Андерсоном, хотя и так все отлично помнил: половина седьмого, атлетический клуб, южная сторона Центрального парка.

«Рядом с той улицей, где живут Альвира и Уилли,— подумал монах.— Прекрасно. Я только что обнаружил, что вчера вечером забыл у них свой шарф. Наверное, Альвира его до сих пор не заметила, иначе она упомянула бы об этом, когда была здесь. После ужина я позвоню Миханам и, если они будут дома, забегу к ним на минутку, чтобы забрать его».

Шарф связала сестра отца Эйдена Вероника, и если бы она заметила, что брат не носит его в холодную погоду, ему бы не поздоровилось.

Когда отец Эйден уходил из монастыря после обеда, к нему подошел Нейл Хант, весь в пыли и с жестянкой полироли в руках.

— Отец, а вы видели ту женщину, которую ваша подруга узнала на записи наших камер? Это ведь та самая, которая похитила своего ребенка?

— Да, видел,— коротко ответил отец Эйден, ясно давая понять, что ничего больше не желает об этом слышать.

Нейл собирался сказать, что при просмотре тех записей его кое-что поразило. В понедельник, примерно в то время, когда камеры наблюдения зафиксировали эту Морланд, он возвращался домой, в свою квартиру на Восьмой авеню. Как раз в тот момент, когда Хант поворачивал за угол, какая-то молодая женщина, шедшая впереди него, вдруг бросилась к мостовой и остановила такси. Она так спешила, что чуть не оказалась под колесами, и Нейл отлично ее рассмотрел.

Именно поэтому он вернулся в церковь, еще раз прокрутил записи камер и остановился на том месте, где в кадр попала подруга Альвиры Михан. Нейл мог поклясться, что женщина, ловившая такси, и женщина на пленке — одна и та же. Но она не могла быть той же самой, если только не переоделась прямо посреди улицы.

Нейл пожал плечами. Именно об этом он и собирался рассказать отцу Эйдену, но тот дал понять, что не желает ничего слышать. Хант решил, что в любом случае это не его дело. В сорок один год Нейл из-за сильного пристрастия к спиртному успел поменять множество мест работы. Больше всего ему понравилось быть полицейским, но там он продержался всего несколько лет. Конечно, как ни клянись, что больше ничего такого себе не позволишь, но если тебя уже трижды поймали пьяным во время дежурства, то ничего, кроме увольнения, ждать не приходится.

«А я ведь был хорошим копом,— размышлял Нейл, направляясь в чулан, где хранились принадлежности для уборки.— Все парни шутили, что я мог только раз взглянуть на фотографию и год спустя выловить этого парня в толпе на Таймс-сквер. Эх, если бы я задержался на службе! Может, теперь уже стал бы комиссаром!»

Но тогда Хант не посещал занятия для анонимных алкоголиков. Меняя одно место работы за другим, он кончил тем, что очутился на улице, прося подаяния и ночуя где придется. Три года назад Нейл пришел сюда, чтобы поесть. Один монах отправил его в приют в Греймуре, где осуществлялась программа реабилитации для алкоголиков. Тогда-то Хант наконец бросил пить.

Теперь Нейл работал в монастыре, ему нравилась серьезность этого дела и друзья, которыми он обзавелся в обществе анонимных алкоголиков. Монахи называли его своим мажордомом, такое вот забавное прозвище для прислуги за все, тем не менее в этом ощущалось некое особое достоинство.

«Ладно,— решил Нейл.— Если отец Эйден не хочет говорить об этой Морланд, пусть так и будет. Ни слова больше. Ему, наверное, неинтересно, что я видел кого-то, точь-в-точь похожего на нее. Зачем ему это?»

24

Пожилой человек, робко вошедший в архитектурное бюро Бартли Лонга, явно не был потенциальным заказчиком. Его редеющие седые волосы торчали как попало, поношенную ковбойскую куртку давно пора было выбросить, джинсы болтались на тощем теле, на ногах красовались старые теннисные туфли. Он медленно подошел к столу в приемной. При первом взгляде на него секретарша Филлис приняла его за посыльного, но тут же отказалась от этой мысли. Худоба этого мужчины, ввалившиеся щеки и глаза на морщинистом лице заставляли предположить, что он то ли тяжело болен прямо сейчас, то ли кое-как поправился совсем недавно.

Филлис порадовалась тому, что ее босс как раз совещался с Элейн, своим личным секретарем, и двумя специалистами по тканям. Дверь его кабинета была плотно закрыта. Бартли Лонг сразу решил бы, что этот человек не соответствует изысканной атмосфере его бюро, независимо от того, что ему нужно. Даже через шесть лет добросердечная Филлис морщилась при виде того, как Бартли обращался с людьми жалкой внешности. Как и ее подруга Элейн, она держалась за свое место из-за очень хорошего жалованья, а то обстоятельство, что Бартли достаточно часто отсутствовал в офисе, давало всем служащим передышку.

Филлис улыбнулась явно нервничавшему посетителю и спросила:

— Чем я могу вам помочь?

— Меня зовут Тоби Гриссом. Извините, что приходится вас беспокоить. Понимаете, я уже шесть месяцев ничего не слышал о своей дочери и просто не в силах спать по ночам. Очень тревожусь, вдруг у нее какие-то неприятности!.. Она примерно два года назад работала здесь. Я подумал, что, может быть, кто-то у вас что-нибудь о ней слышал?

— Она работала здесь? — удивилась Филлис, мысленно перебирая список тех, кто ушел сам или был уволен около двух лет назад.— Как ее зовут?

— Бриттани Ла Монти. По крайней мере, такое у нее сценическое имя. Она приехала в Нью-Йорк уже двенадцать лет назад, знаете, как все девочки, которым хочется стать актрисами... и получала небольшие роли время от времени.

— Мне очень жаль, мистер Гриссом, но я здесь работаю уже шесть лет и могу с абсолютной уверенностью сказать вам, что никого по имени Бриттани Ла Монти здесь никогда не было. То есть два года назад.

Как будто испугавшись, что его сразу же попросят вон, Гриссом поспешил объяснить:

— Нет, не то чтобы она работала прямо здесь. Я имел в виду, что дочка гримирует... она мастер по этой части. Иной раз, когда у вас устраивались коктейли для демонстрации образцов интерьеров, которые оформлял мистер Лонг, он приглашал Бриттани, чтобы та подготовила девушек к выступлению, а потом даже предложил ей самой стать моделью. Она по-настоящему хорошенькая.

— Так вот почему я никогда с ней не встречалась,— сообразила Филлис.— Я могу только расспросить личного секретаря мистера Лонга насчет вашей дочери. Это она организует все приемы, кстати, у нее феноменальная память. Но сейчас она занята на переговорах и освободится лишь часа через два. Вы можете зайти попозже?

«Надо будет спросить Элейн после трех,— напомнила себе Филлис.— Его величество Недовольный говорил, что отбудет сегодня к себе в Личфилд сразу после обеда».

— Мистер Гриссом, можете зайти после трех часов в любое время,— вежливо сказала она.

— Спасибо, мэм. Вы очень добры. Видите ли, моя дочь обычно регулярно мне пишет. Два года назад она сообщила, что собирается в какое-то путешествие, и прислала мне двадцать пять тысяч долларов, чтобы знать: у меня кое-что лежит в банке. Ее мать давно уже умерла, и мы с моей малышкой всегда были настоящими друзьями. Дочка тогда написала, что не сможет часто связываться со мной. Так что я лишь время от времени получал от нее письма. Последнее пришло из Нью-Йорка, поэтому я знал, что она вернулась сюда. Но, как я уже говорил, от нее полгода не было ни единой весточки, вот я и приехал, чтобы ее найти. У нас в Далласе девочка в последний раз была почти четыре года назад.

— Мистер Гриссом, если у нас есть какой-то ее адрес, обещаю — вы его сегодня же получите,— сказала Филлис.

Но, говоря это, она уже понимала, что никаких финансовых документов на имя Бриттани Ла Монти, скорее всего, не отыщется. С людьми вроде нее

Бартли всегда рассчитывался наличными, потому что платил меньше, чем того требовали профсоюзы.

— Видите ли, я только что получил довольно дурные вести от моего врача,— добавил Гриссом, собираясь уходить.— Потому-то я и здесь. У меня не так много времени, и мне не хочется умирать, не повидав еще разок Глори и не убедившись, что у нее все в порядке.

— Глори? Мне показалось, вы говорили — Бриттани.

Тоби Гриссом улыбнулся, что-то вспомнив, и пояснил:

— Вообще-то ее настоящее имя — Маргарет Гриссом, в честь матери. Бриттани Ла Монти — это псевдоним. Но когда она родилась, я только взглянул на нее в первый раз и тут же сказал: «Малышка, ты так великолепна, что мама, конечно, может называть тебя Маргарет, но я буду звать тебя Глори!»

25

В 12.15, через несколько минут после их разговора, Альвира снова позвонила Зан и сказала:

— Я тут все думала. Можно не сомневаться, что полицейским захочется поговорить с тобой. Но прежде чем ты с ними встретишься, тебе нужно найти адвоката.

— Адвоката? Зачем, Альвира?

— Затем, что женщина на тех фотографиях выглядит точно так же, как ты. Полиция вот-вот постучит в твою дверь. Я не хочу, чтобы ты отвечала на их вопросы без адвоката.

Зан почувствовала, как онемение, охватившее ее ум и тело, начинает переходить в смертельное спокойствие.

— Альвира, но ты ведь не уверена до конца, кто на тех снимках. Я ли это, так? Тебе необязательно отвечать на этот вопрос. Я поняла, что ты сказала. У тебя есть какой-то адвокат, которого ты могла бы мне порекомендовать?

— Есть. Чарли Шор, первоклассный специалист по уголовным делам. Мы с ним хорошие друзья.

«Специалист по уголовным делам,— с горечью подумала Зан.— Конечно же. Если я действительно похитила Мэтью, то совершила уголовное преступление.

Но похищала ли я его?

Куда могла его унести, кому отдать?

Никому. Такого просто не могло произойти. Мне наплевать, даже если я забыла, что как-то вечером заходила в церковь Святого Франциска. Я была так глубоко несчастна в день рождения Мэтью, что вполне могла пойти туда и поставить свечу. Я ведь делала так раньше, но знаю, что никогда не вытащила бы его из коляски и не выбросила бы из своей жизни».

— Зан, ты меня слушаешь?

— Да, Альвира. Дашь мне телефон твоего друга?

— Конечно. Но не звони ему минут десять — пятнадцать. Сначала я сама с ним свяжусь, поговорю, и он захочет помочь тебе. Мы с тобой увидимся вечером.

Зан медленно опустила телефонную трубку и подумала, что адвокат будет стоить немалых денег, тех самых, на которые она могла бы нанять кого-нибудь для поисков Мэтью...

Кевин Уилсон.

Мысль об архитекторе заставила Зан резко выпрямиться в кресле. Разумеется, он увидит фотографии в газете и решит, что она похитила Мэтью. Конечно же, архитектор предположит, что ее арестуют, и отдаст заказ Бартли.

«Я так много времени потратила на проект и не могу потерять эту работу,— подумала Александра.— Деньги нужны мне как никогда. Я должна поговорить с Уилсоном!»

Она написала записку для Джоша, быстро вышла из офиса, села в служебный лифт и выскочила из здания через заднюю дверь.

«Я ведь даже не знаю, будет ли Уилсон на месте,— размышляла Зан, ловя такси.— Но если я просижу перед офисом весь день, то дождусь его, попрошу дать мне шанс объясниться и оправдаться».

Из-за более плотного, чем обычно, движения Зан понадобилось почти сорок минут, чтобы добраться до комплекса, недавно названного «Карлтон-плейс 701». Такси вместе с чаевыми обошлось ей в двадцать два доллара.

«Хорошо еще, что у меня есть кредитная карта»,— подумала Морланд, заглянув в кошелек и убедившись в том, что у нее осталось всего пятнадцать долларов наличными.

В ее правилах было как можно осторожнее пользоваться картами. Когда это было возможно, она добиралась до мест назначенных встреч пешком.

«Забавно, как можно сосредоточиться на чем-нибудь вроде платы за такси,— думала Зан, входя в новое здание.— Что-то в этом роде было и тогда, когда умерли папа с мамой. На заупокойной мессе я постоянно думала о том, что на моем жакете есть пятно, спрашивала себя, почему не заметила его вовремя. У меня ведь был другой, тоже черный, можно было надеть его...

Неужели я снова ищу убежище в чем-то обыденном, пустячном?» — спрашивала себя Зан, толкая вращающуюся дверь и входя в вестибюль, наполненный оглушительным шумом полировальных машин, елозивших по мраморному полу.

Кевин Уилсон явно мог только мечтать о нормальном рабочем пространстве, решила она, шагая по заставленному разным оборудованием коридору к комнате, которую Уилсон использовал в качестве кабинета. Она знала, что, когда все встанет на свои места, на этой площади будут складываться вещи, доставляемые жильцам.

Дверь временного кабинета Уилсона была приоткрыта. Зан постучала и, не ожидая ответа, вошла. Возле письменного стола стояла женщина со светлыми волосами. Она обернулась, и по изумлению, проступившему на ее лице, гостья поняла, что блондинка уже видела утренние газеты.

Тем не менее Зан представилась:

— Я Александра Морланд. Я вчера встречалась с мистером Уилсоном. Он здесь?

— Я его секретарь, Луиза Кирк. Он где-то в здании, но...

Стараясь не показать, как подавляет ее возбуждение, исходящее от этой женщины, Зан перебила ее:

— Это здание просто прекрасно. Судя по тому, что я видела вчера, люди, поселившиеся здесь, будут по-настоящему счастливы. Я искренне надеюсь стать одной из причин их радости.

«Не знаю, как могу говорить так спокойно,— думала при этом Зан, а потом ответ возник сам собой: — Мне необходима эта работа». Она молча ждала, сосредоточив взгляд на лице секретаря.

— Мисс Морланд! — неуверенно заговорила Кирк.— Вообще-то я не думаю, что вам есть смысл ждать Кевина... я хотела сказать, мистера Уилсона. Сегодня утром он попросил меня упаковать ваш проект и вернуть вам. Я уже это сделала, и если хотите забрать все сейчас, то... или же я отправлю все с посыльным, конечно же.

— Где мистер Уилсон? — Зан даже не глянула на толстый пакет, лежавший на столе.

— Мисс Морланд, он действительно не...

«Кевин прячется в одной из эталонных квартир,— подумала Морланд.— Точно, он там».

Она повернулась, обогнула письменный стол, взяла пакет со своими рисунками и образцами ткани, кивнула секретарше, поблагодарила ее, вышла в фойе и прямиком направилась к лифту.

Уилсона не было ни в первой квартире, ни во второй. Зан нашла его в третьей, самой большой. На кухонной стойке лежали эскизы и образцы тканей. Зан знала, что это должен быть проект Бартли Лонга для данной квартиры.

Александра решительно подошла к Уилсону, положила свой пакет на стойку и, не поздоровавшись, заговорила:

— Я намерена все высказать вам прямо сейчас. Если вы примете проект Бартли, то эффект окажется изумительным, но, черт побери, в этом невозможно будет жить.— Зан взяла эскиз и заявила: — Прекрасно! Но присмотритесь вот к этому двухместному диванчику. Он слишком низкий. Люди будут шарахаться от него как от чумы. Взгляните на гобелены. Просто потрясающие, та-а-кие официальные! Но эта квартира очень большая. Может быть, семья с детьми и заинтересуется ею, вот только такая обстановка вряд ли кого-то вдохновит. Сколько бы денег у вас ни было, приходя домой, вы хотите попасть именно к себе, а не в музей. Я же предложила вам три квартиры, в которых людям будет уютно.— Только в этот момент Зан заметила, что ради большей выразительности схватила Уилсона за руку, и поспешила сказать: — Извините, что я вот так на вас наезжаю. Но мне просто необходимо было поговорить с вами.

— Вам это удалось. Вы уже все высказали? — тихо спросил Кевин Уилсон.

— Да, все. Вы, наверное, уже слышали, что в печати появились снимки, вроде бы доказывающие, что я похитила собственного ребенка. Уже два года никто не может его найти. Но думаю, что довольно скоро выяснится, что это все-таки не я, как бы женщина на фото ни была похожа на меня. Пожалуйста, ответьте мне на один вопрос. Если бы не было тех фотографий, о которых я говорю, кому вы отдали бы предпочтение — Бартли Лонгу или мне?

Кевин Уилсон долгую минуту всматривался в Зан, потом ответил:

— Я склонялся к тому, чтобы отдать заказ вам.

— Что ж, тогда я вас прошу, умоляю, не спешите принимать окончательное решение. Я намерена доказать, что на снимках фигурирует какая-то другая женщина. Я собираюсь встретиться с заказчицей, из-за которой и была вынуждена пригласить няню для прогулки с Мэтью в тот день. Я попрошу ее отправиться со мной в полицию и подтвердить, что я просто не могла находиться в парке в то время. Кевин, если вы хотите передать заказ Бартли просто потому, что вам больше нравится его оформление,— это одно. Но если вы хотели бы отдать работу мне, потому что считаете мой вариант лучшим, то я прошу вас дать мне возможность очистить мое имя. Я умоляю вас просто немного подождать.— Она смотрела прямо в глаза Уилсону.— Мне нужна эта работа. Нет, я не прошу вас дать ее мне просто из жалости, это было бы глупо. Но каждый цент, который заработаю, я смогу отдавать частным детективам, снова и снова пытаться отыскать Мэтью. Есть еще кое-что, о чем вы вполне могли бы подумать. Могу поспорить, что моя работа стоит процентов на тридцать дешевле, чем услуги Бартли. Это тоже немаловажно.– Тут вдруг вся ее энергия и пыл иссякли.

Зан показала на пакет со своими эскизами и тканями, лежавший на стойке, и спросила:

– Не хотите еще раз все это посмотреть?

– Посмотрю.

– Спасибо.– Морланд кивнула и, больше не взглянув на Кевина Уилсона, вышла из квартиры.

Она проходила мимо огромного, от пола до потолка, окна у шахты лифта и увидела, что недавний легкий дождичек превратился в настоящий ливень с ураганом. Зан на мгновение остановилась, глядя наружу. Над Уэстсайдской посадочной площадкой кружил вертолет, готовясь опуститься на землю. Александра видела, как ветер швырял его из стороны в сторону. Наконец вертолет благополучно встал на гудрон.

«Он сумел это сделать,– подумала Зан.– Боже милостивый, дай мне сил тоже пройти сквозь бурю».

26

Напарницей Билли Коллинза была детектив Дженнифер Дин, красивая афроамериканка, его ровесница. Они познакомились еще в полицейской академии и очень быстро подружились. Дженнифер отработала какое-то время в отделе по борьбе с наркотиками, получила звание детектива и была переведена на участок Центрального парка. Здесь ее сделали напарницей Билли Коллинза, к их обоюдному удовольствию.

Стражи порядка встретились с Тиффани Шилдс во время обеденного перерыва в ее колледже. К этому времени девчонка успела убедить себя в том, что Зан Морланд намеренно отравила ее и Мэтью, подсыпав им снотворное.

— Зан настаивала, чтобы я в тот день взяла пепси,— заявила она детективам, и ее губы сжались в тонкую линию.— Я себя чувствовала просто отвратительно, не хотела сидеть с ребенком. Она мне дала какую-то таблетку. Я думала, от простуды, но теперь мне кажется, что это было что-то другое. Я просто заснула. Позвольте еще кое-что сказать. Мэтью ведь тоже спал как убитый. Могу на что угодно поспорить, она и ему дала что-то, так что мальчик даже не проснулся, когда мать вытаскивала его из коляски.

— Тиффани, но ты ведь не станешь нас убеждать, что уверена, будто Зан Морланд усыпила тебя в тот день, когда пропал Мэтью? Ты раньше не намекала ни на что такое,— негромко произнес Билли.

В его тоне никак не отразилось то, что он увидел определенный смысл в словах девушки. Если Морланд искала способ похитить собственного ребенка, то Тиффани как раз и давала ей отличный шанс сделать это. В тот день было не по сезону тепло, в такую погоду кого угодно потянет на сон на свежем воздухе, не говоря уж о человеке, который слегка нездоров, да еще и принял какую-то таблетку.

— Есть и еще кое-что, о чем я постоянно думаю,— с угрюмым видом продолжила Тиффани.— Зан сама положила в коляску лишнее одеяло на тот случай, если мне захочется посидеть на траве. Она сказала, что день очень теплый, так что все скамейки в парке наверняка будут заняты. Тогда я, конечно, подумала, что это очень мило с ее стороны. Теперь мне кажется, она на то и рассчитывала, что я сразу засну.

Детективы переглянулись. Оба прикинули, возможно ли, чтобы Морланд действительно так все продумала заранее?

— Тиффани, раньше, когда тебя расспрашивали о дне исчезновения Мэтью, ты ни разу не упоминала о том, что подозреваешь какое-то отравление,— спокойно напомнила девушке Дженнифер Дин.

— Я тогда была просто в истерике. Я так испугалась! Все эти люди и телекамеры вокруг!.. Потом еще прибежали Зан и мистер Карпентер. Я же понимала, что они во всем винят только меня!

Билли подумал, что из-за жары в тот день в парке гуляло великое множество народа. Если Морланд выждала подходящий момент, а потом просто спокойно подошла к коляске и забрала Мэтью, никто не увидел бы в этом ничего подозрительного. Даже если бы Мэтью проснулся, он не заплакал бы. Мы восприняли спокойствие Морланд как результат крайнего потрясения. Когда на месте событий появился Тед Карпентер, он вел себя как самый безутешный отец, готов был разорвать в клочья несчастную няню за то, что она уснула.

— У меня занятия,— сказала Тиффани, вставая.— Мне нельзя опаздывать.

— Да мы и сами этого не хотим, Тиффани,— согласился Билли, тоже поднимаясь со скамьи в коридоре колледжа, на которой они сидели.

— Детектив Коллинз, но ведь теперь те фотографии доказали, что это Зан украла ребенка и я тут совсем ни при чем. Вы просто понятия не имеете, какими были для меня два последних года. Сплошное несчастье! Попробуйте найти мой звонок в службу девять-один-один, он до сих пор болтается где-то в Интернете.

— Тиффани, мы вполне можем понять твои чувства,— мягко произнесла Дженнифер Дин.

— Нет, не можете! Никто на это не способен! Как вы думаете, Мэтью до сих пор жив?

— У нас нет оснований полагать, что он погиб,— осторожно ответил Билли.

— Если и так... я очень надеюсь, что эта лживая дрянь, его мамаша, проведет остаток своей поганой жизни за решеткой! Вы мне только пообещайте, что я буду сидеть в первом ряду, когда ее станут судить. Я это заслужила! — выкрикнула Тиффани.

27

Он привел свой план в движение. Шаг за шагом подводил его к кульминации, знал, что уже пора. Глория становилась слишком беспокойной, а он совершил ужасную ошибку, сказав ей, что необходимо будет убрать Зан, обставив все как самоубийство. Глория ведь взялась за это дело только ради тех денег, которые он ей пообещал. Она не поняла, что ему недостаточно будет просто подвергнуть Александру Морланд публичному позору и осмеянию.

Он не будет счастлив до тех пор, пока Зан не умрет.

Прошлым вечером он звонил Глории, сообщил ей, что собирается в скором времени взять ее с собой в ту самую церковь, но, конечно, не объяснил зачем. Глория начала было возражать, но он заставил ее заткнуться, не собирался докладывать ей, что планирует избавиться от старого священника. Камеры слежения должны зафиксировать при этом Глорию в облике Зан.

После этого самоубийство Морланд будет выглядеть вполне объяснимым.

Суть плана состояла в том, чтобы как раз в этот день Глория оставила Мэтью в каком-нибудь людном месте, где его сразу заметят. Он просто уже видел будущие заголовки газет: «Пропавший ребенок найден через несколько часов после самоубийства его матери!»

Он будет смаковать историю, изложенную далее: «Александра — Зан — Морланд была найдена мертвой в ее квартире в Баттери-Парке, и это было явное самоубийство. Интерьерный дизайнер, подозреваемая в похищении собственного ребенка...»

Фотографии, сделанные тем туристом. Почему они выплыли на свет именно сейчас? Хуже момента и не придумать. С другой стороны, их можно рассматривать как неожиданный чудесный дар.

Он сам внимательно их рассмотрел, изучил, увеличил в своем компьютере. Глория выглядела точь-в-точь как Зан. Если копы поверят в это, то вполне могут счесть Морланд сумасшедшей, особенно когда к этому добавятся странные покупки, оплаченные по ее кредитным картам, которых она сама якобы не делала. Тогда все убедятся, что она могла и похитить своего ребенка.

Сейчас копы наверняка гадают, возможен ли с ее стороны такой поступок.

Но если они или кто-то еще найдет в фотографиях хотя бы одно-единственное несоответствие, то тут же возникнет сомнение и в остальном. Тогда все его построение развалится.

Станут ли они снова допрашивать няню?

Конечно.

А Нину Элдрич, потенциальную заказчицу Зан, с которой та встречалась в тот момент, когда исчез ее сын?

Обязательно.

Но у Нины Элдрич были отличные причины подзабыть то, что случилось два года назад, которые никуда не делись. Он решил, что Нина не хотела бы, чтобы ее теперь прижали к стенке.

В общем, ему сейчас угрожали два фактора: сама Глория и фотографии, сделанные случайным туристом.

Он никогда не звонил Глории днем. Существовала опасность, что мальчик окажется где-нибудь поблизости, а эта девица, сколько он ее ни предупреждал, имела дурную привычку называть его по имени во время разговора.

Он посмотрел на часы. Почти пять. Он больше не мог ждать, должен был поговорить с Глорией, даже специально купил два новых сотовых телефона, один для себя, второй для нее. Он запер дверь своего кабинета и набрал номер.

Она ответила после первого же гудка. По ее рассерженному голосу он понял, что разговор будет не из приятных.

— Я тут читала эту историю в Интернете,— заявила Глория.— Везде торчат эти фотографии!

— Мальчик был рядом с тобой, когда ты заглядывала в компьютер?

— А как же! Конечно был, и ему очень понравились снимки! — огрызнулась Глория.

— Не надо обливать меня своим кретинским сарказмом. Где он сейчас?

— Уже в постели. Ему нездоровится. Его дважды вырвало.

— Он заболел?! Но я не могу допустить, чтобы ты показывала его врачу!

— Доктор тут не нужен. Я сегодня днем снова красила ему волосы, а он ненавидит эту процедуру. Такая вот безумная жизнь действует на него. На меня, кстати, тоже. Ты говорил, самое большее — год, а прошло уже почти два!

— Все очень скоро закончится. Это я могу тебе обещать. Те фотографии в парке помогут мне все завершить. Но ты тоже поработай мозгами. Открой их в Интернете, посмотри еще раз. Поищи, нет ли там чего-то такого, что копы могли бы заметить и заподозрить, будто на снимках — не Зан.

— Ты мне платил за то, чтобы я ходила за ней по пятам, изучала ее фотографии, училась ходить и говорить как она. Я чертовски хорошая актриса. Именно это — мое настоящее дело, а не сидение с малышом, которого надо скрывать от родной матери. Боже всемилостивый, да он же прячет под подушку кусок мыла, потому что она пользовалась таким же. Запах напоминает ему о ней!

Но он не упустил неуверенности в голосе Глории и отлично услышал, как в ее ответе сначала прозвучало нечто вроде попытки оправдаться. Потом она постаралась перевести разговор на ребенка...

— Глория, сосредоточься! — твердо произнес он.— Есть ли в твоей одежде или в украшениях что-нибудь такое, что заставило бы полицию прислушаться к утверждениям Зан, будто на тех фотографиях не она? — Ответа сразу не последовало, он мгновенно разъярился и зарычал: — Вот еще что!.. О чем ты говорила с тем священником?

— Если ты будешь вот так на меня наезжать, я просто с ума сойду! Оно и вообще к тому идет. Я ему сказала, что являюсь соучастницей преступления, совершаемого прямо сейчас, и убийства, которое должно произойти. Я не могу его предотвратить.

— Ты сказала ему это?

Голос в телефоне прозвучал убийственно спокойно:

— Да, черт тебя побери! Но это было сказано в исповедальне! Тайна исповеди! Если не знаешь, что это такое, попробуй выяснить! Теперь я тебя честно предупреждаю. Еще одна неделя — и я сваливаю! Тебе надо бы приготовить к этому времени двести тысяч долларов наличными. Потому что если ты этого не сделаешь, я прямиком отправлюсь к копам и расскажу им все. Мол, ты заставил меня смотреть за ребенком, потому что в противном случае просто убил бы его! Я им выложу все о тебе в обмен на защиту от тебя! Хочешь еще кое-что услышать? Я стану героиней! Я подпишу договор на книгу за миллион долларов! Я уже все рассчитала!

Прежде чем он успел ответить, женщина, которую этот человек и Мэтью знали как Глори, отключила свой сотовый телефон.

Как он потом ни старался дозвониться до нее, снова и снова набирая номер, она так и не ответила.

28

Уйдя от Кевина Уилсона, Зан прямиком отправилась в свой офис и снова воспользовалась служебным входом с задней стороны здания.

Джош уже ожидал ее. Морланд оставила ему записку, сообщая, что намерена добиться встречи с Уилсоном.

Она увидела выражение нешуточного беспокойства на лице своего молодого помощника, решила, что его страх связан с возможностью потерять заказ по оформлению квартир, и утешающим тоном сказала:

— Джош, думаю, Уилсон возьмет перерыв. Он не будет принимать окончательное решение, пока я не сумею оправдаться.

Однако тревога Грина не угасла, его голос дрожал от избытка чувств:

— Зан, но как именно ты собираешься оправдываться? — Джош показал на первые страницы двух газет, лежавших на ее письменном столе.

— На этих фотографиях — не я! — ответила Александра.— Да, эта женщина очень похожа на меня, но это не я! — Протест, сорвавшийся с ее губ, прозвучал неожиданно сухо.

«Джош всегда был моим близким другом, а не только помощником,— подумала Зан.— Прошлым вечером он примчался, чтобы помочь мне выбраться из “Времен года”, проскочить мимо всех тех репортеров.

Но тогда Грин еще не видел этих фотографий».

— Зан, тебе звонил какой-то адвокат, некий Чарльз Шор,— сообщил Джош.— Он сказал, что его рекомендовала Альвира. Я бы на твоем месте поговорил с ним. Тебе уже сейчас необходима защита.

— От кого? — резко спросила Морланд.— От полиции? От Теда?

— От себя самой,— огрызнулся Джош, хотя на его глазах поблескивали слезы.— Зан, когда я пришел сюда после исчезновения Мэтью, ты мне рассказывала о провалах в памяти, которые у тебя случались после смерти родителей.— Он обогнул стол и ласково обнял ее за плечи.— Зан, я очень тебя люблю. Ты просто блестящий дизайнер и стала для меня старшей сестрой, которой мне так не хватало. Но тебе действительно нужна помощь. Ты должна быть готова к защите до того, как копы набросятся на тебя с вопросами.

Зан сбросила с плеча его руку, отступила и сказала:

— Джош, я знаю, что у тебя хорошие намерения, но ты просто не понимаешь. Я могу доказать, что в тот день, во время похищения Мэтью, была у Нины Элдрич. Я собираюсь повидаться с ней прямо сейчас. Тиффани увела Мэтью в парк около половины первого. К двум, когда она проснулась, он уже исчез. Я могу доказать, что именно в это время встречалась с Ниной Элдрич. Говорю тебе, я могу это доказать! Да, происходит что-то безумное, но на тех фотографиях не я!

Джош не выглядел до конца убежденным и заявил:

— Зан, я позвоню этому адвокату от твоего имени, прямо сейчас. Мой дядя — коп. Я с ним поговорил сегодня утром. Он сказал, что это совершенно очевидно: тебя будут подозревать в похищении Мэтью. Он очень удивится, если тебе не начнут задавать вопросы уже сегодня.

«Нина Элдрич — моя единственная надежда»,— подумала Зан и согласилась:

— Ладно, звони адвокату. Как его зовут, напомни?

— Чарльз Шор.

Джош потянулся к телефонному аппарату.

Пока он набирал номер, Зан оперлась ладонями о письменный стол. Панический страх нарастал. Ей хотелось куда-нибудь спрятаться.

«Нет, только не сейчас,— молила она.— Боже, прошу тебя, только не сейчас!.. Дай мне сил выдержать все это».

Потом Морланд как будто издали услышала голос Джоша, звавшего ее, но у нее уже не было сил на то, чтобы ответить. Все слилось перед ее глазами.

Ей казалось, что вокруг нее толпятся какие-то люди и кричат на нее, потом как будто взвыла сирена «скорой помощи»... Зан слышала собственные рыдания, звала Мэтью, а потом ощутила укол в руку. Он был настоящим.

Когда Александра наконец-то пришла в себя, она лежала в приемном покое какой-то больницы. Рядом с ней в занавешенной кабинке сидели Джош и какой-то мужчина с седыми волосами, отливающими металлом, и в очках со стальной оправой.

— Я — Чарли Шор,— представился он.— Друг Альвиры и ваш адвокат, если вы не возражаете.

Зан кое-как сфокусировала зрение и медленно произнесла:

— Джош вам позвонил.

— Да. Не пытайтесь говорить прямо сейчас. У нас будет достаточно времени завтра. Доктор ради предосторожности хотел бы оставить вас здесь до завтрашнего дня.

— Нет-нет. Я должна вернуться домой и поговорить с Ниной Элдрич.— Женщина попыталась приподняться.

— Зан, уже почти шесть часов.— Голос Шора звучал успокаивающе.— С миссис Элдрич мы поговорим завтра. Будет гораздо лучше, если вы останетесь здесь, уверяю вас.

— Да, так оно и есть,— поддержал его Джош.

— Нет. Со мной все будет в порядке.— Зан чувствовала, как проясняется у нее в голове, знала, что должна уйти отсюда, и заявила: — Еду домой. Я обещала Альвире, что сегодня приду к ней и Уилли на ужин, и хочу к ним пойти.

«Она поможет мне доказать, что женщина на фотографиях — не я»,— подумала Морланд, и реальность окончательно восстановилась вокруг нее.

— Я потеряла сознание, да? — спросила она.— А потом меня привезли сюда на «скорой»?

— Именно так.— Грин накрыл ладонью ее руку.

— Погоди-ка. Я ошибаюсь или вокруг меня действительно толпились какие-то люди? Там были репортеры, когда меня вносили в машину?

— Были,— кивнул Джош.

— Очередной провал.— Зан взяла себя в руки, потом вдруг заметила, что на ней болтается просторный больничный халат, и обхватила себя руками.— Все будет в порядке. Если вы подождете снаружи, я переоденусь.

— Конечно.

Чарльз Шор и Джош быстро поднялись, но были остановлены внезапным тревожным вопросом Александры:

— А что Тед говорит обо всем этом? Он ведь наверняка уже видел снимки.

— Зан, одевайтесь,— сказал ей Шор.— Поговорим по дороге к Альвире и Уилли.

Когда они уже выходили из приемного покоя, Морланд вдруг с предельной и страшной ясностью осознала, что ни Джош, ни Чарли Шор не сказали ни слова в ответ на ее настойчивые заявления о том, что Нина Элдрич подтвердит тот факт, что она была у нее в момент исчезновения Мэтью...

29

Днем в среду Пенни Хэммел позвонила своей подруге Ребекке Шварц и пригласила ее на ужин.

— Я приготовила отличное тушеное мясо для Берни, потому что мой бедняга уже две недели в дороге, а это его любимое блюдо,— пояснила она.— Он должен был добраться до дома к четырем часам, но представь себе, с этим его проклятым грузовиком что-то случилось в Пенсильвании. Ему пришлось остановиться на всю ночь в «Короле Пруссии», пока там разбирались, что к чему. Как бы там ни было, я вложила в этот ужин очень много сил и не собираюсь есть его в одиночестве.

— Приду обязательно! — заверила ее Ребекка.— У меня самой, так уж вышло, дома вообще ничего нет на ужин. Я собиралась пойти в «Сун-Ян», но, видит Бог, хожу туда слишком часто. Мне иногда кажется, что я уже сама превращаюсь в печенье с предсказанием!

В 6.15 подруги уже наслаждались коктейлем «Манхэттен» в кухне-гостиной Пенни. От плиты исходили соблазнительные ароматы, от камина — тепло, и женщин наполняло ощущение совершенного благополучия.

— Ох, я же хотела рассказать тебе кое-что о той новой жиличке, которая арендовала фермерский дом Сая Оуэнса...

Эта история не заняла много времени.

— Пенни, та женщина отчетливо дала тебе понять, что забралась сюда для того, чтобы написать книгу.— Выражение лица Ребекки сразу изменилось.— Ты ведь не станешь ей надоедать, не правда ли?

Задавая этот вопрос, гостья уже знала ответ. Она прекрасно понимала, что Пенни захочется присмотреться к новой соседке.

— Да я не собиралась напрашиваться к ней в гости,— возразила Пенни, сразу занимая оборонительную позицию.— Я принесла ей шесть своих черничных плюшек, чисто по-соседски, но эта женщина вела себя с откровенной грубостью. Понимаешь, я сразу ей объяснила, что совсем не хочу мешать, просто решила угостить ее, заодно приклеила стикером к тарелке снизу свой номер телефона. Знаешь, если бы я сама переехала куда-то в новое место, мне бы очень даже захотелось сразу узнать, куда можно позвонить в каком-то экстренном случае.

— Да, это было очень любезно с твоей стороны,— уступила Ребекка.— Ты лучшая подруга, какую только можно пожелать. Но я бы на твоем месте больше туда не ходила. Эта особа явно нелюдима.

— Да, надо было забрать обратно мои плюшки.— Пенни засмеялась.— Ладно, как бы то ни было, у нее есть сестра, так что найдется кому позвонить, если понадобится помощь.

Ребекка допила свой «Манхэттен» и поинтересовалась:

— Сестра? Откуда ты знаешь?

— Ох, на полу в холле, прямо у нее за спиной, стоял игрушечный грузовик. Я увидела его и сказала ей, что являюсь хорошей няней. Она ответила, что машинка принадлежит ребенку ее сестры. Мол, та помогала ей переехать и забыла игрушку.

— Забавно,— медленно протянула Ребекка.— Когда я передавала ей ключи, дамочка сказала, что у нее назначена встреча с издателем, поэтому она вернется поздно вечером. Я проезжала мимо на следующее утро, довольно рано, и видела на площадке перед домом только ее машину. Другой там не было. Так что, наверное, ее сестра с ребенком приехали позже.

— Может, и нет у нее никакой сестры, просто она сама играет с машинками,— со смехом сказала Пенни.— Знаешь, с таким дурным характером эта особа вряд ли имеет много друзей.— Хозяйка дома встала, взяла шейкер для коктейлей и разлила по бокалам остатки «Манхэттена».— Все уже готово, можно подавать на стол. Почему бы нам не начать? Но мне надо посмотреть новости в половине седьмого. Ужасно хочется знать, арестовали ли ту сумасшедшую, которая похитила собственного ребенка. Просто поверить не могу, что она до сих пор на свободе!

— Я тоже,— согласилась Ребекка.

Как они и ожидали, фотографии, якобы подтверждающие факт похищения Александрой Морланд собственного сына Мэтью, были главной темой вечерних новостей.

— Интересно, что она сделала с бедным малышом? — Пенни вздохнула, проглатывая основательный кусок тушеного мяса.

— Морланд будет не первой матерью, убившей своего ребенка,— мрачно откликнулась Ребекка.— Как ты думаешь, она достаточно ненормальна для этого?

Пенни не ответила. Что-то в этих фотографиях беспокоило ее. Но что именно? Она задавала себе этот вопрос, не находя ответа.

Тут сюжет о пропавшем ребенке закончился, Пенни пожала плечами, выключила телевизор и сказала:

— Кому нужны эти три минуты рекламы каких-нибудь противозачаточных средств или аэрозолей от насморка? Потом ты узнаешь, что у них куча побочных эффектов вроде сердечных приступов, язвы или инсульта, так что остается только гадать, у кого хватает глупости покупать все это.

До конца ужина подруги сплетничали об общих знакомых. Все то, что Пенни показалось странным в фотографиях, увиденных на экране, спряталось в глубины ее подсознания.

30

Совещание, которое шло в кабинете Бартли Лонга в тот момент, когда в его офис в поисках исчезнувшей дочери явился Тоби Гриссом, продолжалось все утро. Потом, вопреки обыкновению, Бартли никуда не пошел, а заказал обед с доставкой в ближайшем ресторане.

Его личный секретарь Элейн и Филлис, сидевшая в приемной, не стали нарушать свои привычки и перекусили вместе в кухоньке, находившейся в конце коридора. Их обед состоял из диетических салатов. Элейн с утомленным видом призналась, что у Бартли нынче такое дурное настроение, какого она и не видывала, и это многое значило. Он чуть не откусил голову бедняге Скотту, когда тот предложил отказаться от сборчатых занавесок в малой спальне дома Рашмора, их заказчика, и буквально растерзал Бонни из-за образцов ткани, которые она представила ему на одобрение. Оба едва не плакали.

— С ними он обращается точно так же, как с Зан,— сказала Элейн.

— Скотт и Бонни продержатся не дольше, чем все другие помощники после Морланд! — с жаром воскликнула Филлис.— Но знаешь, я рассмотрела те фотографии в газетах. В одном Бартли прав. Можно не сомневаться, что именно Зан похитила своего ребенка. Я только надеюсь, что она отдала его такому человеку, которому можно доверять.

— Я считаю, это Бартли виноват в том, что она сломалась,— грустно сказала Элейн.— Знаешь, что тут самое безумное? Все то время, пока скандалил со Скоттом и Бонни, он держал телевизор включенным! Звук убрал, но постоянно посматривал на экран и в ту минуту, когда показали фотографию Зан, уносящей Мэтью, просто впился в нее глазами!

— Может, он сегодня из-за этого такой бешеный? — спросила Филлис.— Мне кажется, босс вне себя из-за того, что Зан лгала насчет Мэтью.

— Ты просто не поверишь, насколько он ненавидит Морланд и как теперь радуется, видя, что ей достается. Вообще-то Бартли набросился на Скотта именно тогда, когда тот предположил, что эти снимки могут быть фальшивкой. Не забывай, Зан ведь теперь его конкурентка, она тоже хочет получить заказ у Кевина Уилсона. Если Морланд както сумеет доказать, что снимки — подделка, и займется той работой, для Бартли это станет чудовищным ударом. Тут и думать нечего. К тому же есть еще по крайней мере четыре молодых дизайнера, не считая Зан, которые готовы соперничать с ним.

Филлис посмотрела на наручные часы и сказала:

— Мне лучше вернуться на место. Могу поклясться, он уже недоволен тем, что я сделала перерыв на обед, хотя за это время никто и не приходил. Если бы зазвонил дверной звонок, я очутилась бы там за десять секунд. Но вот еще что... ты не помнишь такую особу — Бриттани Ла Монти?

Элейн допила диетическую колу и ответила.

— Бриттани Ла Монти? Конечно помню. Она гримировала у нас моделей и начинающих актрис, которых Бартли нанимал обслуживать приемы с коктейлями и закусками, когда демонстрировал образцы квартир. Это было пару лет назад. Строго между нами, мне кажется, что Бартли имел виды на эту Бриттани. Он ей говорил, что считает ее куда более симпатичной, чем те девушки, которых она гримирует, и постоянно давал ей работу. Мне всегда казалось, что босс встречался с ней где-то на стороне. Мы продолжали отделку одной из квартир по меньшей мере в течение года, а потом Бартли перестал приглашать эту девушку. Думаю, он ее бросил так же, как всех остальных.

— Отец Бриттани, Тоби Гриссом, сегодня утром приходил сюда, искал ее,— пояснила Филлис.— Бедняга очень тревожится. Последняя открытка пришла от нее полгода назад, отправлена из Манхэттена. Он уверен, что у дочери какие-то неприятности. Я ему сказала, что поговорю с тобой, потому что ты должна ее помнить, если она вообще делала здесь хоть какую-то работу. Он обещал вернуться после трех. Я прикинула, что к этому времени Бартли уже будет на пути в Личфилд. Так что мне сказать Гриссому?

— Только то, что она выполняла разовые заказы, к тому же несколько лет назад. Мы понятия не имеем, где его дочь может работать или жить сейчас,— ответила Элейн.— Так оно и есть.

— Но если ты полагаешь, что Бартли может так или иначе поддерживать отношения с Бриттани, то, может, спросишь у него? Вдруг он знает, как с ней связаться? Ее отец сказал, что услыхал кое-что нехорошее от своего врача. Сразу видно, ему отчаянно хочется найти дочь.

— Я спрошу у Бартли,— с легкой нервозностью согласилась Элейн.— Но если между ними было что-то вроде романа, то ему не понравится упоминание ее имени. Он ведь до сих пор кипятится из-за той модели, которая привлекла его к ответу за сексуальные домогательства. Босс жутко из-за этого потратился и вполне может испугаться, что и здесь возникнут сходные проблемы. На карточке, что Бриттани послала отцу, был почтовый штамп?

— Да, нью-йоркский. Но мистер Гриссом сказал, что около двух лет назад Бриттани ему сообщила, что получила какую-то особую работу и не сможет часто давать о себе знать.

— Ох, ну и дела,— вздохнула Элейн.— Интересно, не обрюхатил ли ее Бартли? Когда, ты говоришь, придет отец Бриттани?

— В любое время после трех.

— Тогда будем надеяться, что Бартли уже отправится в Личфилд и я смогу потихоньку поговорить с ее отцом.

Но в три часа, когда Тоби Гриссом робко позвонил в дверь и Филлис нажала на кнопку, отпирающую вход, Бартли Лонг все еще сидел в своем кабинете. Обувь у Гриссома оказалась мокрой и грязной, и Филлис с ужасом наблюдала, как на абиссинском ковре остаются черные следы.

— Ох, мистер Гриссом,— сказала она.— Я вот подумала... может, вы не против того, чтобы вытереть ноги о коврик у двери? — Хозяйка приемной постаралась смягчить свою просьбу, добавив: — Погода сегодня просто ужас что такое, правда?

Гриссом, как послушный ребенок, вернулся к входу, старательно пошаркал там подошвами и сказал, явно не замечая пятен на дорогом ковре:

— Я весь день искал тех девушек, с которыми моя дочь снимала вместе квартиру, когда жила в Нью-

Йорке. Теперь мне хотелось бы поговорить с Бартли Лонгом.

— У мистера Лонга важная встреча,— сказала Филлис.— Но его личный секретарь Элейн Райан с удовольствием поговорит с вами.

— Я не хочу разговаривать с секретарями, буду сидеть в этой красивой приемной и ждать. Неважно, сколько времени понадобится, но я увижу этого парня, Бартли Лонга,— с решительным видом заявил Гриссом.

Филлис видела бесконечную усталость в его глазах. Одежда этого человека выглядела так, словно он промок насквозь.

«Не знаю, какая именно у него болезнь, но ему здорово повезет, если он не схватит пневмонию»,— подумала Филлис, взялась за телефон и сообщила Элейн:

— Мистер Гриссом пришел. Я ему объяснила, что у мистера Лонга встреча, но мистер Гриссом намеревается ждать, пока мистер Лонг освободится.

Элейн прекрасно поняла предостережение, прозвучавшее в этих словах. Отец Бриттани Ла Монти намеревался крепко поговорить с Бартли Лонгом.

— Я посмотрю, что тут можно сделать,— сказала она, положила телефонную трубку и сосредоточилась.

«Я должна сообщить нашему бесстрашному начальнику об этом визитере, предупредить его»,— подумала Элейн.

Огонек, вспыхнувший на панели телефонного аппарата, говорил о том, что Бартли сам звонил куда-то. Когда огонек погас, Элейн встала, постучала в дверь и, не дожидаясь ответа, вошла в личный кабинет Лонга.

Телевизор по-прежнему был включен, и все так же без звука. Поднос с обедом оказался отодвинут на самый край массивного письменного стола. Обычно Бартли звонил и велел кому-нибудь все убрать, когда заканчивал с едой, но на этот раз посмотрел на Элейн удивленно и злобно.

— Я что-то не помню, чтобы посылал за тобой! Да, денек выдался трудный...

— Никто за мной не посылает, и вы в том числе, мистер Лонг,— решительно произнесла Элейн.

«Можешь меня уволить, если захочется,— подумала она при этом.— Надоело все до тошноты».

Секретарша не стала ждать реакции Лонга и сразу продолжила:

— Там пришел человек, который настаивает на встрече с вами. Я полагаю, он будет ждать в приемной до полной победы, так что если вы не хотите удирать через черный ход, то лучше вам с ним поговорить. Его зовут Тоби Гриссом, он — отец Бриттани Ла Монти. Она на вас работала время от времени два года назад, когда мы оформляли квартиры в Уоверли и еще кое-где.

Бартли Лонг с удивленным видом откинулся на спинку кресла, как будто пытался припомнить Бриттани Ла Монти.

«Он прекрасно знает, о ком я говорю»,— подумала Элейн, заметив, как босс нервно стиснул руки.

— Конечно, я помню эту молодую женщину,— сказал он.— Она хотела стать актрисой, и я даже представил ее кое-кому, кто мог бы ей помочь. Но насколько я припоминаю, мы не смогли найти эту девушку, когда нам в последний раз понадобились модели.

Ни Элейн, ни Бартли Лонг не заметили, что Тоби Гриссом прошел через офис и остановился у приоткрытой двери кабинета.

— Вот только не надо кормить меня этой ерундой, мистер Лонг,— сказал он, от гнева повысив голос.— Вы помогали Бриттани добиться успеха, не раз возили ее на выходные в ваш чудесный домик в Личфилде. Где она теперь? Что вы сделали с моей девочкой? Вы мне скажете всю правду, а если нет — я отправлюсь прямиком к копам!

31

Было уже половина восьмого вечера, когда Зан, вопреки всем настояниям врачей, вместе с Чарли Шором поехала в такси к Альвире и Уилли. Она настояла на том, чтобы Джош отправился домой, и категорически отказалась от его предложения переночевать на диване в ее квартире на случай какой-либо необходимости.

«Если мне сейчас что-то и нужно, так это побыть одной и собраться с мыслями»,— думала Морланд.

— А вам не следует тоже отправиться домой? — спросила она Шора, когда такси пробиралось по Йорк-авеню.

Чарли решил не сообщать Зан о том, что у них с женой на сегодняшний вечер были куплены билеты в театр, на спектакль, который они давно хотели посмотреть. Ему пришлось позвонить жене и попросить оставить его билет в кассе, чтобы он мог его там забрать, когда доберется до театра. При этом Шор в очередной раз поблагодарил небеса за то, что Лин понимала его всегда, какая бы ситуация ни возникла.

«Вряд ли я опоздаю намного,— сказал он ей.— Морланд не в том состоянии, чтобы долго говорить со мной сегодня».

Это мнение возникло у него при виде смертельной бледности Зан и того, как она дрожала всем телом, несмотря на меховой жилет.

«Хорошо, что она решила отправиться к Альвире и Уилли,— думал Чарли.— Она им доверяет, может быть, даже скажет, где находится ее сын».

Когда этим днем Михан позвонила ему насчет Зан Морланд, она говорила прямо:

— Чарли, это человек, которому ты мог бы помочь. Когда я увидела те фотографии, на меня словно бревно свалилось. Я не думаю, что они фальшивые. Но и в страданиях Зан тоже нет игры, она действительно мучается и пытается отыскать Мэтью. Если мать и похитила сына, то ничего не помнит. Бывает ведь такое, что люди ведут себя как зомби, если на них рушатся несчастья?

— Да, и нередко, но иногда они потом все вспоминают,— ответил он ей.

Теперь, сидя в такси, Чарли гадал, не сумела ли Альвира с убийственной точностью поставить Александре диагноз. Когда он незадолго до этого добрался до госпиталя, Зан была все еще без сознания, но снова и снова повторяла имя своего сына. «Мне нужен мой Мэтью, мне нужен мой Мэтью...»

Он вслушивался в ее бормотание, и его сердце обливалось кровью. Когда Чарли было десять, его двухлетняя сестренка умерла. Он до сих пор ярко помнил тот ужасный день у ее могилы и горестный голос матери: «Мне нужна моя детка... мне нужна моя детка...»

Чарли посмотрел на Зан. В машине было темно, но в лучах фар автомобилей, проезжавших мимо, и ярко освещенных витрин он отчетливо видел ее лицо.

«Я обязательно тебе помогу,— мысленно поклялся адвокат.— Я сорок лет занимаюсь своим делом и намерен предоставить тебе наилучшую защиту из всех возможных. Клянусь жизнью».

Он предполагал подняться вместе с Зан в квартиру Миханов и немного задержаться там, но передумал, когда такси приблизилось к южной стороне Центрального парка. Александра Морланд явно доверяла Альвире и Уилли. Ей лучше побыть с ними наедине этим вечером. Сейчас уж точно неподходящее время для того, чтобы начать расспрашивать ее о разных подробностях.

Машина остановилась на подъездной дороге, описывающей полукруг, и Чарли велел водителю подождать его. Несмотря на уверения Зан, что ему незачем выходить, он все же проводил ее до лифта. Швейцар доложил об их приходе, и Альвира уже ждала их в холле, когда они поднялись на шестнадцатый этаж.

Не говоря ни слова, она обняла гостью, посмотрела на Чарли и сказала ему:

— Ты лучше иди. Зан сейчас необходимо немножко расслабиться.

— Полностью с этим согласен, знаю, что ты отлично о ней позаботишься,— с улыбкой произнес Чарли, возвратился в лифт и нажал кнопку первого этажа.

Такси доставило его к театру как раз к подъему занавеса. Представление было беззаботным и забавным, Чарли давно хотел его увидеть, но все же не мог до конца насладиться зрелищем.

«Как мне защищать женщину, которая не в состоянии хоть как-то помочь себе сама,— непрерывно думал он.— Сколько времени пройдет до того момента, когда полицейские решат надеть на нее наручники?»

Его терзало зловещее предчувствие, что это может подтолкнуть Зан к трагическому решению, когда произойдет.

Ее закутали в одеяло, подсунули под голову подушку, напоили горячим чаем с медом и гвоздикой. Все это создало у Зан ощущение, что она выбирается из какого-то темного, мрачного проулка. Морланд никак не могла найти лучшего сравнения, чтобы объяснить Альвире и Уилли, что она чувствовала и почему потеряла сознание.

— Я увидела те фотографии и решила, что сплю. Хочу сказать, я ведь могу доказать без труда, что в то самое время была у Нины Элдрич. Но зачем кому-то было нужно так потрудиться, чтобы стать точной моей копией? Разве это не безумие? — Не дожидаясь ответа, Зан продолжила: — Знаете, у меня постоянно крутится в голове та песня... из фильма «Вечерняя серенада». Она мне очень нравится и как будто подходит к моменту. Все это фарс, цирк. Но я знаю, что все будет в порядке после разговора с Ниной Элдрич. Я собиралась сделать это прямо сегодня, а потом потеряла сознание.

— Зан, нечего и удивляться твоему обмороку при всем том, что происходит. Но ты должна помнить, что Джош сразу связался с Чарли Шором, тот все бросил и помчался к тебе. Такой вот он адвокат и друг. Грин рассказал мне о вчерашнем вечере во «Временах года», куда ты ходила с Тедом. Насколько я поняла, тогда тебе так и не удалось поужинать. Скажи на милость, что ты ела сегодня? — спросила Альвира.

— Не слишком много. Утром выпила кофе, пообедать не успела, а потом потеряла сознание.— Зан отпила еще чая.— Альвира, Уилли, вы ведь верите, что эти фотографии доказывают, будто я забрала Мэтью. Я же это слышала в твоем голосе днем, Альвира! Потом, когда Джош тут же заявил, что мне необходим адвокат, я поняла, что и он тоже считает их подлинными!

Уилли посмотрел на жену и подумал, что она, конечно же, не сомневалась в подлинности снимков. Сам он тоже так полагал. Но это не значило, что они были уверены в том, что на снимках — именно бедняжка Зан. Что теперь скажет Альвира?

Та ответила сердечно, но уклончиво:

— Зан, если ты утверждаешь, что на фотографиях — кто-то другой, тогда, я полагаю, Чарли первым делом раздобудет копии негативов или что там есть в той камере, которой снимал тот человек, и отправит их к экспертам, чтобы удостоверить подлинность либо поддельность. Потом, само собой, речь пойдет о том времени, когда ты встречалась с заказчицей по поводу оформления ее нового городского дома. Это может вполне тебя оправдать. Ты вроде сказала, ее зовут Нина Элдрич?

— Да.

— Чарли из тех адвокатов, которые просчитают до секунды время, проведенное тобой с Ниной Элдрич.

— Тогда почему ни Джош, ни Чарли ничего мне не ответили, когда я говорила, что встреча с Ниной Элдрич может доказать, что я вообще не могла оказаться в парке? — спросила Зан.

Альвира встала и заявила:

— Зан, насколько я успела разобраться, ты на самом деле не разговаривала с Джошем, перед тем как потеряла сознание. Но уж поверь мне, мы камня на камне не оставим, все перевернем в поисках истины и найдем Мэтью! — пообещала она.— Ты первым делом должна помнить о том, что теперь тебя начнут бомбить со всех сторон. Ты не сможешь сквозь все это пройти, если лишишься сил. Я имею в виду силу в буквальном смысле, в физическом. Еда здесь имеет очень важное значение. Когда ты пообещала приехать к нам, я пошевелила мозгами и вспомнила, что ты любишь чили. Так что все это тебя ждет — чили, салат и горячий итальянский хлеб.

— Звучит аппетитно.— Зан попыталась улыбнуться.

Все это было действительно аппетитно и очень вкусно. Морланд так решила, когда окончательно согрелась от чудесной еды и стакана красного вина. У нее даже возникло ощущение, что душевное равновесие возвращается.

Александра рассказала Альвире и Уилли о возможности получить заказ на отделку образцовых квартир архитектора Кевина Уилсона, в его более чем роскошном здании «Карлтон-плейс 701».

— Тут, конечно, дело в том, в чью пользу он решит вопрос — в мою или Бартли Лонга,— пояснила Зан.— Я поняла, что Уилсон вполне может поверить, что это я похитила своего ребенка, когда прочитает утренние газеты. Поэтому мне пришлось отправиться прямиком в его офис и просить дать мне шанс доказать, что я просто не могла это сделать в тот день.

Альвира понимала, что и представить себе не может, сколько труда вложила Зан в разработку проекта тех квартир.

— Он дал тебе этот шанс?

— Увидим.— Зан пожала плечами.— Кевин разрешил мне оставить эскизы и образцы тканей, так что, полагаю, окончательного решения пока не принял.

Все присутствующие отказались от десерта, решив обойтись капучино. Видя, что Зан уже намеревается отправиться домой, Уилли встал из-за стола, ушел в спальню и тихо заказал по телефону такси, чтобы отвезти ее в Баттери-Парк, а потом вернуться домой. Он хотел поехать с ней просто на тот случай, если вокруг ее дома до сих пор болтаются папарацци.

«Я не позволю этой бедняжке в одиночку столкнуться с толпой репортеров и фотографов,— решил Уилли.— Я доведу ее до дома, до самой двери квартиры».

— Через пятнадцать минут,— заверила его диспетчер.

Уилли едва успел вернуться к столу, как телефон зазвонил. Это оказался отец Эйден.

— Я только что вышел из клуба и перехожу улицу,— сообщил он.— Если ничего не изменилось, я хотел бы забрать свой шарф.

— Это замечательно! — заверила его Альвира.— Тут у нас есть кое-кто, и я надеюсь, вы доберетесь к нам вовремя, чтобы познакомиться.

Зан допила кофе и сказала, когда Михан повесила трубку:

— Если честно, я не хочу ни с кем знакомиться. Пожалуйста, позволь мне уйти до того, как этот человек придет.

— Это не просто человек,— умоляюще произнесла Альвира.— Я тебе ничего не говорила, но очень надеялась, что ты еще будешь здесь, когда к нам зайдет отец Эйден. Это наш старый друг. Он вчера вечером забыл у нас шарф, а поскольку ужинал практически напротив, на другой стороне улицы, собирается забежать на минутку и забрать его. Мне совсем не хочется нарушать твои планы, но было бы очень приятно, если бы ты с ним познакомилась. Он прекрасный человек, священник из церкви Святого Франциска. Думаю, отец Эйден смог бы по-настоящему тебя утешить.

— Я в эти дни что-то не чувствую склонности к религии и предпочла бы просто улизнуть,— возразила Зан.

— Я вызвал такси, поеду с тобой, и точка,— заявил Уилли.

Снова зазвонил телефон. Это швейцар сообщал о прибытии отца О'Брайена. Альвира ринулась открывать дверь, и мгновением позже лифт уже остановился на их этаже.

Улыбающийся отец О'Брайен обнялся с Альвирой, пожал руку Уилли, а потом повернулся, чтобы быть представленным молодой женщине, их гостье.

Улыбка тут же растаяла на его лице.

«Матерь Божья,— подумал священник.— Да это же та самая особа, которая замешана в какое-то преступление!»

Она утверждала, что не в силах предотвратить убийство.

32

За время недолгого пути от колледжа, где училась Тиффани, до городского дома Элдрич, располагавшегося на Восточной Шестьдесят девятой улице, детективы Билли Коллинз и Дженнифер Дин признались наконец друг другу, что тогда, два года назад, ни один из них ни на минуту не подумал, что Зан Морланд могла похитить собственного ребенка.

Они реконструировали тот день, когда пропал Мэтью Карпентер.

— Я только о том и думаю, что мы ищем какого-то хищника, который воспользовался ситуацией и даже воздействовал на нее,— мрачно произнес Билли.— В парке были толпы народа, няня мирно спала на траве, малыш — в коляске. Полагаю, это просто идеальный момент для какого-нибудь извращенца, уже следившего за ребенком.

— Тиффани была просто в истерике,— задумчиво откликнулась Дженнифер.— Она визжала: «Как я посмотрю в глаза Зан?» Но почему мы не копнули глубже? В общем, меня не оставляет мысль, что няня действительно могла наглотаться каких-то таблеток.

— Тут мы с тобой мыслим одинаково. День был жаркий, но все равно не многие подростки, пусть и слегка простуженные, заснули бы мертвым сном среди бела дня, прямо на траве,— кивнул Билли.— О, прибыли.— Он остановил машину перед нарядным домом, прилепил на ветровое стекло полицейский пропуск и предложил: — Давай потратим еще пару минут и проверим всю нашу реконструкцию.

— Александре Морланд выпало столько бед, что сам сфинкс пожалел бы ее,— сказала Дженнифер Дин.— Родители погибли на пути в аэропорт в тот момент, когда она собиралась повидаться с ними после долгого перерыва, брак оказался ошибкой, совершенной под наплывом чувств. В итоге мать-одиночка начинает собственное дело, а потом ее малыша похищают.— С каждым словом в голосе Дженнифер звучала все более явная неприязнь.

Билли побарабанил пальцами по рулевому колесу, пытаясь припомнить каждую мелочь из событий, случившихся почти два года назад.

— Мы тогда сразу поговорили с этой Элдрич. Она полностью подтвердила рассказ Морланд. У них была назначена встреча. Александра показывала ей эскизы и образцы ткани для нового дома, который Элдрич только что купила. Именно тогда я позвонил Морланд и сказал, что ее сын пропал.— Билли помолчал, а потом сердито добавил: — Больше мы никаких вопросов не задавали!

— Давай еще раз сначала,— предложила Дженнифер, роясь в кармане в поисках носового платка.— Мы видели все это так. Работающая мать. Безответственная няня. Хищный мерзавец, который воспользовался моментом и унес ребенка.

— Когда я в тот день добрался наконец до дома, Эйлин смотрела телевизор,— припомнил Билли.— Она мне сказала, что плакала, когда видела выражение лица Морланд. Жена говорила, что испугалась, как бы не повторилась история Итана Паца, малыша, который исчез уже много лет назад и так и не был найден.

Глядя сквозь окно машины на непрестанный дождь, Дженнифер подняла воротник куртки и сказала:

— Все мы с готовностью поверили ее истории. Но если те фотографии не подделка, они доказывают, что Морланд просто не могла быть с Элдрич все то время. Если Нина может поклясться, что они не расставались, тогда с фотографиями что-то не так.

— Да не могут они быть подделкой,— мрачно возразил Билли.— Значит, Элдрич крутила, когда я с ней разговаривал. Но зачем ей лгать? — Он добавил, не ожидая ответа: — Ладно, пошли.

Они одновременно выскочили из машины, бегом бросились к дверям дома и нажали на кнопку звонка.

— Полагаю, Элдрич заплатила за это маленькое гнездышко как минимум пятнадцать миллионов долларов,— пробормотал Билли.

Они слышали переливчатый звон внутри, и прежде чем Билли успел убрать руку, дверь открыла латиноамериканка в черном форменном платье. На вид ей было слегка за шестьдесят. Темные волосы, подернутые сединой, аккуратно убраны под чепчик. Глаза под тяжелыми веками смотрели устало.

Билли предъявил свой жетон, а латиноамериканка сказала:

— Я — Мария Гарсия, экономка миссис Элдрич. Она вас ждет, детектив Коллинз и детектив Дин. Могу я взять ваши куртки?

Гарсия аккуратно повесила их верхнюю одежду в шкаф и пригласила следовать за ней. Пока они шли по коридору, Билли успел заглянуть в парадную гостиную и чуть замедлил шаг, чтобы присмотреться к картине, висевшей над камином. Он любил заглядывать в музеи и сейчас мог бы поклясться, что видит подлинного Матисса.

Экономка привела их в большую комнату, которая, судя по всему, служила двум целям. Мягкие как пух темно-коричневые кожаные диванчики сгруппировались перед телевизором с плоским экраном, стоявшим в нише. Книжные полки красного дерева закрывали три из четырех стен, возвышаясь от пола до потолка. Книги на них выстроились в строгой симметрии.

«Никакого случайного чтива»,– подумал Билли.

Стены здесь были темно-бежевыми, а ковер с геометрическим рисунком соединял в себе коричневые и ржавые тона.

«Совсем не в моем вкусе»,– решил детектив.

Да, наверное, все это стоило целого состояния, но пятно-другое яркого цвета не помешали бы этой комнате.

Нина Элдрич заставила их ждать почти полчаса. Детективы знали, что ей шестьдесят три года. Когда хозяйка дома с безупречной осанкой, серебряными волосами, цветущей кожей и патрицианскими чертами лица, в черном свободном платье и серебряных украшениях, с ледяным выражением лица наконец-то появилась в комнате, она выглядела настоящей монархиней, представшей перед назойливыми посетителями.

Но на Билли Коллинза все это не произвело впечатления. Вставая ей навстречу, он в долю секунды припомнил то, что говорил ему его дядя, шофер, служивший в одной семье на Лонг-Айленде: «Знаешь, Билли, на этом острове есть много умных людей, сделавших себе состояния. Уж я-то знаю, потому что работал у них. Но это не то же самое, что люди по-настоящему богатые, те, чьи деньги переходят из поколения в поколение. Вот эти вообще живут в собственном мире. Они и думают не так, как все мы».

Уже при первой встрече с Ниной Элдрич детективу было ясно, что она принадлежит ко второй категории. Эта дама явно желала поставить гостей в положение обороняющихся. Ладно, леди, побеседуем...

Билли заговорил первым:

— Добрый день, миссис Элдрич. С вашей стороны было очень любезно согласиться на встречу с нами, потому что у вас явно слишком много дел.

По тому, как поджались ее губы, Билли понял, что она уловила его язвительность. Не дожидаясь приглашения, он и Дженнифер Дин снова сели.

После едва заметного колебания Нина Элдрич тоже опустилась в кресло у узкого антикварного стола напротив детективов и заявила холодным, высокомерным тоном:

— Я видела утренние газеты и заглянула в Интернет. Просто поверить не могу, что эта молодая женщина могла оказаться таким чудовищем, чтобы похитить собственного ребенка. Я думаю о том сочувствии, которое испытывала к ней, о записке, написанной ею, и просто прихожу в ярость.

Детектив Дин начала допрос:

— Миссис Элдрич, когда мы разговаривали с вами через несколько часов после исчезновения Мэтью Карпентера, вы подтвердили, что встречались с Александрой Морланд и находились рядом с ней, когда я позвонила ей, чтобы сообщить об исчезновении ее сына.

— Да, это было около трех часов дня.

— Как она отреагировала на звонок?

— Если хорошо подумать, то после того, как я увидела все те фотографии, ее можно назвать блестящей актрисой. Как я вам уже рассказывала в прошлый раз, после разговора с вами мисс Морланд побелела как снег и мгновенно вскочила с места. Я хотела вызвать такси, но она выбежала из дома и помчалась в парк. Александра бросила все свои эскизы, ткани, рисунки античной мебели и ламп, орнаменты для ковров — все валялось здесь на полу.

— Понятно. Приходящая няня увела Мэтью в парк между половиной первого и двенадцатью сорока. Я по своим записям вижу, что ваша встреча с мисс Морланд была назначена на час дня,— продолжила Дженнифер.

— Да, все так. Она позвонила мне по сотовому и сказала, что будет на несколько минут позже, потому что у нее проблемы с няней.

— А вы в тот момент были здесь.

— Нет. В моей старой квартире на Бикман-плейс.

Билли Коллинз ничем не выдал своего волнения и сказал:

— Миссис Элдрич, не думаю, что вы упомянули об этом при нашем первом разговоре. Вы мне говорили, что встретились с мисс Морланд именно здесь.

— В общем, так и есть. Я ей сказала, что не против небольшого опоздания, но потом, когда прошел целый час, перезвонила. К тому времени она уже была в этом доме.

— Миссис Элдрич, вы теперь утверждаете, что, когда Александра Морланд разговаривала с вами после двух часов дня, вы ее еще не видели? — настойчиво спросил Билли.

— Именно это я вам и говорю. Позвольте объяснить. Морланд имела ключ от этого дома. Ей было позволено приходить сюда, когда она разрабатывала эскизы оформления. Да, Зан заявляет, что мы встретились здесь. Но на самом деле прошло около полутора часов, прежде чем мы с ней связались. После разговора она извинилась за всю эту путаницу и предложила приехать в Бикман-плейс, но я должна была встретиться с друзьями в «Карлайле». У нас был назначен коктейль в пять часов, так что я ей сказала, что приеду сюда. Честно говоря, к тому моменту я уже основательно рассердилась.

— Миссис Элдрич, у вас есть какой-то ежедневник, в который вы записываете все свои встречи? — спросила Дин.

— Разумеется. Все мои дни расписаны.

— А не сохранился ли случайно ваш ежедневник двухлетней давности, нельзя ли на него взглянуть?

— Да. Он должен быть наверху.

С нетерпеливым вздохом Мина Элдрич встала, подошла к двери и позвала экономку. Поглядывая на наручные часы, что Билли Коллинз расценил как намек, она велела Марии подняться в кабинет, открыть верхний ящик письменного стола и взять оттуда ежедневник за позапрошлый год.

Пока Элдрич и детективы ждали, Нина сказала:

— Я очень надеюсь, что нам не грозят неприятности из-за этой встречи. Мой муж не выносит подобной публичности. Он совсем не будет рад, если газеты начнут мусолить тот факт, что эта Морланд как раз в тот день встречалась со мной.

Билли счел разумным не говорить Нине Элдрич, что если дело дойдет до суда, то она будет главным свидетелем обвинения.

Вместо этого он тихо произнес:

— Мне очень жаль, что приходится причинять вам такое беспокойство.

Мария Гарсия вернулась, держа в руке маленькую записную книжку в красном кожаном переплете, уже открытую на десятом июня.

— Спасибо, Мария. Подождите там.

Нина Элдрич посмотрела на страницу и протянула книжку детективу. Рядом с графой «1.30» стояло имя Александры Морланд.

— Но здесь не указано, где именно вы собирались встретиться,— заметил Билли.— Если вы обсуждали оформление этого дома, то зачем бы вам отправляться в какое-то другое место?

— Мисс Морланд подробно зарисовывала все здешние помещения. Тогда тут не было мебели, только карточный столик и несколько стульев на весь дом. Зачем мне неудобства? Можно было найти место и поуютнее. Но я уже сказала, что потом решила встретиться с друзьями в «Карлайле», в пять часов, и потому велела мисс Морланд подождать меня здесь, вместо того чтобы ехать в Бикман-плейс.

— Понятно. Так вы приехали как раз перед тем, как мы ей позвонили? — спросила Дженнифер.

— Прошло чуть более получаса.

— Как выглядела мисс Морланд, когда вы здесь появились? Как вы описали бы ее поведение?

— Она была взволнована. Как бы оправдывалась. Волновалась.

— Понятно. Насколько велик этот дом, миссис Элдрич?

— В нем пять этажей, ширина — сорок футов, так что, как видите, это один из самых больших городских особняков в этом районе. На верхнем этаже мы теперь сделали зимний сад. В доме одиннадцать спален.— Нетрудно было увидеть, как наслаждается миссис Элдрич, описывая размеры своего дома.

— А в подвале что? — спросил Билли.

— Вторая кухня, винный погреб и очень большое помещение для разных вещей. Там нравится играть внукам моего мужа, когда они у нас бывают. Еще несколько кладовых.

— Вы сказали, что в тот день, когда вы встречались здесь с мисс Морланд и исчез Мэтью, в доме из всей мебели было лишь несколько стульев и карточный столик, так?

— Да. Собственно архитектурные работы были завершены предыдущим владельцем. Но потом из-за внезапных финансовых проблем он выставил дом на продажу, и мы его купили. В архитектурном плане нас все устраивало, и мы не хотели надолго откладывать переезд из-за разных переделок. К работе над интерьерами никто не приступал, и как раз в этот момент нам порекомендовали Александру Морланд.

— Понятно.— Билли посмотрел на Дженнифер, и они поднялись, собираясь уйти.— Вы говорите, у мисс Морланд были ключи от дома. Она вам их вернула после исчезновения Мэтью?

— Да я ее и не видела потом. Я знаю, что она еще возвращалась, чтобы забрать свои рисунки, образцы и так далее. Честно говоря, не помню, чтобы Александра возвращала ключи, но мы, само собой, все равно поменяли замки, когда сюда въехали.

— Вы не стали нанимать мисс Морланд для работы над интерьерами?

— Мне кажется совершенно очевидным, что она была просто не в том эмоциональном состоянии, чтобы браться за подобный проект, да я от нее и не ожидала этого. Мне, разумеется, совсем не хотелось, чтобы у нее тут случился нервный срыв, а у меня были бы из-за этого неприятности.

— Могу я спросить, кто в итоге обставлял этот дом?

— Бартли Лонг. Возможно, вы о нем слышали. Он блестящий дизайнер.

— Наверное, нужно еще спросить, когда он начал здесь работу.

Ум Билли стремительно перебирал все возможности. Этот дом стоял совершенно пустым в день исчезновения Мэтью. У Зан был свободный доступ в особняк. Возможно ли, что именно сюда Морланд привела своего сына и, может быть, даже спрятала в одной из пустых комнат или в подвале? Никому и в голову не пришло бы искать его здесь. Она могла вернуться ночью и переправить мальчика куда-то еще, живого или мертвого.

— Бартли сразу взялся за работу,— ответила Нина Элдрич.— Не забывайте, я в тот момент еще не заключала договора с Морланд, только подумывала о том, чтобы нанять ее. А теперь, детектив Коллинз, если вы не возражаете...

Билли перебил ее:

— Мы уже уходим, миссис Элдрич.

— Мария вас проводит.

Экономка прошла с гостями по коридору и достала из стенного шкафа их куртки. Ее лицо оставалось совершенно бесстрастным, но внутри она кипела гневом. Гарсия считала, что этот Бартли Лонг, можно сказать, просто отпихнул ту милую юную женщину. Миссис Высокомерие начала развлекаться с ним уже тогда, когда очаровательная молодая Морланд трудилась над проектом для ее дома! Важная барыня ни за что в этом не признается, но она ведь собиралась отказаться от услуг Морланд еще до того, как у той пропал ребенок.

Дженнифер застегнула куртку и сказала:

— Спасибо, мисс Гарсия.

— Детектив Коллинз...— начала было Мария, но тут же умолкла.

Она хотела сказать, что была в комнате, когда миссис Элдрич абсолютно точно договаривалась с Александрой Морланд, что встретится с ней здесь, а не в Бикман-плейс.

«Но что значит мое слово против заявления хозяйки? – подумала Мария Гарсия.– Кроме того, какая разница? Я видела те фотографии в газете. Сомневаться не приходится. Какова бы ни была причина, но мисс Морланд похитила собственное дитя».

– Вы хотели мне что-то сказать, мисс Гарсия? – спросил Билли.

– Нет-нет, просто желаю вам хорошего дня.

33

Он весь вечер снова и снова пытался дозвониться до Глории, но она не отвечала. Неужели эта девица затеяла с ним какую-то игру? Наконец почти в полночь она взяла трубку, и он тут же понял, что дерзость и бравада в ней поугасли.

Голос Глории звучал устало и апатично:

– Что тебе нужно?

Он постарался ответить сдержанно и тепло:

– Глория, я понимаю, как все это трудно для тебя...

Он хотел было добавить, что и ему все дается нелегко, но вовремя прикусил язык. Это открыло бы перед Глорией лазейку и, что гораздо хуже, прекрасную возможность снова ощутить себя загнанной в ловушку.

– Глория, я тут все думал...– продолжил он.– Я не дам тебе двести тысяч, как мы договаривались. Я намерен утроить сумму, решил заплатить тебе шестьсот тысяч долларов наличными к концу следующей недели.

Он с удовольствием услышал ее изумленный вздох. Неужели она действительно настолько глупа, что поверила?

— Но ты должна сделать кое-что еще,— добавил он.— А именно — снова появиться в той францисканской церкви примерно без четверти пять. В какой именно день, я тебе сообщу.

— А ты не боишься, что я снова пойду на исповедь?

«Будь Глория сейчас здесь, я бы убил ее сию минуту»,— подумал он, но постарался рассмеяться и сказал:

— Я об этом уже подумал. Ты же будешь в исповедальне, а значит, тайна сохранится!

— Ты что, недостаточно мучил мать Мэтью? Зачем тебе еще и убивать ее?

«Не по той же причине, по какой я собираюсь прикончить тебя,— подумал он.— Ты-то просто слишком много знаешь. Я ведь не могу быть уверен в том, что эта твоя так называемая совесть не начнет всплывать на поверхность. Что же касается Зан, то я не буду счастлив до тех пор, пока не состоятся ее похороны».

— Глория, я не собираюсь ее убивать,— возразил он.— Это было так, со зла сказано.

— Я тебе не верю, знаю, как ты ее ненавидишь.— В голосе Глории снова послышались гнев и даже панический страх.

— Глория, с чего вдруг мы об этом заговорили? Позволь напомнить, я решил заплатить тебе шестьсот тысяч наличными, в настоящих долларах США.

Значит, ты сможешь арендовать ячейку в банке и жить спокойно до тех пор, пока не подвернется шанс получить то, чего тебе только и хочется на самом деле, выйти наконец на сцену на Бродвее или сняться в каком-нибудь фильме. Ты же очень красивая женщина. Не такая, как большинство этих голливудских Барби, к тому же настоящий хамелеон. Ты можешь выглядеть, ходить и говорить как угодно. Ты мне напоминаешь Хелен Миррен* в «Королеве». Твой талант ничуть не меньше. Дай мне еще одну неделю. Самое большее — десять дней. Я тебя попрошу пойти в ту церковь и скажу, что именно нужно надеть. В ту самую минуту, когда ты выйдешь оттуда, все будет кончено. Мы встретимся где-нибудь неподалеку, и я сразу отдам тебе пять тысяч долларов. Это как раз та сумма, которую ты можешь пронести в сумке через таможню в аэропорту.

— А потом что?

— Ты вернешься в Мидлтаун, подождешь часов до девяти или десяти, потом оставишь Мэтью в большом супермаркете или на людной аллее в парке. После этого ты улетишь в Калифорнию, в Техас или куда тебе вздумается, чтобы начать новую жизнь. Я знаю, что ты беспокоишься о своем отце. Можешь ему сказать, что, например, работала где-нибудь по заданию ЦРУ.

— Но не больше десяти дней.— Теперь голос Глории звучал слегка неуверенно, но она уже по-

---

* Хелен Миррен – британская актриса русского происхождения. В 2007 г. была удостоена «Оскара» за лучшую женскую роль в фильме «Королева» режиссера Стивена Фирса.

чти поверила и спросила: — Но как я получу остальные деньги?

«Уж этой проблемы у тебя точно не будет»,— подумал он.

— Я просто положу их в посылку и отправлю, куда скажешь.

— Но разве я могу быть уверена, что такая посылка дойдет до меня? Даже если так, не окажутся ли в ней старые газеты?

«Ты не в силах поверить»,— подумал он, налил двойную порцию виски, к которому обещал себе не прикасаться до окончания разговора, и сказал:

— Глория, если случится нечто подобное — хотя этого и не произойдет,— ты можешь перейти к плану «Б». Пойдешь к адвокату, расскажешь ему все до конца, велишь заключить договор на книгу, а потом отправишься к копам. Тем временем Мэтью уже будет найден, целый и невредимый, и сможет сказать только одно. О нем заботилась некая Глори.

— Я ему прочитала множество книг. Он куда умнее, чем большинство детей в его возрасте.

«Не сомневаюсь, ты была настоящей матерью Терезой»,— подумал он.

— Глория, в любом случае скоро все кончится, и ты разбогатеешь.

— Хорошо. Извини, что я так с тобой разговаривала. Это все из-за той женщины, что живет по соседству. Она сегодня утром явилась ко мне с какими-то глупыми черничными плюшками. Я так поняла, эта особа просто вынюхивала, что за человек тут поселился.

— Ты мне ничего об этом не говорила,— тихо произнес он.— Она видела Мэтью?

— Нет, но заметила его грузовик и тут же сообщила, что она просто грандиозная няня, на тот случай, если мне что-то такое понадобится. Я ей ответила, что у меня есть сестра, которая помогала переехать. Мол, это игрушка ее сына.

— Звучит вполне разумно.

— Дело в том, что агент по недвижимости — близкая подруга этой любопытной персоны. При найме я говорила, когда именно перееду. Она явно тоже чересчур любопытна. Я видела, как риелторша проезжала мимо рано утром, сразу после того, как я сюда перебралась.

Он почувствовал, что покрывается потом. «Не было гвоздя — подкова пропала...» Нелепо было вспоминать сейчас этот старый стишок. Его ум прокручивал возможные сценарии развития событий. Длинноносая леди с черничными плюшками вместе с агентом по недвижимости... Он даже думать об этом не хотел.

Время стремительно убегало.

Ему было очень трудно добавить в голос нотку утешения:

— Глория, ты сама выдумываешь проблемы. Лучше начинай отсчет дней.

— Можешь не сомневаться, начну. Не только ради себя самой. Этот малыш уже просто не желает прятаться. Он намерен отправиться искать свою маму.

34

Кевин Уилсон явился в квартиру матери ровно в семь вечера, как раз тогда, когда заканчивались новости на Втором канале. Он дважды нажал кнопку звонка, потом открыл дверь собственным ключом. Такой договор давным-давно существовал между ним и его матерью.

«Если я говорю по телефону или переодеваюсь, то не собираюсь все бросать и бежать к двери»,— говорила она ему.

Но когда сын вошел в квартиру, он обнаружил, что маленькой седовласой Катерины Келли Уилсон семидесяти одного года от роду не было ни в спальне, ни у телефона. Она прилипла к телевизору и даже не оглянулась, когда Кевин оказался в гостиной.

Трехкомнатная квартира, купленная Уилсоном для матери, находилась на Пятьдесят седьмой улице, неподалеку от Первой авеню. Это было очень удобное место, потому что на углу останавливался городской автобус, в нескольких минутах ходьбы имелся кинотеатр и, что было куда важнее для Кэт Уилсон, всего в квартале от дома располагалась евангелистская церковь Святого Иоанна.

Та неохота, с какой мать согласилась переехать с прежнего места три года назад, когда у него появилась финансовая возможность купить ей вот эту квартиру, до сих пор забавляла Кевина. Но теперь ей здесь нравилось.

Он подошел к креслу и поцеловал мать в лоб.

— Привет, милый. Посиди минутку, подожди,— сказала она, переключая каналы и не глядя при этом на сына.— Сейчас будет еще один выпуск новостей, а я хочу кое-что посмотреть.

Кевин был ужасно голоден, и ему хотелось немедленно отправиться в «Ниари-паб». Там можно было отлично поужинать, к тому же заведение находилось прямо напротив дома матери, через дорогу.

Однако Уилсон уселся и посмотрел вокруг. Диванчик и парное с ним кресло, в котором сидела мать, принадлежали ей. Кэт категорически отказалась расстаться с ними при переезде, несмотря на все убеждения Кевина. Ему удалось только обтянуть оба предмета новой тканью, а заодно и отполировать обстановку спальни, купленной еще тогда, когда мать выходила замуж. Но только отполировать. Мадам Уилсон заявила: «Это цельное красное дерево, Кевин, и я не собираюсь от него отказываться». Ему также пришлось починить обеденную мебель, еще слишком хорошую для того, чтобы ее выбрасывать. Мать, правда, позволила сыну заменить потертый восточный ковер машинной выработки на другой, похожего рисунка. Кевин не стал ей говорить, во сколько он обошелся.

Результатом стала уютная квартирка, полная фотографий отца Кевина, его дедушек и бабушек, разнообразных кузин, кузенов и давних друзей его матери. Когда бы он сюда ни приходил, ему становилось легко и радостно, даже если позади был очень тяжелый день. Здесь он чувствовал себя как дома. Был дома.

Вот как раз на это и обратила его внимание Морланд, когда просила не выносить поспешного решения, не выбирать прямо сейчас между ней и Бартли Лонгом, подождать, пока она докажет свою невиновность в похищении собственного сына. Зан говорила, что люди должны себя чувствовать живущими дома, а не в музее.

Кевин только теперь осознал, что немалую часть дня размышлял над тем, почему, собственно, не вернул Александре эскизы и ткани с короткой запиской о том, что выбрал для работы над проектом Бартли Лонга.

Что удержало его от такого поступка? Видит Бог, он уже получил основательный разнос от своего секретаря Луизы. Она подробно рассказала ему, как изумлена тем, что Уилсон попусту тратит время на женщину, укравшую своего ребенка.

— Могу тебе прямо сказать, Кевин, я просто рот разинула, когда у этой особы хватило наглости явиться сюда. Потом она вообще меня не слушала. Я говорила, что Зан может забрать все свое барахло, или оно будет отправлено ей по почте! Что эта дамочка сделала после этого? Помчалась искать тебя, попыталась уговорить не отказывать ей в работе! Попомни мои слова, на нее очень скоро наденут наручники!

Не пытаясь скрыть раздражение, Кевин очень сухо ответил Луизе:

— Даже если ее арестуют, я уверен, она тут же выйдет под залог.

Наконец он велел секретарше вообще больше не возвращаться к этой теме, что, конечно, ужасно ее обидело. Она всячески стала это демонстрировать, называла его мистером Уилсоном весь остаток дня.

— Кевин, смотри! Опять показывают фотографии, на которых Морланд вынимает ребенка из коляски. Какие же у нее стальные нервы, если она продолжает врать копам! Можешь вообразить, как должен был все это время чувствовать себя отец малыша?

Кевин вскочил и пересек комнату, чтобы видеть экран телевизора. На нем красовалась фотография Александры Морланд, вынимающей ребенка из легкой прогулочной коляски, потом ее сменила другая, на которой мать уходила по дорожке с малышом на руках.

Фотография оставалась на экране, пока комментатор говорил:

— Вот так она выглядела, когда примчалась в Центральный парк, после того как полиция сообщила ей об исчезновении сына.

Кевин всмотрелся в изображение. Зан Морланд выглядела потрясенной. Страдание в ее глазах не было поддельным.

«Такой же взгляд был у нее сегодня днем, когда она умоляла дать ей шанс доказать свою невиновность. Умоляла? Нет, это слишком сильное слово. К тому же Зан добавила, что поймет, если я все же предпочту Бартли Лонга. Морланд выглядела такой беззащитной»,— подумал Кевин и прислушался к следующим словам комментатора:

— Вчера был день рождения Мэтью Карпентера, ему исполнилось пять лет. Теперь все гадают, то ли мать отдала мальчика кому-то, чтобы о нем заботились, то ли... его уже нет в живых.

«В последние месяц или два Зан то и дело приходила в квартиры моего нового дома, тратила многие и многие часы, разрабатывая для них дизайн,— размышлял Кевин.— Теперь понимаю, почему вчера, когда мы с ней встретились в "Карлтон-плейс", я ощущал ее страдания, хотя она и выглядела такой спокойной. С чего бы ей так мучиться, если бы Александра знала, что с ее ребенком все в порядке? Могла ли она убить его?..

Нет, это невозможно,— решил он.— Я бы свою душу поставил на это. Она не убийца».

Кевин только теперь заметил, что мать поднялась с кресла.

— Трудно не верить такому серьезному доказательству,— сказала Катерина Уилсон.— Но как Зан Морланд выглядела, когда узнала о пропаже сына! Тут уж ошибиться невозможно. Конечно, ты слишком молод, чтобы это помнить, но, когда в нашем доме ребенок Фицпатриков выпал из окна и разбился насмерть, я видела точно такое же выражение в глазах Джоан, его матери. В них было столько боли, что просто сердце кровью обливалось. Эта Морланд должна быть потрясающей актрисой.

— Это в том случае, если она играет,— с удивлением услышал Кевин собственный голос.

Мать бросила на него изумленный взгляд и спросила:

— Что ты хочешь этим сказать? Ты же видел фотографии, разве не так?

— Да, видел и сам не знаю, что имею в виду. Идем ужинать, мама. Я просто умираю от голода.

Только позже, когда они уже сидели за своим любимым столиком в ресторане и пили кофе после ужина, Кевин рассказал матери, что предполагал нанять Александру Морланд для оформления квартир-образцов в своем доме.

— С этим, безусловно, ничего не выйдет,— решительно заявила Кэтрин Уилсон.— Расскажи мне, какова она из себя?

«Такова, что ее лицо будет тебя преследовать,— подумал Кевин.— Выразительные глаза, чувственные губы...»

— Думаю, ей примерно двадцать восемь. Она очень стройная и грациозная. Двигается как танцовщица. Вчера волосы у нее были распущены по плечам, как на тех фотографиях. Сегодня Зан уложила их то ли в узел, то ли в шиньон, или как там вы это называете...— Кевин вдруг понял, что описывает эту женщину скорее для себя, чем для матери.

— Боже мой, да ты так говоришь, словно влюбился в нее! — воскликнула мать.

Кевин надолго призадумался и решил, что это не безумие. Однако было в Зан что-то такое... Он помнил свои ощущения, когда она случайно задела его плечом, показывая те недостатки в проекте

Бартли Лонга, которые могли бы оттолкнуть потенциальных покупателей. Но потом Морланд увидела газету с фотографиями и поняла, с чем ей придется столкнуться.

— Она попросила меня дать ей время доказать, что те снимки — фальшивка,— сказал он наконец.— Я пока еще не сделал выбора между ней и Бартли Лонгом и не собираюсь спешить. Я лучше подожду и дам ей ту возможность, о которой Зан просила.

— Кевин, ты всегда был внушаемым,— заявила мать.— Но на этот раз все может зайти слишком далеко. Тебе уже тридцать семь, и я начала беспокоиться, как бы мне так и не остаться с сыном-холостяком на руках. Но, бога ради, не связывайся с кем-то таким, кто находится в подобной ситуации!

Как раз в этот момент Джимми Ниари, давний друг Кэт Уилсон, остановился у их столика, чтобы поздороваться, услышал ее последние слова и сказал:

— Я более чем согласен с твоей матушкой, Кевин. Если ты уже готов остепениться, я тебе предоставлю список длиной в милю, и все это будут молодые леди, которые давно положили на тебя глаз. Так что выбирай кого хочешь и не нарывайся на неприятности.

35

Уилли, как и обещал, отвез Зан домой в такси.

Он предложил заодно взять с собой и отца Эйдена, но тот отказался:

— Нет, езжайте без меня. Мы тут с Альвирой поговорим немножко.

Прощаясь с Александрой, францисканец посмотрел ей прямо в глаза и сказал:

— Я буду молиться за вас.— Он потянулся к ней и взял за руки.

— Помолитесь о том, чтобы мой мальчик был жив и здоров,— ответила Зан.— За меня просить Господа незачем, отец. Он давно забыл о моем существовании.

Отец Эйден не стал и пытаться говорить еще что-то.

Вместо того он просто шагнул в сторону, пропустил Зан к выходу, подождал, пока дверь за ней и Уилли закроется, и пообещал:

— Я задержусь всего на несколько минут, Альвира. Я прекрасно понимаю, что этой молодой женщине не хочется находиться в моем обществе, и не хочу вынуждать ее к этому, пусть даже на время короткой поездки.

— Ох, отец Эйден!..— вздохнула Альвира.— Я отдала бы все на свете, лишь бы поверить, что Зан не похищала Мэтью в тот день, но ведь она это сделала. Тут никаких сомнений быть не может.

— Как вы думаете, ребенок до сих пор жив? — спросил монах.

— Думаю, она так же могла убить Мэтью, как я — воткнуть нож в Уилли.

— Мне кажется, вы говорили, что познакомились с мисс Морланд уже после исчезновения ее сына? — спросил отец Эйден.

«Поосторожнее! — мысленно предостерег он себя.— Нельзя позволить Альвире думать, что ты уже встречался с Александрой Морланд».

— Да. Мы подружились, потому что я написала о ней в газете, она позвонила и поблагодарила меня. Я уверена, что у Зан было что-то вроде кататонии или даже раздвоения личности. Суть в том, что она никогда, ни разу не упоминала о каком-то человеке, который мог бы теперь воспитывать Мэтью.

— У нее нет никаких родных?

— Нет, она была единственным ребенком в семье, и ее мать тоже не имела сестер и братьев. У отца был брат, но умер еще в подростковом возрасте.

— А как насчет близких друзей?

— Уверена, они у нее есть, но разве даже самый близкий друг стал бы соучастником похищения? Святой отец, можно ли предположить, что она просто оставила Мэтью где-то и понятия об этом не имеет? В одном я могу поклясться без сомнений. Для самой Александры Морланд ее ребенок исчез.

Отец Эйден еще размышлял над этой фразой, когда через несколько минут такси, вызванное швейцаром, уже стояло внизу.

Могла ли эта молодая женщина действительно страдать раздвоением личности... или как там это нынче называют? Диссоциативное расстройство личности, кажется? Но если это так, не пыталась ли подруга Альвиры совладать с этим, когда ворвалась в исповедальную комнату?

Машина ждала его. Покряхтывая от боли в пораженных артритом коленях, отец Эйден забрался на заднее сиденье, размышляя о том, что сам он, как ни жаль, связан тайной исповеди.

«Я даже намекнуть не могу на то, что мне известно,— думал он.— Она просила меня помолиться за ее ребенка. Но, Боже милостивый, если готовится некое убийство, молю Тебя вмешаться и не допустить его!»

Но пожилой священник даже вообразить не мог, что в этот момент задумывались сразу три убийства. Его собственное имя стояло в списке первым.

36

Джош уже был в офисе, когда Зан явилась туда в восемь утра в четверг. По выражению лица Грина она мгновенно поняла, что случилось еще что-то.

К этому времени Морланд уже не была способна на какие-либо чувства, кроме холодного смирения, и просто спросила:

— В чем дело?

— Зан, ты мне говорила, что Кевин Уилсон согласился повременить с принятием решения о выборе между тобой и Бартли. Насчет тех квартир...

— Да. Но думаю, что все эти фотографии в утренних газетах, где меня увозят на «скорой», уже определили финал. Я очень удивилась бы, если бы к сегодняшнему полудню у него остались хоть какие-то сомнения.

— Наверное, это действительно так, только я не об этом,— пылко проговорил Джош.— Зан, как ты могла закупать все эти ткани, мебель и гобелены для тех квартир, не получив заказа?

— Это что, шутка такая? — неживым голосом спросила Морланд.

— Мне бы очень этого хотелось. Ты оформила заказ на ткани, гобелены, штучную мебель, фурнитуру для окон и дверей... Бог мой, ты заказала вообще все! Мы получили извещение о доставке тканей. Дело даже не в деньгах. Куда мы все это денем?

— Но поставку никогда не начинают, не получив денег,— возразила Зан и тут же подумала: «Я, по крайней мере, смогу доказать, что это уж точно ошибка!»

— Зан, я уже позвонил на фабрику Веллингтона. У них есть письмо от тебя с просьбой отложить обычную предоплату в десять процентов, потому что сейчас очень важно время. Там говорится, что ты рассчитаешься полностью, как только вступит в силу контракт с Уилсоном. Мол, Кевин уже подписал бумаги и скоро ты вышлешь им чек.— Джош схватил со стола какой-то листок.— Я их попросил прислать факсом копию твоего письма. Вот она. На нашем бланке и с твоей подписью.

— Но я его не писала, клянусь жизнью, и ничего не заказывала для тех квартир! — возразила Зан.— Я вообще получала от наших поставщиков только образцы обивочных тканей, драпировок и стенных гобеленов, рисунки оконной фурнитуры и орнаменты персидских ковров, которые могла бы в будущем использовать для работы.

— Зан,— начал Джош, но тут же покачал головой.— Послушай, я тебя люблю, как родную сестру. Мы должны немедленно связаться с Чарли Шором.

Когда звонил на фабрику Веллингтона, я думал, что кто-то там просто ошибся. Теперь они будут беспокоиться из-за оплаты. Ты действительно отправила минимальную сумму, чтобы сохранить за собой те ковры и кое-что из предметов антиквариата, значит, должна была выписать чек с личного счета.

— Я не отправляла этого письма и не подписывала ничего, никаких чеков,— сказала Зан очень тихо.— Я не сумасшедшая.— Она увидела, как на лице помощника отразились недоверие и тревога.— Джош, я готова позволить тебе уволиться. Если все это выльется в скандал и наши поставщики начнут судебное преследование, я не хочу, чтобы ты оказался вовлеченным во все это. Они могут и тебя обвинить в мошенничестве вместе со мной. Так что почему бы тебе не собрать свои вещички и не отправиться восвояси?

Джош уставился на нее во все глаза, не в силах выговорить ни слова, и тогда Зан саркастическим тоном добавила:

— Соглашайся. Ты ведь думаешь, что я похитила собственного сына и сошла с ума. Кто знает, а вдруг я опасна? Может, я шарахну тебя дубинкой по голове, как только ты повернешься ко мне спиной?

— Зан! — рявкнул Джош, наконец опомнившись.— Я не собираюсь от тебя уходить и намерен найти способ помочь тебе!

Вдруг резко и зловеще зазвонил телефон.

Грин снял трубку, послушал, потом сказал:

— Ее пока что нет. Я ей все передам.

Зан наблюдала за тем, как Джош записывает какой-то телефонный номер.

Положив трубку, он сказал:

— Зан, это звонил детектив Билли Коллинз. Он хочет, чтобы ты сегодня вместе со своим адвокатом пришла в полицейский участок Центрального парка, причем как можно скорее. Я прямо сейчас свяжусь с Чарли Шором. Рановато, конечно, но он мне говорил, что всегда приходит в свой офис в половине восьмого.

«Вчера я потеряла сознание и не хочу, не могу допустить, чтобы это опять случилось»,— подумала Зан.

Ночью, когда Уилли отвез ее домой, она лежала в постели в полном и абсолютном отчаянии. Единственная маленькая лампочка в ее спальне освещала фотографию Мэтью. Александра почему-то то и дело вспоминала сострадательный взгляд того священника, друга Альвиры.

«Я вела себя невежливо с ним,— думала Зан.— А ведь у меня было такое ощущение, будто он хотел мне помочь. Монах сказал, что помолится за меня, а я попросила обратиться к Господу за Мэтью. Отец Эйден взял меня за руку и как будто дал мне благословение. Может быть, он старался помочь посмотреть правде в лицо?»

Всю эту долгую ночь, не считая кратких мгновений забытья, Зан смотрела на фотографию Мэтью.

Когда начался рассвет, она тихо сказала:

— Малыш, я вообще-то не верю, что ты до сих пор жив. Я всегда клялась, что почувствую, если ты умрешь, но просто обманывала себя. Ты умер, и для меня тоже все кончено. Я не понимаю, что происходит, но у меня больше нет сил бороться. Наверное, все эти долгие месяцы я в глубине души на самом деле верила, что тебя схватил какой-то мерзавец. Он обидел, а потом убил тебя. Я даже не думала, что дойду до такого, но вот тут у меня пузырек таблеток снотворного, и оно поможет нам с тобой воссоединиться. Пора это сделать.

Зан охватило чувство облегчения и измождения. Она наконец-то закрыла глаза и, видя перед собой лицо отца Эйдена, начала молиться о прощении и понимании, прежде чем протянуть руку к бутылочке со снотворным.

Тут вдруг Александра отчетливо услышала голос Мэтью, звавшего ее:

— Мамуля, мамуля!..

Она вскочила с кровати и закричала:

— Мэтью!..

В это мгновение, несмотря на всю логику и рассудочные выводы, мать с абсолютной уверенностью поняла, что ее малыш до сих пор жив.

«Мэтью жив»,— яростно думала она, слушая, как Джош говорит с Чарльзом Шором.

Опустив трубку, помощник сказал:

— Детектив Коллинз хочет задать тебе кое-какие вопросы. Мистер Шор заедет за тобой в половине одиннадцатого.

Зан кивнула и заявила:

— Ты сказал, что я должна была оплатить счета за мебель для тех квартир с моего личного сберегательного счета. Проверь по компьютеру, что с этим.

— Но я не знаю пароля.

— Скажу. «Мэтью». Там у меня было чуть больше двадцати семи тысяч.

Джош уселся перед компьютером, и его пальцы быстро забегали по клавиатуре.

Зан следила за выражением его лица с некоторой тревогой, но без удивления, потом спросила:

— Какой у меня баланс?

— Две тысячи тридцать три доллара и одиннадцать центов.

— Значит, какой-то хакер добрался до моих денег,— ровным тоном произнесла Морланд.

Джош не обратил внимания на ее слова и спросил:

— Зан, но что мы будем делать со всем тем, что ты заказала?

— Ты хочешь сказать, что мы будем делать со всем тем, чего я не заказывала,— возразила Зан.— Послушай, Джош, я не боюсь идти в полицейский участок и разговаривать с детективом Коллинзом. Я уверена, всему этому есть какое-то объяснение. Кто-то ненавидит меня настолько, что пытается уничтожить, и зовут его Бартли Лонг. Я говорила о нем детективу Коллинзу и его напарнице, когда исчез Мэтью. Но они не отнеслись к моим словам серьезно. Я это знаю. Если Бартли ненавидит меня так, что пытается уничтожить мою деловую репутацию, то его ненависти, по-моему, может хватить на то, чтобы похитить моего сына и, может быть, отдать какому-то своему другу, желающему иметь ребенка.

— Зан, только не повторяй всего этого в полиции! Они в момент обернут все против тебя! — предостерег ее Джош.

Зазвонил внутренний телефон. Грин ответил. Это был менеджер по техническому обслуживанию здания.

— На твое имя пришли какие-то товары. Большие ящики, очень тяжелые.

Десять минут спустя двадцать длинных рулонов ткани были подняты в офис. Зан и Джошу пришлось сдвинуть в сторону письменный стол и перенести все стулья в глубину комнаты, чтобы освободить для них место.

Когда грузчики ушли, Джош открыл конверт, прикрепленный к одному из рулонов, и вслух прочитал извещение:

— «Одна сотня ярдов изготовленной на заказ ткани по сто двадцать пять долларов за ярд. По специальному договору. Полная оплата — в течение десяти дней. С учетом налогов — тринадцать тысяч восемьсот семьдесят четыре доллара».— Он посмотрел на Зан.— У нас в банке сорок тысяч долларов, еще шестнадцать — на сберегательном счете. Ты так сосредоточилась на проекте тех квартир, что отказалась по меньшей мере от четырех небольших заказов. Аренду нам платить на следующей неделе, плюс разные накладные расходы и наше жалованье.

Телефон снова зазвонил. На этот раз Джош не сделал попытки ответить, и Зан сама сняла трубку. Это был Тед.

Его голос звучал гневно и горько, он буквально рычал:

— Зан, я собираюсь встретиться с детективом Коллинзом. Я отец Мэтью. У меня тоже есть права, которых ты меня своевольно лишила. Я буду настаивать на твоем немедленном аресте, переверну небо и землю, чтобы заставить тебя сказать, что ты сделала с моим сыном!

37

Тоби Гриссом резко распахнул дверь тринадцатого полицейского участка на Манхэттене и, не обращая внимания на суету в приемном помещении, подошел к сержанту, сидевшему за столом.

— Я Тоби Гриссом,— неловко представился посетитель, но вся робость пропала из его голоса, когда он продолжил: — Моя дочь исчезла, и я думаю, причиной тому может быть тот важный декоратор квартир.

Сержант посмотрел на него и спросил:

— Сколько лет вашей дочери?

— В прошлом месяце исполнилось тридцать.

Сержант никак не дал понять, что испытал огромное облегчение. Он-то боялся, что на него свалится очередное бегство подростка, уведенного каким-нибудь сводником, в результате чего, как правило, не бывает ничего хорошего...

— Мистер Гриссом, если вы присядете, я попрошу одного из наших детективов поговорить с вами.

Неподалеку от стола в приемном помещении стояли скамьи. Тоби, тиская в руках шерстяную шапку и держа под мышкой конверт из оберточной бумаги, сел на одну из них и стал с рассеянным интересом наблюдать за тем, как полицейские в форме входили в здание и покидали его, иной раз ведя с собой каких-то людей в наручниках.

Пятнадцать минут спустя крупный мужчина лет тридцати с лишним, с редеющими светлыми волосами и спокойными манерами подошел к Тоби.

— Мистер Гриссом, я — детектив Уэлли Джонсон. Извините, что заставил вас ждать. Если пройдете со мной к моему столу, мы сможем поговорить.

Тоби послушно поднялся со скамьи и сказал:

— Я привык ждать. Похоже на то, что я чуть ли не всю жизнь жду то одного, то другого...

— Думаю, иной раз нам всем так кажется,— согласился с ним Джонсон.— Сюда, пожалуйста.

Стол детектива был одним из многих стоявших в обширной шумной комнате. За большинством из них никого не было, но горы папок с бумагами говорили о том, что отсутствующие владельцы этой мебели активно работают где-то в другом месте.

— Нам повезло,— сообщил Джонсон, добираясь до своего стола и придвигая к нему стул.— Я не только получил место у окна, с видом на улицу. Это еще и один из самых тихих уголков в нашем участке.

Тоби и сам не понимал, откуда у него взялось столько храбрости, чтобы заговорить:

— Детектив Джонсон, мне вообще-то все равно, нравится ли вам ваше место. Я здесь из-за того, что моя дочь исчезла. Думаю, с ней что-то случилось либо она попала в такие неприятности, из каких сама не выберется.

— Можете пояснить, что хотите этим сказать, мистер Гриссом?

К этому времени Тоби уже побывал в офисе Бартли Лонга и поговорил с двумя молодыми женщинами, с которыми Глори снимала квартиру перед своим исчезновением. Он чувствовал себя так, что просто не в силах был снова излагать всю историю с самого начала.

«Но это уж просто безумие,— сказал себе отец.— Если я не расскажу все по порядку этому парню, то он меня просто выгонит».

— Настоящее имя моей дочери — Маргарет Гриссом,— начал он.— Но я всегда называл ее Глори, потому что она была светлым, прекрасным ребенком, если вы понимаете, что я имею в виду. Когда ей исполнилось восемнадцать, она уехала в Нью-Йорк. Дочка хотела стать актрисой, получала главные роли в школьном театре.

«Боже! — тут же подумал Джонсон.— Сколько таких детей, звезд школьных подмостков, оказалось на сценах Нью-Йорка? Вот и говори об осуществленных мечтах...»

Ему пришлось сделать над собой усилие, чтобы сосредоточиться на словах Гриссома, говорившего о том, что дочь назвала себя Бриттани Ла Монти. Она всегда была замечательным человеком и такой хорошенькой, что ее просто измучили предложениями сниматься в порнофильмах. Конечно, девушка и слышать об этом не хотела, а потом занялась гримом и неплохо зарабатывала. Ей и самой хватало, и ему она время от времени присылала милые подарки — на день рождения или на Рождество. И...

Тут Джонсон перебил рассказчика:

— Вы говорите, она перебралась в Нью-Йорк двенадцать лет назад. Сколько раз вы с ней виделись с тех пор?

— Пять. Как по часам. Глори приезжала на Рождество через год. Но около двух лет назад, в июне, она позвонила мне и предупредила, что на следующее Рождество не приедет. Дочка сказала, что ей предложили какую-то новую работу, о которой она не может мне рассказать и за которую получит огромную кучу денег. Я спросил, не значит ли это, что она обзавелась богатым парнем, но малышка ответила: «Нет, папуля, нет, клянусь!»

«А ведь он в это поверил»,— с симпатией подумал Уэлли Джонсон.

— Она сказала, что получила аванс за эту работу и почти все деньги отошлет мне. Двадцать пять тысяч долларов! Вы себе можете такое представить? Дочка хотела быть уверенной в том, что я ни в чем не нуждаюсь, потому что с ней невозможно будет связаться. Я и подумал, может, она работает на ЦРУ или что-то в этом роде.

«Куда вероятнее, что Маргарет-Глори-Бриттани нашла себе миллионера»,— подумал детектив Джонсон.

— В последний раз я получил от нее открытку из Нью-Йорка. Полгода назад дочка писала, что работа оказалась куда более продолжительной, чем она думала, девочка беспокоится обо мне и скучает,— продолжил Гриссом.— Вот поэтому я и приехал в Нью-Йорк. Мой доктор сказал мне кое-что нехорошее. Кроме того, теперь я считаю, что мою Глори кто-то может где-то удерживать. Я ходил к тем девушкам, с которыми она делила квартиру, и они мне рассказали, что тот важный дизайнер все морочил ей голову, говорил, что представит ее разным театральным людям и сделает звездой. Он возил ее на выходные в свой дом в Коннектикуте, чтобы она там познакомилась с разными важными персонами.

— Кто этот дизайнер, мистер Гриссом?

— Бартли Лонг. У него красивый офис на Парк-авеню.

— Вы с ним разговаривали?

— Он мне рассказал то же самое. Мол, нанимал Глори в качестве модели, когда демонстрировал помещения, которые оформлял, и познакомил ее с целой кучей театральных шишек. Но все они ему заявили, что у Глори нет особого таланта, и он наконец перестал приставать к ним. Если ему верить, на том все и кончилось.

«Скорее всего, так оно и было»,— подумал Уэлли Джонсон.

Обычная история. Мужчина обещает девушке достать луну с неба, потом она ему надоедает, и он ей говорит, что больше незачем приезжать на выходные.

— Мистер Гриссом, я все это проверю, но должен вас предупредить — боюсь, таким вот образом мы зайдем не слишком далеко. Мне куда интереснее, что за таинственную работу получила вдруг ваша дочь. Вам известно о ней хоть что-то конкретное?

— Ничего.— Тоби Гриссом покачал головой.

Задавая вопросы, Уэлли Джонсон чувствовал себя чем-то вроде обманщика.

«Мне лучше было бы сказать этому бедняге, что его дочь, скорее всего, попалась на удочку, заброшенную каким-нибудь типом. Ей и самой вряд ли хочется, чтобы ее нашли»,— думал он.

Тем не менее он спросил все, что полагалось. Рост. Вес. Цвет глаз и волос.

— Все видно на ее фотографиях, сделанных для агентств,— сказал Тоби Гриссом.— Может, хотите взглянуть? — Он открыл конверт, который держал в руках, и выложил на стол перед детективом полдюжины снимков.— Знаете, эти агентства выставляют самые разные требования. Им нужно, чтобы девушка выглядела милой и невинной на одном снимке и сексуальной на другом. Если у нее короткие волосы, как у Глори, они примеряют на них разные парики, шиньоны, или как там это называется...

Уэлли Джонсон перебрал фотографии и произнес совершенно искренне:

— Она действительно очень хорошенькая.

— Конечно. Я знаю. Хочу сказать, мне всегда больше нравились длинные волосы, но дочка сказала, что с короткими легче подобрать хороший парик.

— Мистер Гриссом, а почему бы вам не оставить мне эти снимки? Они могли бы нам очень пригодиться.

— Да, конечно.— Тоби Гриссом встал.— Я возвращаюсь в Техас. Мне нужно ходить на химиотерапию. Наверное, они не могут спасти мне жизнь, но, может быть, я проживу достаточно долго, чтобы снова увидеть мою Глорию.— Он уже повернулся, чтобы уйти, но снова оглянулся на Джонсона.— Так вы поговорите с этим Бартли Лонгом?

— Да, обязательно. Если нам что-нибудь станет известно, мы с вами свяжемся, обещаю.

Уэлли Джонсон засунул глянцевые фотографии Маргарет-Глори-Бриттани под часы на углу письменного стола. Инстинкт говорил ему, что эта молодая женщина жива и здорова. Скорее всего, она впуталась в какое-то грязное, может быть, даже противозаконное дело.

«Я поговорю с этим Лонгом, а потом отправлю снимки Глории туда, где им самое место,— в папку с безнадежными делами»,— решил Джонсон.

38

В девять утра в четверг Тед Карпентер прибыл в полицейский участок Центрального парка. Уставший, измученный событиями и эмоциональной нагрузкой последних полутора суток, он резко, отрывисто сообщил, что ему назначена встреча с детективом Билли Коллинзом.

— Кажется, он говорил что-то насчет напарника, который должен быть с ним,— добавил Тед, прежде чем дежурный сержант успел что-либо сказать.

— Детективы Коллинз и Дин ждут вас,— ответил тот, не обращая внимания на грубый тон Карпентера.— Я им сейчас сообщу, что вы здесь.

Не прошло и пяти минут, как Тед уже сидел в небольшом кабинете за столом для совещаний, лицом к лицу с Билли Коллинзом и Дженнифер Дин.

Билли поблагодарил Теда за то, что тот нашел время прийти, и спросил:

— Я надеюсь, вам уже лучше, мистер Карпентер? Когда я вчера звонил вашему секретарю насчет нашей встречи, она сказала, что вы больны.

— Да, был болен и сейчас не совсем здоров,— ответил Тед.— Дело не только в физическом состоянии. Вы прикиньте, что я переживал почти два года, что почувствовал, увидев те фотографии и осознав, что моя бывшая, мать Мэтью, виновна в похищении моего сына. Да это кого угодно свалит с ног! — В его голосе отчетливо послышался гнев.— Я зря тратил время, проклиная ту несчастную няню, которая заснула, вместо того чтобы присматривать за моим сыном, а теперь начинаю гадать, не сговорилась ли она с моей бывшей. Я же знаю, Зан много раз отдавала Тиффани одежду, которая ей самой была уже не нужна.

Билли Коллинз и Дженнифер Дин прекрасно умели скрывать удивление, что бы им ни приходилось услышать, но каждый прекрасно знал, что именно думает другой. Возможно, действительно стоило взглянуть на дело под таким вот углом? Но если в этом есть хоть доля истины, то что тогда заставило Тиффани Шилдс обвинить Зан в том, что и она сама, и Мэтью были в тот день намеренно отравлены?

Билли решил не принимать во внимание рассуждения Теда Карпентера о вовлеченности няни в дело и поинтересовался:

— Мистер Карпентер, как долго вы с мисс Морланд были женаты?

— Шесть месяцев. Какое это может иметь значение?

— Нас интересует ее психическое здоровье. Когда исчез Мэтью, она рассказала нам, что после смерти ее родителей вы прилетели в Рим, помогли ей организовать похороны, уложить вещи погибших, потом разобраться с наследством. Она подчеркивала, что была очень вам благодарна.

— Благодарна! Можно и так сказать, конечно. Зан меня тогда ни на шаг от себя не отпускала. У нее постоянно случались истерические припадки, она теряла сознание. Дело в том, что Александра ругала себя за то, что не приехала к родителям раньше, обвиняла Бартли Лонга в том, что он не давал ей отпуска, проклинала римское дорожное движение, из-за которого у ее отца случился сердечный приступ.

— Но при всех этих эмоциональных проблемах вы все-таки решили на ней жениться? — негромко спросила Дженнифер Дин.

— Мы с Зан встречались уже довольно долго, хотя и не слишком регулярно. Нас определенно тянуло друг к другу. Полагаю, я тогда был почти влюблен в нее. Она ведь прекрасная женщина — думаю, вы и сами это заметили,— очень умна и хорошо воспитана. Могу добавить, что Александра талантливый дизайнер. Тут немалая заслуга Бартли Лонга! Он взял ее к себе сразу после окончания Интитута искусств и дал ей шанс стать его первым ассистентом.

— Так вы считаете, что мисс Морланд была несправедлива, обвиняя Бартли Лонга в том, что он не предоставил ей возможности раньше повидаться с родителями?

— В общем, да. Она ведь прекрасно знала, что если бы уехала на неделю-другую, то Бартли мог бы отчаянно кричать и ругаться, но никогда бы ее не выгнал. Она была для него слишком ценным работником.

— Вы говорите, что в то время встречались с мисс Морланд и были почти влюблены в нее. Вы высказывали ей тогда свое мнение относительно ее работы у Лонга?

— Конечно высказывал! Ведь на самом-то деле Лонг дал ей такой шанс, какой молодому дизайнеру выпадает раз в жизни. Он привлек ее к оформлению пентхауса для рок-звезды Токи Свана, но, поскольку сам в это время буквально по горло был занят работой в одном особняке в Палм-Бич, получилось так, что все досталось одной Зан. Она была в восторге. Да в то время вы и силой не затащили бы ее в самолет!

— Не было ли у мисс Морланд каких-то признаков переутомления или приближения срыва до того, как она полетела в Рим?

— Насколько мне известно, когда она закончила тот пентхаус, Лонг попросил ее задержаться еще на несколько недель и помочь ему закончить работу в Палм-Бич. Именно тогда они крупно поскандалили, и Зан ушла. Но я ведь уже вам говорил, что это так называемое увольнение было просто шуткой.

— Разве вы не могли помочь ей как-то иначе после смерти родителей? Обязательно ли было жениться? — спросила Дженнифер Дин.

— Знаете, можно спросить какого-то свидетеля, увидевшего, что человек застрял в горящей машине, почему он не набрал девять-один-один, вместо того чтобы самому бросаться на помощь. Зан тогда нуждалась в том, чтобы иметь дом и семью. Я дал ей эти ощущения.

— Но она очень быстро ушла от вас.

Тед ощетинился и заявил:

— Вот что, я сюда пришел не для того, чтобы вы тут обсуждали мой недолгий брак с женщиной, похитившей моего сына! Зан решила, что от меня ничего больше получить не может, и решила уйти. Только когда мы уже разошлись, она поняла, что беременна.

— Как вы на это отреагировали?

— Был рад. К тому времени я уже понял, что между нами нет ничего серьезного, и сказал, что готов всячески ее поддерживать, чтобы она могла жить спокойно и воспитывать нашего ребенка. Зан сообщила, что собирается открыть собственную студию дизайна. Я вполне ее понял, но после рождения сына настоял на том, чтобы встретиться с няней, которую она собиралась нанять, и самому проверить, насколько эта особа знает свое дело.

— Встретились?

— Да. Та няня, Гретхен Вурхес, была настоящим чудом. Я бы даже сказал, что она стала матерью для Мэтью куда больше, чем сама Зан. Та была просто поглощена соревнованием с Бартли Лонгом. Могу заметить, что трата времени на разработку проекта для Нины Элдрич выглядела просто неразумно.

— Вы откуда это знаете?

— Гретхен мне рассказала в последний день своей работы у Зан. Я тогда забирал Мэтью к себе на день, а она улетала домой, в Голландию, потому что выходила замуж.

— Значит, мисс Морланд наняла новую няню? С ней вы тоже предварительно познакомились?

— Да, однажды встречался. У нее были отличные рекомендации, да и выглядела она очень милой, однако оказалась недостойной доверия. Не вышла на работу в первый же день, и Зан второпях вызвала Тиффани Шилдс, чтобы та погуляла с моим сыном в Центральном парке и поспала там на травке... если только она действительно заснула.

Лицо Теда Карпентера налилось темной краской.

Он нервно сглотнул, не в силах говорить, сжал кулаки и все-таки продолжил, повысив голос:

— Я вам скажу, что произошло в тот день. Зан осознала, что Мэтью будет мешать ее работе! Возможно, она уже давно это поняла. Гретхен мне говорила, что ей не раз приходилось работать в выходные, потому что мать была слишком занята для того, чтобы посидеть дома со своим ребенком. Зан хотела и теперь жаждет стать прославленным дизайнером! Вот в чем дело! Она успешно продвигается к цели. Весь этот вздор насчет экономии каждого цента, чтобы снова нанимать частных детективов для поисков Мэтью,— чистая самореклама! Если кто-то это и знает, то именно я. Я — лицо заинтересованное. Просмотрите статью в журнале «Пипл» за прошлый год, в первую годовщину исчезновения Мэтью. Александра продемонстрировала журналистам совсем уж скромную трехкомнатную квартирку, слишком жалобно рассказывала, что предпочитает пройтись пешком, лишь бы не тратиться на такси, старается накопить как можно больше, чтобы еще раз попытаться спасти Мэтью, и так далее и тому подобное! Заодно обратите внимание на то, как Зан постоянно повторяет, какой она замечательный дизайнер!

— Значит, вы уверены в том, что ваша бывшая жена сама избавилась от ребенка, потому что он стал слишком большой обузой?

— Именно об этом я и говорю! Она, знаете ли, прирожденная страдалица. Великое множество людей теряют родителей в разных катастрофах. Все они горюют, но разве их жизнь на этом прекращается? Если бы Зан предложила мне забрать Мэтью к себе, я сделал бы это с радостью!

— А вы сами просили ее об этом?

— Надо ли просить нашу планету перестать вращаться вокруг Солнца? Как это выглядело бы в глазах журналистов? — Тед встал.— Больше мне добавить нечего. Я так понимаю, вы уже успели проверить фотографии, сделанные в Центральном парке. Если это не фальшивка — а вы ничем не дали мне понять, что может быть так,— то я хочу знать, почему Александра Морланд до сих пор не арестована. У вас есть прямые доказательства того, что она похитила моего сына. Ясно же, что Зан лжет на каждом шагу. Я уверен, есть какой-нибудь закон, который запрещает одному родителю скрывать ребенка от другого. Но сейчас вам прежде всего необходимо выяснить, не был ли Мэтью убит собственной матерью! Чего вы ждете? — Тед резко оттолкнул стул назад, по его щекам бежали слезы, когда он повторил: — Чего вы ждете?

39

Не только боль в пораженных артритом коленях, на которую отец Эйден горестно пожаловался позднему визитеру, мешала старому священнику спать в ночь на среду. Дело было в женщине, которая призналась ему, что замешана в преступлении, совершаемом ныне, и в предстоящем убийстве. Ее имя было теперь ему известно: Александра Морланд.

Невероятная ирония крылась в том, что он встретился с ней у Альвиры и Уилли! Между двумя и четырьмя часами ночи отец Эйден перебрал в памяти все до единого моменты их встречи. Любому было очевидно, что Зан, как звала ее Альвира, действительно страдала. Выражение ее глаз напоминало о душах, терзаемых в аду, если допустимо такое сравнение. Она сказала: «Бог забыл о моем существовании».

«Александра действительно в это верит,— думал отец Эйден.— При этом она просила меня молиться за ее сына. Если бы только я мог ей помочь! В исповедальной комнате она прекрасно осознавала, что именно делает, и то, что намерена совершить. Тут ошибиться невозможно, как и в том, что это была она».

Альвира, хорошо знавшая Зан, узнала ее на записи камер наблюдения в церкви и сказала, что это именно та особа, которая изображена на фотографиях из Центрального парка.

«Если бы только я мог огласить тот факт, что Морланд, возможно, страдает раздвоением личности, они попытались бы найти какого-то врача, способного с помощью специальных препаратов вытащить из ее ума то, что глубоко скрыто,— думал отец Эйден.— Но я ничего не способен открыть, даже ради помощи ей же...»

Он мог лишь молиться о том, чтобы каким-то другим способом, как-то иначе правда вышла на свет ради спасения ребенка, если, конечно, еще не поздно. Потом глаза отца Эйдена начали наконец слипаться. Однако незадолго до рассвета он опять проснулся. Перед ним стояло лицо Зан. Было и что-то еще... приснившееся ему. Это тревожило отца Эйдена. В нем проклюнулось семя сомнения, но он не знал, откуда оно взялось.

Францисканец еще раз шепотом прочел молитву за Александру и ее мальчика, потом сон сжалился над ним, и отец Эйден проспал до тех пор, пока его не поднял будильник, сообщавший, что пора собираться на восьмичасовую мессу.

Около половины одиннадцатого, когда отец Эйден просматривал почту, лежавшую на его письменном столе, раздался телефонный звонок. Это была Александра Морланд.

— Святой отец, я должна поспешить,— сказала она. Мой адвокат явится с минуты на минуту, мы поедем в полицейский участок. Детективы, ведущие дело Мэтью, хотят со мной поговорить. Насколько я понимаю, меня намерены арестовать. Простите, что я была груба с вами вчера вечером, и спасибо за то, что молитесь за Мэтью. Я хочу, чтобы вы знали вот что: сегодня рано утром я уже совсем готова была проглотить целый пузырек таблеток снотворного, но в том, как вы смотрели на меня и держали за руку, было нечто важное. Я остановилась и, как бы то ни было, больше и думать о таком не хочу. Я должна вас поблагодарить. Пожалуйста, продолжайте молиться за Мэтью, а если вы не против, то и за меня замолвите словечко.

В трубке тут же раздался щелчок. Ошеломленный отец Эйден долго сидел неподвижно.

«Так вот что я пытался вспомнить,— думал он.— Ощущение ее рук, когда я их коснулся...»

Но в чем тут дело?

Что это могло быть?

40

После приятнейшего ужина с подругой Ребеккой, когда они насладились несколькими бокалами вина, Пенни отлично проспала всю ночь и даже позволила себе роскошь вернуться в постель с чашкой утреннего кофе. Откинувшись на подушки, она смотрела новости по телевизору и снова увидела фотографии, сделанные в Центральном парке. Морланд вынимает своего маленького сына из прогулочной коляски, а потом ее увозят на «скорой помощи».

— Если будет доказано, что фотографии не подделка, то я уверен, арест Александры Морланд неизбежен,— заявил юридический эксперт, комментировавший события.

— Неужели вчера они не могли это сделать? — рявкнула Пенни в телевизионный экран.— Чего они ждут, небесного знамения?

Покачивая головой, она снова поднялась с постели, набросила теплый халат и понесла кофейную чашку в кухню, где принялась готовить себе обычный солидный завтрак.

Берни позвонил, когда она кусочком жареного хлеба подбирала с тарелки последние крошки яичницы-болтуньи. Голос мужа звучал весьма сердито, когда он сообщал, что на ремонт его грузовика понадобится еще пара часов, так что домой Берни доберется только во второй половине дня.

— Надеюсь, вы с Ребеккой не съели все тушеное мясо до крошки,— сказал он жене.

— Не беспокойся, тебе осталось более чем достаточно,— заверила его Пенни, прежде чем попрощаться.

«Ох уж эти мужчины,— думала она, добродушно покачивая головой.— Он злится из-за того, что застрял на какой-то заправке невесть где, и ищет повод рассердиться на меня, чтобы выплеснуть все, что накопилось, когда вернется домой. Надо было ему сказать, что мы с Ребеккой слопали все, а ему на вечер осталась только замороженная пицца».

Загружая тарелки в посудомоечную машину, Пенни увидела в окно почтальона, опускавшего что-то в их почтовый ящик у начала подъездной дороги. Когда его фургончик отъехал, Пенни потуже завязала пояс халата и поспешила выйти из дома.

«Кто знает, где ждет тебя счастье»,— думала она, открывая ящик и вытаскивая из него тонкую пачку писем.

Домой, в тепло и уют, Пенни вернулась еще более быстрым шагом.

В нескольких первых конвертах скрывались просьбы о пожертвованиях от разных благотворительных обществ. Потом обнаружилась реклама нового крема для лица с образцом размером в ноготь, а вот последний конверт вызвал на лице Пенни неосознанную улыбку. Это было письмо от Михан. Пенни быстро вскрыла его. Альвира приглашала приятельницу на встречу группы поддержки победителей лотерей, которая проходила раз в полгода в ее квартире.

На официальном приглашении Альвира написала и кое-что от себя лично. «Дорогая Пенни! Очень надеюсь, что вы с Берни сможете прийти. Я всегда так рада тебя видеть!»

«Да, мы сможем пойти,— радостно думала Пенни, вспоминая расписание поездок Берни.— Интересно, что Альвира теперь думает об этой Морланд. Они ведь дружили, насколько я знаю».

Но приятное предвкушение иссякло, когда Пенни поднялась в спальню, приняла душ и оделась. Ее грызло что-то, имевшее отношение к той поганке, которая сняла дом Оуэнса. Дело было не только в том, что эта Глория Эванс вела себя так грубо, когда Пенни принесла ей черничные плюшки.

«Дело не в игрушечной машинке, забытой на полу,— решила Пенни.— Конечно, та женщина вроде бы заканчивает какую-то книгу, но даже писатель, ищущий уединения, не может захлопывать двери прямо перед лицом человека, так?»

Пенни была натурой бережливой. Именно поэтому ей показалось очень странным кое-что, сказанное Ребеккой. Эта Эванс глазом не моргнув заплатила за годовую аренду дома, хотя предполагала прожить в нем всего три месяца.

«Что-то с этой леди не так,— решила Пенни.— Она ведь не просто вела себя грубо, явно нервничала, подойдя к двери. Интересно, не занимается ли девица чем-нибудь противозаконным? Может, наркотики продает?

Никто ведь и не заметит, если к ней будут приходить поздно вечером, дом стоит в стороне, дальше и дороги никакой нет. Дом Оуэнса — единственный в том районе...

Надо бы мне присмотреть за этим местом,— подумала Пенни.— Проблема в том, что если Глория Эванс случайно подойдет к окну, то сразу увидит, как я проезжаю мимо, потом разворачиваюсь и качу обратно. Если она во что-то замешана, я ее спугну...»

При этой мысли Пенни, красившая губы яркой помадой, ее единственной данью светским требованиям, расхохоталась и тут же мазнула тюбиком по щеке.

— Ох, ну и ну! — воскликнула она.— Я поняла, что мне не нравится в этой пташке Эванс. Она чем-то напоминает Морланд! Разве не забавно? Ладно, расскажу Альвире о том, что мне подвернулась загадка и я пыталась ее разгадать. Вот уж она повеселится!

41

Чарли Шор не сумел скрыть изумление, когда Джош открыл перед ним дверь дизайнерской студии Морланд и он увидел рулоны, сваленные вдоль стен и загромоздившие половину пространства.

— Один из наших поставщиков неверно нас понял,— начал объяснять Джош.

— Нет, не так,— поправила его Зан.— Мистер Шор, то есть Чарли, раз уж мы так договорились... кто-то заказывает от моего имени материалы, которые нам пока не нужны. Этот субъект взломал мой банковский счет.

«Она и в самом деле немножко не от мира сего»,— подумал Шор, но постарался, чтобы на его лице отразилась только забота.

— Когда вы это обнаружили, Джош?

— Первый сигнал был на днях когда кто-то от имени Зан купил билет первого класса в Южную Америку на следующую неделю в один конец и оплатил его с нашего делового счета,— ответил Грин ровным тоном, просто констатируя факт.— Потом была приобретена дорогая одежда, а деньги за нее перечислены со сберегательного счета Зан. Теперь мы узнаем от наших поставщиков о коврах, тканях и настенных гобеленах, которых не заказывали.

— Джош пытается вам объяснить, что думает, будто я сама это сделала в бреду и никакой хакер не забирался в компьютер,— спокойно сказала Зан.— Но доказать, что это именно так, будет несложно.

— Как делались заказы поставщикам? — спросил Чарли Шор.

— По телефону и...— начал было Грин, но Зан перебила его:

— Покажи Чарли то письмо.

Джош подал адвокату письмо, и тот внимательно его прочитал и спросил:

— Это ваш бланк?

— Да,— кивнула Зан.

— И подпись?

— Выглядит как моя, но я этого письма не подписывала. Вообще-то я хочу обратиться в полицию со всем этим. Я уверена, кто-то выступает от моего имени, пытается погубить мою жизнь и бизнес. Думаю, именно этот человек похитил моего сына.

Чарльз Шор был весьма опытным адвокатом по уголовным делам, за его спиной красовался солидный список побед в суде, из-за чего многие обвинители смотрели на него как на настоящую занозу. Но сейчас он на долю секунды пожалел о своей дружбе с Альвирой, из-за которой оказался вынужден защищать ее явно ненормальную подругу.

Тщательно подбирая слова, адвокат спросил:

— Зан, вы уже заявили в полицию о подделке вашей подписи и взломе счета?

Ответил ему Джош:

— Нет пока. За последние несколько дней слишком много всего случилось. Вы должны понять.

— Согласен,— тихо произнес Чарли.— Зан, я не хочу, чтобы эта тема была затронута в нашем сегодняшнем разговоре с детективами Коллинз и Дин. Можете мне обещать, что не станете говорить об этом?

— Да почему нельзя? — возразила Зан.— Разве вы не видите? Это все часть единого умысла. Мы докопаемся до самого дна и узнаем, где прячут Мэтью!

— Доверьтесь мне! Мы должны тщательно все обсудить, прежде чем решим, как и когда сообщать об этом детективам.— Чарли Шор посмотрел на наручные часы.— Зан, нам лучше уже отправиться. У меня машина внизу.

— Теперь я, как правило, хожу через служебную дверь,— ответила Морланд.— Потому что на улице постоянно топчется какой-нибудь репортер.

Чарли Шор внимательно всмотрелся в свою клиентку. В ней появилось что-то новое. Когда он прошлым вечером привез ее к Альвире, она выглядела хрупкой и ранимой, бледной, дрожащей, сломленной духом.

Сегодня в ней ощущались твердость и решительность. Она нанесла неяркую косметику, от которой ее прекрасные светло-карие глаза и длинные ресницы стали казаться еще больше. Каштановые волосы, вчера связанные в тугой узел, теперь падали ей на плечи. Вечером на ней были джинсы и жилет из искусственного меха. Сегодня ее стройное, прекрасно сложенное тело скрывалось под модным темно-серым брючным костюмом, а на плечи был наброшен пестрый шарф.

Жена Чарльза, Линн, всегда одевалась очень хорошо. Если бы ему понадобилось подтверждение этого факта, он получил бы его благодаря счетам «Американ экспресс», которые приходили каждый месяц. Шор рассматривал ее легкую экстравагантность как небольшую цену за те многочисленные случаи, когда он пропускал званые ужины или опаздывал на какое-то событие в Линкольн-центре из-за того, что готовился к важному процессу. Но сейчас, будь его воля, он, безусловно, предпочел бы, чтобы Зан Морланд выглядела жертвой на всех тех фотографиях, которые могли попасть в этот день в средства массовой информации.

Но тут уж адвокат ничего не мог поделать. Он достал сотовый и велел шоферу подъехать к заднему входу здания.

Погода была не по сезону холодная, но светило солнце, а по небу плыли легкие белые облачка, не обещавшие дождя. Чарли посмотрел вверх, надеясь, что такой ясный день станет хорошим знаком, но вообще-то сильно в этом сомневался.

Когда они уже сидели в машине, Чарльз, осторожно выбирая слова, сказал:

— Зан, это чрезвычайно важно. Вы должны точно следовать всему, что я буду вам говорить. Если Коллинз или Дин зададут какой-то вопрос, а я велю вам на него не отвечать, вы так и должны поступить. Я понимаю, что в какие-то моменты вам захочется выложить им все до конца, но вы не должны это делать.

Стиснув кулаки так, что ногти впились в ладони, Зан изо всех сил старалась не показать, насколько ей страшно. Ей нравился Чарли Шор. Он был очень добр, вчера в госпитале держался по-отечески, да и потом тоже, когда вез ее к Альвире и Уилли... Правда, Морланд понимала и то, что он ни минуты не сомневался в том, что именно она изображена на фотографиях, сделанных в Центральном парке. Чарльз всячески старался этого не показывать, но было слишком очевидно, что он верит и в то, что письмо на фабрику Веллингтона подписала сама Зан.

В детстве одной из ее любимых книг была «Алиса в Стране чудес». Слова «Отрубите ей голову, отрубите ей голову!» вертелись теперь у нее в уме.

«Но Чарли хочет мне помочь, и самое меньшее, что я могу сделать, так это довериться его советам,— думала Зан.— У меня просто нет выбора. Я слышала голос Мэтью сегодня утром и должна постоянно верить, что он жив и я его найду. Только так я и могу продержаться».

Машина остановилась перед входом в полицейский участок Центрального парка. На тротуаре толпились газетчики и люди с телевизионными камерами и микрофонами.

— Ох черт,— пробормотал Чарли Шор.— Кто-то им шепнул, что вас сегодня ждут здесь.

Зан прикусила губу и заявила:

— Я справлюсь.

— Помните, ни в коем случае не отвечайте на их вопросы! Если даже они будут совать микрофоны прямо вам в лицо, не обращайте внимания!

Александра следом за Шором вышла из машины. Репортеры бросились наперерез. Она попыталась даже закрыть глаза, защищаясь от оглушительных вопросов: «Вы сделаете какое-то заявление, мисс Морланд?», «Где Мэтью, мисс Морланд?», «Что вы с ним сделали, Зан?», «Как вы думаете, он еще жив?».

Чарли Шор пытался протащить Зан сквозь беснующуюся толпу, обхватив за плечи, но она вдруг вырвалась из его рук, резко повернулась к камерам и решительно заговорила:

— Мой сын жив! Я уверена в этом! Думаю, что знаю, кто ненавидит меня настолько, чтобы похитить его. Я еще два года назад пыталась объяснить это полиции, но меня никто не слушал. Сегодня я намерена заставить их сделать это! — Зан отвернулась от репортеров, посмотрела прямо в глаза Чарли Шору и заявила: — Извини, но кто-то должен наконец прислушаться к моим словам и начать искать истину.

42

В настоящее время жилищем Кевина Уилсона была меблированная квартира в Трибеке, районе рядом с Гринвич-Виллидж, где некогда располагались дымные фабрики и печатни. Она представляла собой просторную мансарду, в ней имелись кухня, хорошо оборудованный бар, гостиная и библиотека. Мебель была ультрасовременной, но в любимом углу Кевина стояли большой кожаный диван и кресла с подушками. Спальня оказалась сравнительно небольшой, но только потому, что владелец здания передвинул стену, чтобы оборудовать хороший спортивный зал. Огромная угловая комната служила Кевину кабинетом. Большие окна квартиры гарантировали ему солнечное освещение от рассвета и до заката.

Уилсон с удовольствием арендовал эту мансарду и недавно даже изъявил желание выкупить ее. Он уже строил планы архитектурных переделок, которые мог бы тут осуществить, например уменьшить гимнастический зал так, чтобы там помещались лишь несколько самых необходимых спортивных снарядов, увеличить главную спальню и ванную, а угловую комнату превратить в еще две спальни с общей ванной.

Что касается обстановки, то он уже присмотрел кое-что такое, что полностью изменило бы настроение, создаваемое жилищем. Его мать всегда говорила, что Кевин обладает инстинктом создания гнезда.

— Ты последний из всей вашей компании, кто до сих пор одинок,— регулярно напоминала она ему.— Пора уже прекратить все эти случайные встречи, поискать хорошую девушку и остепениться наконец.

В последнее время мать несколько расширила тему и часто жаловалась:

— Ты подумай, все мои ровесники уже нянчатся с внуками!

Поужинав с матерью, Кевин отправился прямиком домой. Он отлично выспался и утром проснулся, как всегда, ровно в шесть. Зерновые хлопья, сок и кофе, быстрый просмотр первых страниц «Уолл-стрит» и «Пост», потом — час на гимнастических снарядах. Уилсон посмотрел по телевизору утренние новости и кусочек шоу «Тудей» с каким-то юристом, рассуждавшим на тему неизбежности ареста Александры Морланд.

«Бог мой, неужели такое действительно возможно?» — думал Кевин.

Он опять ощутил тот электрический удар, что пронзил его при соприкосновении их плеч. Но Уилсон с сожалением решил, что с этой женщиной и в самом деле что-то не так, если фотографии из Центрального парка не фальшивка.

Принимая душ и одеваясь, Кевин не мог выбросить из памяти лицо Зан. Ее глаза, столь прекрасные и выразительные, смотрели очень печально... Не нужно было быть великим ученым, чтобы увидеть в них боль. Когда перед Уилсоном встал вопрос выбора дизайнера, сначала в студию Морланд позвонила Луиза и пригласила ту подготовить проект оформления образцовых квартир. Уилсону теперь казалось странным то обстоятельство, что Зан много раз приходила, чтобы увидеть квартиры, но они ни разу не встретились там. Он увидел ее только в тот день, когда она лично принесла эскизы и образцы тканей. А вот с Бартли Лонгом явился ассистент, который шел сзади и нес все папки.

«Это тоже причина тому, что мне этот парень не понравился»,— подумал Уилсон.

Лонг тогда держался весьма неприятно.

— С нетерпением жду, когда мы начнем работать вместе, Кевин,— сказал он, как будто все уже было решено.

Без десяти восемь Уилсон был готов выйти из дома. Он надел спортивную рубашку, джемпер и брюки цвета хаки, поскольку собирался весь день провести в «Карлтон-плейс 701». Бросив взгляд в зеркало, архитектор решил, что пора бы уже и подстричься, только не слишком коротко.

«Ребенком я носил локоны, и мама частенько говорила, что мне следовало родиться девочкой. У Зан Морланд длинные прямые волосы, темно-каштановые, оттенка японского мрамора. Вот не знал, что я еще и поэт!» — подумал Кевин, беря куртку и выходя из квартиры.

Если Луиза Кирк не появлялась ровно в девять, Кевину приходилось терпеть взрыв ее негодования по поводу того, что, похоже, в один прекрасный день вообще все движение в Нью-Йорке встанет. Однако сегодня она явилась на пятнадцать минут раньше.

Уилсон когда-то говорил ей, что во время утренней зарядки обычно смотрит телевизор, переключая каналы.

— Ты, случайно, не захватил сегодня шоу «Тудей», когда говорили о Зан Морланд? — с любопытством спросила она.

«Похоже, мы снова друзья,— подумал Кевин.— Меня опять называют по имени!»

— Да, видел кусочек,— ответил он.

Луиза не обратила внимания на отрывистость его фразы и заявила:

— Вот! Теперь всем ясно, что у бедной дамочки с головой совсем плохо, если те фотографии не монтаж! Могу поставить десять лет своей жизни на то, что они настоящие.

— Луиза, эта бедная дамочка, как ты называешь Александру Морланд,— чрезвычайно талантливый дизайнер и очень привлекательный человек. Нельзя ли нам оставить эту тему в стороне?

Уилсон почти никогда не давал понять людям, которых нанимал на работу, что именно он тут хозяин, но на этот раз и не пытался скрыть искренний гнев.

В детстве Кевин по настоянию матери брал уроки игры на фортепиано. Все трое — он сам, мать и учитель — прекрасно видели, что у него абсолютно нет музыкального дара, но удовольствие, получаемое при перебирании клавиш, меньшим от этого не становилось. Вот только играть хорошо он научился лишь одну песню — «Менестрель».

Теперь ее слова вдруг зазвучали в его голове: «Пусть весь мир сейчас тебя предает — меч все равно защитит, хоть одна арфа воспоет...»

Кевин гадал, есть ли у Зан Морланд кто-то, кто готов защищать и воспевать ее.

Луиза Кирк мгновенно все поняла и покорным тоном откликнулась:

— Разумеется, мистер Уилсон.

— Луиза, ты не могла бы обойтись без «мистера Уилсона»? Мы сейчас пройдемся по всему зданию. Возьми блокнот. Я хочу проверить кое-что. Нужно, чтобы меня выслушали тут несколько человек, это насчет качества работы.

В десять часов, когда Кевин, сопровождаемый секретаршей, показывал мастеру неровно залитые цементом полы в трех душевых кабинах в квартирах на тридцатом этаже, зазвонил его деловой мобильный. Не желая, чтобы его прерывали, он протянул телефон Луизе.

Она немного послушала, потом сказала:

— Мне очень жаль, мистера Уилсона сейчас нет поблизости, но я ему все передам.— Отключив телефон и вернув его Кевину, Луиза сообщила: — Это был Бартли Лонг. Он хочет пригласить тебя пообедать с ним сегодня или, если это неудобно, поужинать нынче или завтра. Что мне ему сказать?

— Мне пока не до того.

«Лонг, похоже, уже торжествует, считает, что получил заказ»,— подумал Кевин, но тут же неохотно признался себе, что, похоже, так оно и есть.

Квартиры-образцы необходимо было закончить. Владельцы здания уже ворчали по поводу того, что его стоимость вышла за предел запланированного, а работы никак не завершаются. Они хотели, чтобы квартиры наконец-то были отделаны, тогда отдел продаж мог бы приняться за работу. Но если Зан Морланд арестуют, она не сможет ежедневно присматривать за отделкой. Именно декоратор завершает процесс, когда все остальные внутренние работы заканчиваются.

Без четверти одиннадцать, когда Уилсон с Луизой вернулись в офис, пришел какой-то рабочий и поинтересовался:

— В какую квартиру складывать все ткани и прочее, сэр?

— О чем ты? Какое прочее? — не понял Кевин.

Рабочий, морщинистый мужчина лет шестидесяти, явно растерялся и пояснил:

— Я говорю, там уже начали привозить все то, что декоратор заказал для образцов.

За Кевина ответила Луиза:

— Скажи им, чтобы везли обратно. Мистер Уилсон не делал никаких заказов.

Кевин вмешался, сам не веря тому, что говорил:

— Пусть все складывают в самой большой квартире.— Он в упор посмотрел на Луизу и добавил: — Мы с этим разберемся, но сразу станем частью сенсационной истории Зан Морланд, если ты откажешься принять то, что привозят. Поставщики бросятся к журналистам. Я не желаю, чтобы наши потенциальные покупатели увидели этот дом в подобном свете.

Не смея показать, что она думает по этому поводу, Луиза Кирк кивнула и подумала:

«Да ты просто втрескался в эту леди, Кевин Уилсон!»

Дуракам закон не писан...

43

Мэтью уже по-настоящему боялся Глори. Все началось вчера, когда она накричала на него за то, что он забыл в прихожей свой грузовик, который увидела та леди. Мальчик убежал в чулан, и Глори заперла его там. Потом, позже, она сказала, что ей очень жаль, но Мэтью продолжал плакать и просто не мог остановиться. Он хотел к мамочке.

Ребенок все время думал о ее лице, видел перед собой лишь какие-то тени, однако помнил, как она закутывала его в свой халат. Он не забыл даже то, как ее длинные волосы щекотали ему нос. Мальчишке приходилось то и дело смахивать их с лица, но если бы мамочка сейчас была с ним, он не стал бы этого делать. Мэтью держал бы локоны так крепко, что никто не вырвал бы их из его рук, пусть даже мамочке стало бы от этого больно...

Еще позже Глори намазала ему волосы вонючей смесью и дала одну плюшку из тех, что принесла та леди. Но мальчику стало плохо, его вырвало. Только дело было не в плюшке. Мэтью знал, это случилось потому, что в те дни, когда мамочка не ходила на работу, они обычно вместе что-нибудь пекли. Это было воспоминание, вроде мыла под подушкой. Плюшки заставили его снова думать о мамочке.

После всего этого Глори начала стараться изо всех сил. Она почитала ему книжку, постоянно повторяла, что Мэтью очень умный и понимает куда больше, чем другие дети его возраста, но он не почувствовал себя лучше. Потом Глори предложила ему самому сочинить что-нибудь. Мэтью придумал историю о маленьком мальчике, который потерял маму и знал, что должен пойти и найти ее. Глори это не понравилось. Ребенок видел, что она устала заботиться о нем. Он тоже притомился и отправился на покой пораньше.

Мальчик спал уже долго, когда его разбудил телефонный звонок. Дверь комнаты была лишь чуть-чуть приоткрыта, но он слышал кое-какие слова Глори. Она говорила о ребенке, которого прячут от матери. Не о нем ли самом шла речь? Может, это Глори была виновата в том, что он сейчас не с мамочкой? Но ведь Глори ему объясняла, что мамочка захотела, чтобы Мэтью спрятали, потому что плохие люди хотели его украсть...

А если она говорила неправду?

44

Тед Карпентер вышел из полицейского участка ровно в десять, протолкался сквозь толпу репортеров и сосредоточил взгляд на машине, ожидавшей его.

Добравшись до нее, он остановился и заговорил в микрофон, оказавшийся прямо перед его лицом:

— Несмотря на эмоциональную неустойчивость моей бывшей жены Александры Морланд, я почти два года старался верить, что она никоим образом не причастна к исчезновению моего сына. Но те фотографии, которые вы все видели, представляют собой неопровержимое доказательство того, что я ошибался. Я могу лишь надеяться, что теперь ей придется сказать правду и что милостью Божьей Мэтью до сих пор жив.

Когда на него посыпались вопросы, Тед покачал головой и заявил:

— Нет, прошу вас, это все.

На его глазах блеснули слезы, он сел в машину и закрыл лицо руками.

Его водитель Ларри Пост тронул автомобиль с места, а потом, когда они уже отъехали от полицейского участка, спросил:

— Домой поедешь, Тед?

— Да.

«Я просто не хочу возвращаться в офис, с кем-то разговаривать, не желаю, чтобы за мной гонялись все эти шакалы из так называемых реалити-шоу вроде бездарного и эгоцентричного Джеймибоя, хотя его программа принесла бы миллионы, если бы он добился моего участия. Какого черта я думал даже тогда, когда отправлялся ужинать с этой кровопийцей Мелиссой в день рождения моего сына? Ладно, мою бывшую теперь начнут поджаривать копы, может быть, она скажет или сделает что-нибудь эдакое...»

Через зеркало заднего вида Ларри всматривался в натянутое, осунувшееся лицо, потом заговорил:

— Тед, я знаю, что это не мое дело, но вид у тебя такой, словно ты заболеваешь. Может, тебе стоило бы показаться врачу?

— Медицина бессильна перед моими проблемами,— устало ответил Тед.

Он откинулся на спинку сиденья, закрыл глаза и стал минута за минутой перебирать в уме разговор с детективами. У них обоих были такие непроницаемые лица...

«Но почему они тянут, не арестовывают Зан? — спрашивал себя Тед.— Или с теми фотографиями что-то не так? Но в таком случае почему копы ничего мне не сказали? Я ведь все-таки отец и вправе знать! Александра всегда твердила, что Бартли Лонг ненавидит ее и так завидует успеху, что готов как угодно ей напакостить. Но неужели полицейские действительно поверят, что известный дизайнер мог бы опуститься до похищения ребенка, а то и до убийства лишь затем, чтобы вернуть своего ассистента?»

У Теда застучало в голове от этих мыслей.

Ларри Пост знал, что происходит в уме Карпентера. Тед был встревожен до крайности.

«Это же действительно черт знает что,— думал Ларри.— Встретил он эту Морланд, женился, был с ней очень добр, а она его выставила, да еще и не желала с ним видеться, после того как начала подниматься вверх... а сама носила его ребенка!»

Морщинистое лицо и лысеющая голова делали Ларри намного старше тридцати восьми лет. Ежедневные упорные тренировки привели к тому, что его тело стало поджарым и мускулистым. Он начал заниматься, когда ему было двадцать, получив пятнадцать лет за то, что убил торговца наркотиками, который пытался его надуть. Выйдя из тюрьмы, он никак не мог найти работу у себя в Милуоки, позвонил Теду, ближайшему школьному другу, и попросил о помощи. Карпентер велел ему приехать в Нью-

Йорк и теперь называл своей правой рукой. Ларри готовил для него, когда Теду хотелось провести вечер дома, везде его возил, следил за ремонтом и содержанием дома, который тот по глупости купил три года назад.

Зазвонил сотовый Карпентера. Как он и предполагал, это оказалась Мелисса.

Когда Тед ответил, она сразу сказала:

— Мне не нравится то, что вчера ты мне сообщил, будто болен и не можешь приехать поужинать со мной в клубе. Однако сегодня ты явился в полицию в наилучшем виде, с утра пораньше!

Тед разъярился, выдержал долгую паузу, а потом заставил себя говорить рассудительным тоном:

— Мелисса, радость моя, я ведь тебе говорил, что полицейским необходимо было побеседовать со мной. Вчера я отвертелся от встречи, но в любом случае не хотел, чтобы ты попала в зону их наблюдения. Я и сейчас чувствую себя отвратительно. Как бы мне ни хотелось встретиться с тобой и поговорить с Джейми-боем, сегодня я на это не способен. Мне придется отправиться домой и сидеть у телефона. Моя бывшая встречается с детективами меньше чем через час. Если мне хоть чуть-чуть повезет, ее арестуют и, может быть, заставят говорить правду. Я уверен, ты можешь понять, какие чувства меня сейчас обуревают.

— Забудь о Джейми. Он уже договорился с другими рекламщиками. Но ты не беспокойся. Он наверняка и с ними рассорится, не пройдет и недели. Послушай, у меня есть грандиозная идея. Позвони журналистам и вели им приехать в твой офис к трем часам. Я приду и заявлю, что предлагаю пять миллионов долларов тому, кто найдет твоего сына живым.

— Мелисса, ты что, окончательно свихнулась?

Тед повысил голос, и это заставило Ларри Поста быстро глянуть в зеркало заднего вида.

— Не смей говорить со мной так! Я пытаюсь тебе помочь! — Мелисса не скрывала ярости, вызванной откликом Теда.— Подумай об этом! Бартли Лонг — несчастный сноб, которого я просто ненавижу! Ты же знаешь, что он сказал этим чертовым папарацци о моем последнем альбоме, когда объяснял, почему не пригласил меня на большой прием. В общем, ты ведь говорил, что твоя бывшая продолжает твердить, что это Лонг похитил твоего малыша. Вдруг так оно и есть?

— Мелисса, подумай хорошенько! Ты много-много раз повторяла, что уверена в том, будто Мэтью был убит похитителем сразу в день похищения! С чего бы кому-то верить, что ты могла вдруг изменить свое мнение? На такое предложение посмотрят просто как на дешевый рекламный трюк, а это повредит твоей карьере! Тебя начнут сравнивать с Симпсоном, который назначил вознаграждение любому, кто найдет убийцу его жены и ее друга. Добавь сюда еще и то, что в полицию сразу начнут звонить сотни людей и уверять, что они видели мальчика, похожего на Мэтью. Я ведь уже предлагал миллион долларов награды сразу после исчезновения сына, и полицейским пришлось зря тратить драгоценное время, проверяя сообщения разных ненормальных.

— Послушай, у них ведь теперь есть фотографии,— стояла на своем Мелисса.— Это твоя бывшая утащила ребенка! А если она сделала это вовсе не в приступе безумия? Предположи, что мальчик просто живет где-то и кто-то его воспитывает. Разве ты не считаешь, что этот человек тут же воспользуется шансом заполучить пять миллионов баксов?

— Только ему придется очень долго ждать в тюрьме возможности потратить эти денежки!

— Нет, не так! Вспомни-ка того парня из банды, убившей кучу народа. Его вообще не посадили, потому что он помог копам упечь своих дружков! Может, в дело вовлечен не один человек. Вдруг кто-то признается, поможет копам найти твоего сына, потом заключит отличную сделку с обвинением и получит от меня кучу денег! Знаешь, Тед, мне эта идея нравится! О малыше станут кричать все газеты, когда арестуют твою бывшую, и шум будет продолжаться до конца следствия и суда! Слушай, муж моей сестры – государственный защитник. Этот тип не блещет умом, так что помоги боже тем неудачникам, которых он защищает... но законы знает! Ты ведь в курсе, сколько у меня денег. Если даже мне придется отдать пять миллионов, я это переживу, зато в глазах публики стану настоящей святой. Анджелина Джоли и Опра Гэйл Уинфри сделали себе грандиозную рекламу на детях. А почему я не могу? Так что будь в своей конторе в три и подготовь заявление, которое мы сделаем.

Не попрощавшись, Мелисса отключила телефон.

Тед откинулся на спинку сиденья и закрыл глаза.

«Думай,— приказал он себе.— Думай. Возьми себя в руки. Просчитай последствия, если она действительно это сделает. Если бы только я мог послать ее куда подальше, позволить себе расстаться с ней! Если бы только мне не приходилось подстраиваться под ее настроения, терпеть раздражительность и взрывы и прикрывать задницу этой красотки, когда она строит из себя идиотку...»

Он нажал на своем телефоне кнопку повторного набора. Как Тед и ожидал, Мелисса не ответила. «Оставьте сообщение»,— только и услыхал он в трубке.

После гудка Тед глубоко вздохнул и начал льстивым тоном:

— Детка, ты же знаешь, как сильно я тебя люблю. Каждая минута моей жизни посвящена тому, чтобы сделать тебя звездой номер один, как ты того и заслуживаешь. Но мне также хочется, чтобы публика знала, насколько ты нежна и щедра. У меня нет слов, чтобы поблагодарить тебя за такое ошеломительное предложение, но я твой возлюбленный, лучший друг и рекламный агент, поэтому хочу, чтобы ты подумала о том, как представить все несколько иным способом.

Гудок дал ему знать, что время, отведенное для сообщения, закончилось. Стиснув зубы, Тед снова нажал кнопку повтора номера.

— Радость моя, у меня есть одна идея, которая даст куда более основательный и продолжительный эффект. Мы созовем пресс-конференцию завтра или когда тебе захочется. Ты заявишь, что немедленно жертвуешь пять миллионов долларов в Фонд пропавших детей. Каждый родитель, потерявший ребенка, будет боготворить тебя, а тебе при этом не придется иметь дело с разными низкопробными особами, которые попытались бы обратить твою щедрость себе на пользу. Подумай об этом, милая, и позвони мне.

Тед Карпентер наконец оставил в покое сотовый телефон, сумел кое-как дотерпеть до дома и сразу бросился в ванную комнату, где его вырвало. Несколько минут спустя, дрожащий от озноба, он прошел в спальню и снова взялся за телефон.

Рита Моран ответила заботливым материнским тоном:

— Тед, я видела тебя в новостях в Интернете. Ты ужасно выглядишь. Как ты себя чувствуешь?

— Так же ужасно, как выгляжу. Я ложусь в постель. Никаких звонков, если только...

Рита закончила за него:

— Если только не позвонит сама ведьма, сидя верхом на метле.

— Прямо сейчас она звонить не станет. Я ей дал некий разумный совет, и, может быть, он даже просочится в ее мозги.

— Как насчет назначенной встречи с Джеймибоем?

— Она отменена или же просто отложена.— Тед знал, что Рита прекрасно понимает все финансовые последствия потери такого клиента.

— Надеюсь, что просто отложена.

Тед уловил фальшивую твердость в ее тоне. Рита была единственной помощницей, знавшей, насколько опустошила его счета покупка того здания и какой это было чудовищной ошибкой.

— Кто знает,— сказал он.— Поговорим об этом позже. Прямо сейчас Зан допрашивают детективы. Если вдруг позвонят Коллинз или Дин, скажи им, что я дома.

Раздевшись, Тед забрался в постель и натянул на себя одеяло так, что снаружи осталась только макушка.

Следующие четыре часа он то засыпал, то снова просыпался.

Потом, в три часа, снова зазвонил телефон.

Это был детектив Коллинз.

45

Зан прекрасно помнила ту доброту, с какой обращались с ней детективы Билли Коллинз и Дженнифер Дин, когда пропал Мэтью. В тот день, после истерики Теда, когда он проклинал бывшую жену за то, что она оставила ребенка со слишком молодой няней, они даже сказали ей: «В такие моменты люди стараются справиться с трагедией, обвиняя кого-нибудь. Постарайтесь это понять».

Зан было известно, что они допрашивали Нину Элдрич и та подтвердила факт их встречи. Когда Тиффани Шилдс наконец немного успокоилась, она объяснила детективам, что новая няня, которую наняла Александра, не явилась на работу. Морланд позвонила ей в последнюю минуту и просто умоляла присмотреть за Мэтью, потому что ей нужно было встретиться с очень важной заказчицей, которую нельзя упускать.

Зан сказала детективам, что единственный человек, который может ее до такой степени ненавидеть,— это Бартли Лонг, но даже тогда она понимала, что копы не смотрят на него как на возможного преступника.

Они предположили, что яростная вспышка Теда из-за найма неопытной няни могла быть признаком хорошо скрытой враждебности, но Зан отказалась в это верить. Она объяснила детективам, что Тед сам одобрил первую няню Мэтью, да и новую тоже, ту, которую она наняла непосредственно перед исчезновением сына.

Фотографии. Конечно, они должны быть фальшивкой! С новой силой, обретенной ею после того, как утром она услышала голос Мэтью, в чем у нее не было никаких сомнений, Зан, рука об руку с Чарли Шором, прошла следом за детективами Коллинзом и Дин в комнату, где им предстоял длинный разговор.

Все уселись. Чарли Шор устроился рядом с Зан, Билли Коллинз и Дженнифер Дин — напротив них. В те недели, что последовали за исчезновением Мэтью, Морланд постоянно видела детективов как бы размытыми. На этот раз она внимательно всмотрелась в них. Обоим слегка за сорок. Физиономию Билли Коллинза не заметишь в толпе, в нем нет ни единой выдающейся черты. Глаза посажены довольно близко, уши чуть великоваты для длинного худощавого лица. Брови при этом кустистые. Вел он себя сдержанно и при этом выглядел слегка встрепанным, как будто у него не хватило времени причесаться и поправить галстук. Когда все заняли свои места, Билли заботливо спросил, не принести ли кофе или воды.

Зато Дженнифер Дин, привлекательная афроамериканская напарница Коллинза, сразу заставила Зан почувствовать себя неловко. В ней было что-то решительное, деловое. Морланд помнила тепло ее рук, когда едва не упала без сознания в тот жуткий день, едва примчавшись в Центральный парк. Именно Дженнифер тогда бросилась вперед и подхватила ее. Сегодня на напарнице Коллинза были темно-зеленый костюм и белый свитерок с большим воротом. Из украшений только широкое обручальное кольцо и маленькие золотые сережки. Черные как ночь волосы пока что не тронула седина. Она смотрела на Зан оценивающе, как будто видела ее в первый раз.

Зан сначала отрицательно качнула головой, когда ей предложили кофе, но неожиданная перемена в отношении к ней детектива Дин слишком ее озадачила.

— А может, кофе и не помешает,— сказала она.

— Отлично,— кивнул Коллинз.— Что-нибудь еще?

— Нет, спасибо,— ответила Зан.

— Вернусь через минуту.

Минута оказалась длинной. Детектив Дин не делала попыток начать разговор в отсутствие напарника.

Чарли Шор небрежным жестом положил руку на спинку стула Зан. Это было успокаивающее движение, давшее ей понять, что он готов к защите.

Но от чего адвокат собирался ее защищать?

Билли Коллинз наконец вернулся с бумажными стаканчиками, наполненными чуть теплым кофе, и сообщил:

— Ничего другого не нашлось.

Зан все же благодарно кивнула, пока Коллинз усаживался на стул и раскладывал на столе увеличенные фотографии женщины, вынимавшей спящего Мэтью из легкой коляски на аллее Центрального парка.

— Мисс Морланд, вы ли на этих фотографиях?

— Нет, не я,— твердо ответила Александра.— Похоже на меня, даже очень, но это не я.

— Мисс Морланд, а это ваша фотография? — Коллинз положил перед ней другой снимок.

Зан посмотрела на него и сказала:

— Да, это, наверное, сделали, когда я прибежала в Центральный парк после вашего звонка. Вы сказали, что Мэтью пропал.

— Вы видите какую-то разницу между женщинами на этих снимках?

— Да. Женщина, которая уносит Мэтью,— не я. Это подделка. Я — на той фотографии, что сделана после моего приезда в Центральный парк. Вы, конечно, должны знать это к настоящему времени.

Я тогда была вместе с моей заказчицей, Ниной Элдрич. Не сомневаюсь, вы это сразу проверили.

— Но вы нам не сказали, что, вместо того чтобы встретиться с миссис Элдрич в ее доме на Бикман-плейс, где она ждала вас более часа, отправились в ее городской дом на Шестьдесят девятой улице и были там все это время одна,— порицающим тоном произнесла Дженнифер Дин.

— Но ведь она назначила мне встречу именно там. Тому, что Нина задержалась, я ничуть не удивилась. Элдрич постоянно опаздывала на наши встречи, где бы они ни назначались — в новом ли доме, который она начинала отделывать, или в той квартире, где тогда жила.

— Но ее городской дом всего в нескольких минутах от Центрального парка, где и пропал Мэтью, разве не так, мисс Морланд? — спросил Билли Коллинз.

— Думаю, там минут пятнадцать пешком. Когда вы мне позвонили, я всю дорогу бежала со всех ног.

— Мисс Морланд, миссис Элдрич совершенно уверена, что приглашала вас прийти к ней на Бикман-плейс,— сказала детектив Дин.

— Это неправда. Она велела мне приехать в ее городской дом,— с жаром возразила Зан.

— Мисс Морланд, мы не пытаемся вас запутать,— успокоительным тоном продолжил Коллинз.— Вы говорите, что миссис Элдрич постоянно опаздывала на встречи?

— Да, именно так.

— Вы не знаете, у нее есть сотовый телефон? — спросил Коллинз.

— Конечно же есть,— кивнула Зан.

— Вы можете назвать его номер? — Билли Коллинз сделал глоток из стаканчика, поморщился и заметил: — Даже хуже, чем обычно.

Зан только теперь заметила, что держит в руке стаканчик, и тут же сделала глоток. О чем это спросил ее Коллинз? Да, конечно. Знала ли она номер мобильного Нины Элдрич.

— Он был записан в моем телефоне,— ответила она.

— Давно вы в последний раз говорили с миссис Элдрич? — спросила Дин ледяным тоном.

— Почти два года назад. Она мне прислала сообщение насчет Мэтью и сказала, что все понимает. Мол, для меня будет, пожалуй, слишком серьезной нагрузкой браться за отделку такого большого дома, как ее. Само собой, она подразумевала, что боится, будто я просто не смогу сосредоточиться на работе при таких обстоятельствах.

— Кто получил заказ на отделку ее городского дома? — спросил Коллинз.

— Бартли Лонг.

— Тот самый, которого вы подозреваете в похищении Мэтью?

— Это единственный известный мне человек, который всей душой ненавидит меня и завидует.

— К чему все эти вопросы? — поинтересовался наконец Чарли Шор, чуть заметно нажав на плечо Зан.

— Мы просто выясняем, часто ли мисс Морланд связывалась с миссис Элдрич в то время, когда шла речь о заказе на отделку того городского дома.

— Конечно же,— вмешалась Александра и снова ощутила легкий нажим руки Чарли на плечо.

— Вы были в хороших отношениях с миссис Элдрич? — спросила Дин.

— В обычных для заказчика и дизайнера, я бы так сказала. Ей нравилось то, как я вижу ее дом, мои предложения отделкой подчеркнуть все его выгоды, выявить архитектурные особенности, присущие постройкам конца девятнадцатого века.

— Сколько комнат в том доме? — спросила Дженнифер Дин.

«Вот уж не понимаю, почему их так интересует то место?» — подумала Зан, мысленно проходя по дому миссис Элдрич, и ответила:

— Он очень большой. Сорок футов в ширину, что, могу вас заверить, весьма необычно для нашего времени. Пять этажей. Верхний превращен в зимний сад. Там одиннадцать комнат, есть винный погреб, в подвале — вторая кухня и кладовая.

— Понятно. Значит, вы приехали туда, чтобы встретиться с Ниной Элдрич. Вы были удивлены, когда она так и не появилась? — спросил Коллинз.

— Удивлена? Нет, не особенно. Она постоянно опаздывала, пришла вовремя только раз. Зато когда я однажды задержалась на пять минут, Нина тут же дала мне понять, как драгоценно ее время. Не в ее привычках кого-то ждать.

— Тот факт, что няня, пришедшая к Мэтью, была простужена и плохо себя чувствовала, не заставил вас встревожиться и хотя бы позвонить нанимательнице? — спросила Дин.

— Нет...— Зан казалось, что она погружается в некое болото, в котором все сказанное ею звучит как ложь.— Нине Элдрич очень не понравилось бы, если бы я напомнила ей о встрече.

— Как часто вам приходилось ждать ее с час или более того? — спросила Дин.

— Случалось и дольше.

— Но разве не было бы разумным позвонить ей и спросить, не ошиблись ли вы относительно времени и места встречи?

— Она назначала их сама, и я это знала. Таким персонам, как Нина Элдрич, нельзя напоминать об их ошибках.

— Значит, вы сидели или стояли там час или больше, прежде чем она наконец вам позвонила?

— Я просто работала над эскизами и фотографиями античной мебели и канделябров, которые собиралась ей показать. В нескольких случаях я еще и сама не сделала выбор. Так что время прошло быстро.

— Насколько я понял, в доме в тот момент почти не было мебели? — заметил Коллинз.

— Карточный столик и два складных стула,— подтвердила Зан.

— Значит, вы просидели за карточным столом более часа, разбираясь в своих эскизах?

— Нет. Я поднялась наверх, в хозяйскую спальню на третьем этаже. Я хотела еще раз осмотреть ее и проверить, как выбранные мною орнаменты будут смотреться в ярком солнечном свете. Припомните, день-то был необычайно теплым и ясным.

— Вы бы услышали, находясь на третьем этаже, если бы именно в это время пришла миссис Элдрич? — спросила Дженнифер Дин.

— Она увидела бы мои папки, лежащие на столе, как только перешагнула бы через порог,— сказала Зан.

— У вас был ключ от ее дома, мисс Морланд?

— Конечно. Ведь предполагалось, что я буду декорировать его сверху донизу. Я несколько недель регулярно приходила туда.

— То есть вы достаточно хорошо познакомились с домом, верно?

— Думаю, это очевидно,— огрызнулась Зан.

— В том числе и с подвалом вместе со второй кухней, винным погребом и кладовой. Вы предполагали как-то отделывать и ее тоже?

— Там было огромное темное пространство, практически недоступное. Нечто вроде полуподвала, куда можно было попасть через дверь в дальнем конце винного погреба. Но в доме имелось и множество других мест, куда более удобных для хранения разных вещей. Я предполагала покрасить то помещение, сделать в нем хорошее освещение и установить полки, чтобы там можно было держать всякую ерунду вроде коньков и лыж внуков миссис Элдрич.

— В кладовой можно было устроить отличный тайник, если бы кому-нибудь вздумалось спрятать что-то или кого-то, ведь так? — спросила Дженнифер Дин.

— Не отвечайте на этот вопрос,— мгновенно приказал Чарли Шор.

Но Билли Коллинза это как будто не обеспокоило, и он спросил:

— Мисс Морланд, когда вы вернули ключи миссис Элдрич?

— Примерно через две недели после исчезновения Мэтью. Именно тогда она прислала мне записку о том что думает, будто потрясение из-за похищения Мэтью наверняка слишком сильное. Вряд ли я справлюсь с большой работой.

— В течение этих двух недель вы продолжали думать, что получите заказ?

— В общем, да.

— Могли вы его действительно выполнить, учитывая исчезновение сына?

— Да, я смогла бы сделать эту работу. На самом деле мне кажется, что именно сосредоточенность на задании и помогла мне сохранить рассудок.

— Значит, вы продолжали бывать в том пустом доме после похищения сына?

— Да.

— Вы ходили туда, чтобы повидаться с Мэтью?

Зан стремительно поднялась и резко спросила:

— Вы что, с ума сошли? Вы о чем говорите? Вы действительно думаете, что я похитила собственного сына и спрятала в подвале?

— Зан, сядьте,— решительным тоном произнес Чарли Шор.

— Мисс Морланд, как вы сами много раз повторяли, это очень большой городской дом. Почему вы решили, что мы думаем, будто вы прятали Мэтью именно в подвале?

— Потому что вы именно это и предполагаете! — закричала Зан.— Вы меня обвиняете в том, что я похитила собственного сына, привезла его в тот дом и спрятала там! Вот только зачем вы зря тратите время? Почему не ищете того, кто соорудил эти фотографии, подстроил все так, будто это я уношу Мэтью? Вы что, не понимаете, что только так можно найти моего сына?

Детектив Дин тоже повысила голос:

— Мисс Морланд, наши эксперты очень тщательно изучили фотографии! Они не сооружены, как вы выражаетесь. Эти снимки не фотомонтаж!

Как ни старалась Зан, ей не удалось подавить рыдания, от которых содрогнулись ее плечи.

— Значит, кто-то гримируется, сознательно изображает меня! Но почему, зачем? — кричала она.— Почему вы не слушаете? Бартли Лонг ненавидит меня. Я стала мешать ему с той самой минуты, как начала свое дело! К тому же этот бабник пытался ко мне подъехать, когда я у него работала! Он последняя дешевка, не выносит отказов! Это еще одна причина к тому, чтобы меня ненавидеть!

Ни Коллинз, ни Дин ничем не показали своих чувств.

Потом, когда Зан закрыла ладонями заплаканное лицо и сумела отчасти справиться со своей реакцией на безжалостные вопросы, Дженнифер Дин сказала:

— Мисс Морланд, это новый факт в вашей истории. До сих пор вы ни разу не упоминали о том, что Бартли Лонг домогался вас в сексуальном смысле.

— Не упоминала, потому что не думала тогда, что такое может быть важно. Это всего лишь малая часть общей картины.

— Зан, как часто после смерти ваших родителей у вас случались обмороки и провалы в памяти? — спросил Коллинз, голос которого на этот раз звучал тепло и сочувственно.

Зан попыталась утереть слезы, понимая, что детектив, по крайней мере, не является ее врагом, и ответила:

— Да у меня полгода все перед глазами расплывалось. Потом я начала приходить в себя, мыслить ясно и тогда поняла, что была несправедлива к Теду. Он терпел все эти мои приступы слезливости, то, что я целыми днями валялась в постели, проводил со мной вечера, когда ему следовало встречаться с клиентами, бывать на разных мероприятиях и так далее... Когда руководишь рекламным, точнее, пиарным агентством, нельзя пренебрегать своими обязанностями.

— Когда вы ему сказали, что уходите от него? Сразу, как только это решили?

— Я знала, что он будет слишком сильно тревожиться за меня и постарается отговорить, убедить, поэтому просто нашла маленькую квартирку. У моих родителей была страховка, небольшая, на пятьдесят тысяч долларов, но она давала мне некую гарантию нового начала. Я говорю об открытии своего бизнеса. Еще я взяла маленькую ссуду в банке.

— Как отреагировал ваш муж, когда вы наконец сообщили, что уходите и желаете развестись?

— Он должен был ехать в Калифорнию, на премьеру нового фильма Марисы Янг. Он собирался нанять сиделку для меня на это время. Именно тогда я ему и сказала, что бесконечно благодарна, но больше не могу висеть грузом на его шее. Весь наш брак был сплошным актом благородства с его стороны, но я знаю, что смогу справиться со всем в одиночку, и возвращаю ему свободу. Я заявила, что решила переехать. Он оказался настолько добр, что даже помог мне в этом.

«Они хотя бы не обвиняют меня, пока задают мне вопросы насчет Теда»,— подумала Зан.

— Когда именно вы поняли, что носите под сердцем Мэтью?

— У меня после гибели родителей несколько месяцев не было женских дней. Доктор сказал, что тут нет ничего необычного, это просто результат потрясения. Потом месячные вернулись, но были нерегулярными. Так что лишь через несколько месяцев после расставания с Тедом я поняла, что жду Мэтью.

— Как вы отнеслись к своей беременности? — спросила Дин.

— Сначала я была потрясена, а потом — бесконечно рада.

— Несмотря на то, что вы взяли ссуду в банке, чтобы начать свое дело? — спросил Коллинз.

— Я знала, что будет нелегко, но меня это не пугало. Конечно, я сообщила Теду, но сразу добавила, что ему незачем беспокоиться за мое финансовое положение.

— Почему нет? Он ведь отец, разве не так?

— Конечно, он отец! — энергично согласилась Зан.

— К тому же у него свое успешное агентство по организации общественного мнения... так это официально называется, да? — подчеркнула детектив Дин.— Это не реклама в обычном смысле. Вы заодно не сказали ему, что вообще не хотите, чтобы он имел какое-то отношение к вашему ребенку?

— К нашему ребенку,— возразила Зан.— Тед настаивал на том, чтобы оплачивать няню, пока я не встану на ноги в деловом смысле. Если я не хочу принимать от него финансовую помощь, то он мог бы открыть счет на имя Мэтью и переводить деньги на него.

— Вы рисуете слишком уж идиллическую картинку, мисс Морланд,— саркастически произнесла Дженнифер Дин.— Но разве на самом деле отца Мэтью не беспокоило то, что вы очень уж надолго оставляете ребенка с няней? Разве он, по сути, не давал вам понять, что предпочел бы полностью взять на себя заботу о сыне — по мере того как вы все больше и больше сил отдавали своему бизнесу?

— Это все ложь! — закричала Зан.— Мэтью всегда был всей моей жизнью! Поначалу мой помощник работал только часть дня. Если ко мне не приходил какой-то заказчик или я не отправлялась на встречу, то Гретхен, няня, приводила Мэтью в офис на обратном пути из парка. Проверьте мой деловой дневник за все время с момента его рождения и до исчезновения — я же почти каждый вечер проводила дома, с ним. Мне и не хотелось никуда ходить. Я слишком его любила.

— Вы его любили,— рявкнула Дин.— Значит, думаете, что он мертв?

— Нет, не мертв. Он сегодня утром меня звал.

Детективы не сумели скрыть изумление.

— Он вас звал сегодня утром? — резко спросил Билли Коллинз.

— Да, я хочу сказать, что сегодня рано утром слышала его голос.

— Зан, мы уже уходим,— заявил Чарли Шор, сам немало потрясенный.— Допрос окончен.

— Нет. Я хочу объяснить. Отец Эйден был так добр со мной вчера вечером, когда я с ним познакомилась. Я знаю, что даже Альвира и Уилли не верят, что это не я на тех фотографиях в Центральном парке. Но отец Эйден дал мне ощущение покоя, и оно не оставляло меня всю ночь. Потом, едва проснувшись утром, я услышала голос Мэтью так отчетливо, как будто он был в одной комнате со мной. Я поняла, что он жив.

Зан встала, так резко оттолкнула стул, что тот опрокинулся, и закричала:

— Мой сын жив! Зачем вы меня мучаете? Почему никто не ищет моего малыша? Почему вы не верите, что это не я на тех фотографиях? Вы считаете меня сумасшедшей, но сами слепы и глупы! — Голос Морланд звучал уже истерически.— Слепы те, кто не желает видеть! На тот случай, если вы не знаете, так говорится в Библии! Два года назад, когда вы не пожелали услышать мои слова о Бартли

Лонге, я тоже так думала! — Александра повернулась к Чарли Шору и спросила: — Я что, арестована? Если нет, то идем отсюда, ко всем чертям!

46

Альвира позвонила в студию Зан и узнала от Джоша, что Чарли Шор повез Морланд в полицейский участок на допрос. Потом Грин рассказал ей о билете в Буэнос-Айрес и заказах, которые Зан отправила их поставщикам.

Когда Уилли вернулся с утренней прогулки по Центральному парку, жена с тяжелым сердцем пересказала ему все это и добавила:

— Ох, Уилли, я чувствую себя такой беспомощной. Эти фотографии не оставляют сомнений. А теперь Зан покупает билет в один конец в Бразилию и заказывает материалы для работы, на которую ее никто пока что не нанимал.

— Может быть, она думает, что ее загоняют в угол, и хочет сбежать? — предположил Уилли.— Послушай, Альвира, если это действительно она сама унесла Мэтью, может, он теперь где-то в Южной Америке, с каким-то ее другом? Разве Зан тебе не говорила, что знает несколько языков, в том числе и испанский?

— Да. Она много ездила по разным странам, еще в детстве, вместе с родителями. Но, Уилли, это же все равно что назвать Зан настоящей злоумышленницей! Не думаю, что это правда. Мне кажется, проблема в том, что она страдает провалами памяти или же раздвоением личности. Я много читала о таких случаях. Человек не имеет ни малейшего понятия о том, что творит. Вспомни-ка ту книгу, «Три лица Евы»!* В одной женщине скрывались даже три разные личности, и ни одна из них ничего о других не подозревала. Может быть, в Зан живет та особа, которая похитила Мэтью? Вдруг она передала мальчика какому-то другу, тот увез его в Южную Америку и теперь именно та вторая личность и собирается поехать к ним?

— Знаешь, милая, вся эта ерунда с раздвоением для меня звучит как какой-нибудь фокус-покус,— возразил Уилли.— Я все готов сделать для Зан, но действительно думаю, что она психически нездорова. Надеюсь, что мать не сделала малышу ничего плохого, пока совсем не соображала.

Утром Уилли гулял, а Альвира занялась уборкой квартиры. Они с мужем вложили бо́льшую часть своего выигрыша в надежные финансовые бумаги и солидные паевые фонды, получали теперь неплохие дивиденды, но Михан так и не смогла заставить себя нанять уборщицу. По настоянию Уилли она пыталась это сделать, но тут же обнаруживала, что сама работает в три раза быстрее и вдесятеро тщательнее, чем любая женщина, приходящая к ним раз в неделю.

Вот уже их трехкомнатная квартира, выходящая окнами на Центральный парк, засверкала, лучи солнца, наконец-то выглянувшего из-за облаков,

---

* Роман Корбетта Тигпена и Харвея Клекли.

бодро заиграли на сияющей поверхности стеклянного кофейного столика и в зеркале, висевшем на дальней стене. Когда Альвира пылесосила, протирала мебель и полы в кухне, это помогало ей успокоиться. На время данного занятия она надевала мыслительную шляпку. Так именовался некий воображаемый головной убор, помогавший ей найти решение многих проблем.

Было уже почти одиннадцать утра. Альвира включила телевизор, чтобы посмотреть новости, и как раз успела увидеть Зан, выходившую из машины, и то, как Чарли Шор пытался оградить ее от репортеров.

Когда Александра остановилась и заговорила в микрофон, Михан увидела испуг на лице Чарли, вздохнула и заявила:

— Ох, Уилли, любой, кто сейчас видит и слышит Зан, сразу подумает, что ей точно известно, где находится Мэтью. Она так уверена в том, что он жив...

Уилли, устроившийся с утренней газетой в кресле с низкой мягкой спинкой, услышал голос жены, поднял голову и произнес многозначительным тоном:

— Зан не просто так уверена в том, что мальчик жив. Она знает, где он, милая. Должен сказать, что, судя по тому представлению, какое эта Морланд устроила тут прошлым вечером, она черт знает какая хорошая актриса.

— А как вела себя Александра, когда ты отвозил ее домой?

Уилли провел ладонью по пышным седым волосам, сосредоточился, нахмурился и ответил:

— Да так же, как и здесь у нас. Словно раненая олениха. Сказала, что мы — ее лучшие друзья и она не знает, что делала бы без нас.

— Значит, если она спрятала где-то Мэтью, то и сама об этом ничего не знает,— уверенно заявила Альвира, нажимая на кнопку пульта, чтобы выключить телевизор.— Хотелось бы мне знать, что отец Эйден думает о Зан. Когда он сказал, что будет молиться за нее, я слышала, как она попросила сделать это за Мэтью и добавила, что Бог забыл о ее существовании. У меня просто сердце кровью облилось. Мне так захотелось обнять ее покрепче!

— Альвира, я готов поставить десять долларов против пончика за то, что Зан вот-вот арестуют,— сказал Уилли.— Ты должна приготовиться к этому.

— Уилли, это было бы просто ужасно! Неужели они не могли бы передать ее на поруки или отпустить под залог?

— Не знаю. Но им наверняка не понравится то, что она купила билет в Южную Америку, да еще и в один конец. Это может послужить основанием к тому, чтобы держать ее под замком.

Зазвонил телефон. Это оказалась Пенни Хэммел, которая желала сообщить, что они с Берни рады будут присутствовать на собрании группы поддержки победителей лотерей днем во вторник.

Альвира, полная тревоги о Зан, хотела перенести это собрание на более поздние сроки, но веселый голос Пенни немного ее взбодрил. Она знала, что во многом они с Пенни — родственные души. Обе носили четырнадцатый размер, обладали отличным чувством юмора, надежно сохранили обрушившиеся на них деньги, состояли в счастливом браке. Конечно, у Пенни было трое детей и шестеро внуков, а Альвиру Господь не благословил детьми. Все же она считала себя приемной матерью Брайана, племянника Уилли, и бабушкой его детей. Кроме того, Михан никогда не тратила понапрасну времени, мечтая о том, чего просто не могло быть в ее жизни.

— Тебе удалось в последнее время раскрыть какое-нибудь преступление, Альвира? — спросила Пенни.

— Увы, ни одного,— призналась та.

— А ты смотрела телевизор, видела эту Зан Морланд, которая похитила собственного ребенка? Я просто оторваться не могу от этой истории!

Альвира не собиралась обсуждать с не в меру разговорчивой Пенни свою подругу Зан, да и вообще признаваться в том, что знакома с ней.

— История довольно печальная,— осторожно сказала она.

— Да, это верно,— согласилась Пенни.— Но когда мы увидимся, я тебе расскажу и другую историю, повеселее. Мне тут показалось было, что я вот-вот поймаю торговца наркотиками или открою еще что-нибудь такое же зловещее. Потом я обнаружила, что суетилась по пустякам. Ох, мне, наверное, никогда не удалось бы написать книгу о расследовании преступления, как это сделала ты. Я тебе говорила когда-нибудь, что название «Из грязи в князи» сразу захватывает?

«Ты мне это заявляешь при каждой встрече»,— благодушно подумала Альвира, но вслух сказала:

— Мне оно и самой нравится.

— Как бы то ни было, может, ты немножко посмеешься, когда услышишь о преступлении, которого не было. Ты ведь знаешь, моя лучшая подруга в наших местах — Ребекка Шварц. Она агент по недвижимости.

Альвира прекрасно знала, что остановить Пенни невозможно, не проявив невежливости. Взяв с собой телефон, она прошла через гостиную к мягкому креслу, в котором засел Уилли, в этот момент пытавшийся разгадать новый кроссворд, и коснулась его плеча.

Когда тот оглянулся, жена одними губами произнесла:

— Пенни Хэммел!

Уилли кивнул, встал, направился к входной двери квартиры и вышел в холл.

— В общем, Ребекка сдала один дом неподалеку некоей молодой женщине, и я должна тебе рассказать, почему эта особа показалась мне странной.

Уилли нажал на кнопку звонка и держал на ней палец достаточно долго, чтобы Пенни наверняка услышала звук.

— Ох, прости, мне неприятно тебя перебивать, но кто-то звонит в дверь, а Уилли нет дома. Жду с нетерпением нашей встречи в четверг! Пока, дорогая! Как противно лгать! — сказала она мужу.— Но я слишком тревожусь о Зан, чтобы выслушивать одну из длинных историй Пенни. К тому же когда я сказала, что тебя нет дома, это не было ложью. Ты ведь действительно стоял в холле.

— Альвира, я говорил это однажды и повторю снова. Из тебя получился бы великий адвокат! — Уилли улыбнулся.

47

В одиннадцать Тоби Гриссом рассчитался в мотеле на Лоу-Ист-сайд, в котором останавливался на ночь, и пешком пошел к Сорок второй улице, где мог сесть на автобус к аэропорту Ла Гуардиа. Его рейс был только в пять часов, но Тоби просто не в силах был торчать в мотеле.

Погода была холодной, но день выдался ясным, солнечным, а Тоби очень любил совершать длинные пешие прогулки как раз в такую погоду. Конечно, все заметно изменилось с тех пор, как он начал ходить на химиотерапию. Эти сеансы просто выжимали его досуха, и Тоби уже начал гадать, стоит ли продолжать их, раз уж они все равно не могут избавить его от боли.

«Может быть, доктор пропишет мне какие-нибудь таблетки или еще что-то, чтобы я не так сильно уставал»,— думал Гриссом, шагая по авеню Би.

Он посмотрел на брезентовую сумку, лишний раз убеждаясь, что не забыл ее. В ней лежал плотный конверт с фотографиями Глори. Это были самые последние снимки, те, что она прислала ему перед исчезновением.

Тоби также всегда носил с собой ту открытку, которую Глори отправила ему полгода назад. Сложенная пополам, она лежала в его бумажнике. От этого Тоби ощущал себя ближе к дочери, хотя с того момента, когда он приехал в Нью-Йорк, у него усилилось чувство опасности, грозившей ей.

Этот Бартли Лонг явно оказался дурной новостью, тут уж никто не ошибся бы. Конечно, он одевался так, что любой олух оценил бы весьма немалую стоимость костюмчика. Дизайнер был довольно интересен собой, хотя имел слишком тонкий нос и чересчур узкие губы. Когда он на вас смотрел, вам казалось, что вы наступили на какую-то дрянь.

«Да, Бартли Лонг следит за собой,— думал Тоби.— Даже такому простому парню, как я, это понятно. Волосы у него довольно длинные. Нет, не как у какой-нибудь рок-звезды с дикими патлами, из-за чего эти ребята похожи на пьяных бездомных, но все-таки длинные. Могу поспорить, он платит за стрижку не меньше четырехсот долларов. Как политики, которые выкладывают цирюльникам сумасшедшие денежки...»

Еще Тоби думал о руках Лонга. При виде их никому и в голову не пришло бы, что Лонг хоть один день в жизни занимался честным трудом.

Гриссом вдруг заметил, что задыхается и идет слишком близко к обочине. Он медленно пробрался сквозь поток пешеходов, стремясь к ближайшему зданию, прислонился к стене, уронил сумку и достал ингалятор.

Тот помог. Тоби глубоко вздохнул, стараясь как следует наполнить легкие воздухом, потом выждал несколько минут и наконец почувствовал себя готовым к дальнейшей прогулке. Стоя у стены, он наблюдал за пешеходами и думал о том, что в Нью-Йорке можно увидеть кого угодно. Больше половины прохожих, даже те, кто толкал перед собой коляски с детьми, на ходу говорили по мобильным телефонам. Бла-бла-бла... Какого черта они постоянно болтают друг с другом? Мимо Тоби прошла компания совсем молодых девушек, чуть старше двадцати. Они разговаривали и смеялась, а Тоби грустно смотрел на них, хорошо одетых, в красивой обуви.

«Как только они умудряются ходить на таких безумно высоких каблуках?» — спрашивал себя Тоби.

Некоторые были коротко подстрижены, у других волосы падали на плечи. Но все выглядели так, словно только что выскочили из душа. Такие чистенькие и блестящие.

Наверняка у них отличная работа, они служат где-нибудь в офисах или больших магазинах.

Тоби наконец снова тронулся с места.

«Теперь-то я понимаю, почему Глори так хотелось поехать в Нью-Йорк. Вот только лучше бы она поискала какую-нибудь конторскую работу, а не рвалась в актрисы. Кажется мне, что из-за этого у нее и начались неприятности. Да, я знаю, что у нее проблемы, и виноват в них тот самый Лонг».

Тоби думал и о том, как его туфли на резиновой подошве наследили на ковре в приемной Лонга.

«Надеюсь, все это удастся отчистить,— размышлял он, уворачиваясь от какой-то бездомной тетки, толкавшей перед собой тележку с рваной одеждой и старыми газетами.— Офис этого Лонга тоже выглядит фальшивкой,— продолжал раздумывать Тоби.— Все такое надутое... можно подумать, что попал в Букингемский дворец. На письменном столе — ни единой бумажки. Где же он сочиняет все свои планы отделки разных домов, как выполняет заказы?»

Глубоко уйдя в свои мысли, Тоби чуть не шагнул на мостовую уже после того, как светофор загорелся красным огоньком. Ему пришлось отпрыгнуть назад, чтобы его не смел туристический автобус.

«Да, мне все-таки надо смотреть, куда иду,— напомнил себе Тоби.— Я же не для того приехал в Нью-Йорк, чтобы меня размазал по мостовой какой-нибудь автобус! — Его мысли снова вернулись к Бартли Лонгу.— Я же не вчера родился, знаю, зачем этот Лонг заманивал Глори в свой загородный дом. Он ведь именно так называет свой особняк в Коннектикуте. Его загородный дом! Глори была наивной, нежной девочкой, когда приехала в Нью-Йорк. Лонг, конечно же, возил ее в Коннектикут не для того, чтобы поиграть в блошки. Он от нее кое-чего хотел...»

Если бы только она вышла замуж за Руди Шелла сразу после окончания школы! Он просто с ума по ней сходил. Руди начал работать, как только ему исполнилось восемнадцать, теперь уже имел собственный солидный бизнес, занимался водопроводами, построил большой дом и только в прошлом году наконец женился. Встречаясь с Тоби, он всегда расспрашивает, как дела у его дочери. Нетрудно догадаться, что она до сих пор ему нравится.

Тоби вдруг заметил, что очутился совсем недалеко от тринадцатого полицейского участка, где вчера разговаривал с детективом Джонсоном. Тут ему в голову внезапно пришла одна мысль. Тот парень так и не попросил показать открытку, присланную Глори.

«Текст-то на ней был напечатан, а не написан от руки,— думал Тоби.— Я ведь считал, что это потому, что у Глори уж очень размашистый почерк. Но вдруг это вообще не она отправила открытку? Допустим, кто-то сообразил, что я буду нервничать, и решил не допустить того, чтобы я начал разыскивать дочь? Может, тот человек уже знает, что я здесь...

Зайду-ка я снова к этому детективу Джонсону и посижу у стола, который он считает особым достижением,— решил Тоби.— Я попрошу его проверить открытку на отпечатки пальцев, потом объясню, что хочу, чтобы коп немедленно повидался с мистером Бартли Лонгом, если он до сих пор еще не поговорил с этим дизайнером. Может, детектив Джонсон думает, что меня можно дурачить, собирается просто позвонить Лонгу, извиниться за неуместное беспокойство, а потом еще и сообщить, что к нему явился некий старикашка и требует разных проверок? Потом коп спросит, знаком ли Лонг с Глори, и если да, то какие между ними отношения. Лонг, конечно, наговорит ему той же ерунды, что и мне. Мол, он якобы пытается помочь Глори сделать карьеру и давно уже ничего о ней не слышал. Детектив Джонсон, сидя за столом у окна, откуда открывается такой чудесный вид, еще раз извинится за то, что побеспокоил мистера Лонга, на том дело и кончится...

Если я опоздаю на рейс, значит, так тому и быть,— решительно думал Тоби, поворачивая за угол и шагая в сторону тринадцатого участка.— Но я не могу вернуться домой, пока этот детектив не проверит отпечатки на открытке, не встретится лицом к лицу с этим мерзким Лонгом и не выяснит, где и когда тот в последний раз видел мою Глори».

48

— Мисс Морланд, вы не арестованы, по крайней мере пока,— сказал Билл Коллинз в спину Зан, когда та направилась к двери.— Но я попросил бы вас немного задержаться.

Она оглянулась на Чарли Шора, и тот кивнул. Снова усевшись на стул, Зан попросила дать ей воды, чтобы немножко потянуть время и собраться с мыслями. Она ждала, когда Коллинз принесет стакан, и изо всех сил старалась взять себя в руки, избежать еще одного взрыва. Чарли сразу же опять положил руку на спинку ее стула и на долю мгновения прижал ладонь к плечу Зан. Но на этот раз его жест не показался ей успокаивающим.

Она спрашивала себя, почему он ничего не возражает на инсинуации этих копов. Нет, это были не намеки, а прямые обвинения. Какой смысл нанимать адвоката, если он не желает защищать ее от этих людей?

Зан немного развернула свой стул влево, чтобы не сидеть лицом к лицу с детективом Дин, и только потом заметила, что та заглядывает в блокнот, который достала из кармана.

Билли Коллинз вернулся со стаканом воды, сел за стол напротив Александры и начал:

— Мисс Морланд...

Зан перебила его:

— Я бы хотела поговорить со своим адвокатом наедине.

Коллинз и Дин сразу встали.

— Пойдем пока выпьем кофе,— сообщил Билли.— Ничего, если мы вернемся через пятнадцать минут?

В ту же секунду, когда за ними закрылась дверь, Морланд рывком развернула стул, уставилась в лицо Чарли Шору и резко спросила:

— Почему вы позволяете им нападать на меня со всеми этими обвинениями? Почему вы молчите? Вы просто сидите тут и хлопаете меня по плечу, давая им возможность предполагать, что я украла собственного сына, отвела его в тот дом и заперла в подвале!

— Зан, я понимаю ваши чувства,— заговорил Чарли Шор.— Но мне приходится пока помалкивать. Я должен узнать все, что они готовы использовать, выстраивая обвинение против вас. Если детективы не будут задавать все эти вопросы, мы не сможем подготовить защиту.

— Вы думаете, они собираются меня арестовать?

— Зан, мне очень неприятно вам это говорить, но я уверен: они без труда получат ордер на ваш арест. Может быть, не сегодня, но определенно в ближайшие дни. Я опасаюсь насчет того, какие обвинения могут выдвинуть детективы. Создание препятствий правосудию. Лжесвидетельство. Воспрепятствование осуществлению родительских прав вашим бывшим мужем. Я не знаю, зайдут ли они так далеко, чтобы обвинить вас в похищении, вы все-таки мать, но возможно и такое. Вы же только что им сказали, что Мэтью разговаривал с вами сегодня.

— Они прекрасно поняли, что я имела в виду.

— Это вы так думаете. Они могут решить, что вы говорили с Мэтью по телефону.— Увидев ошеломленное выражение лица Александры, Чарли добавил: — Зан, мы должны отрепетировать все самые худшие сценарии. Нужно, чтобы вы мне доверяли.

Следующие несколько минут они молчали.

Когда детективы вернулись в комнату, Коллинз спросил:

— Вам нужно еще время?

— Нет,— ответил Чарли Шор.

— Тогда давайте поговорим о Тиффани Шилдс, мисс Морланд. Как часто вы приглашали ее посидеть с Мэтью?

Вопрос оказался неожиданным, но ответить на него было нетрудно:

— Не слишком часто, лишь время от времени. Ее отец — управляющий в том доме, где я жила, когда родился Мэтью, и провела еще полгода после его исчезновения. Гретхен, его постоянная няня, получала выходные в конце недели, и меня это только радовало, потому что мне нравилось самой заниматься сыном. Когда он немножко подрос, в тех случаях, если я должна была уйти куда-то вечером, с ним оставалась Тиффани.

— Она вам нравилась? — спросила детектив Дин.

— Конечно! Я всегда считала ее умной, милой девушкой. Она так любила Мэтью! Иногда в выходные, когда я гуляла с ним в парке, Тиффани присоединялась к нам просто так, ради компании.

— Вы дружили настолько, что делали ей подарки? — спросил Коллинз.

— Я бы не назвала это подарками. У нас с Тиффани один размер. Случалось такое, что я начинала наводить порядок в гардеробе и вдруг обнаруживала жакет, шарф или блузку, которые уже давно не носила. Если мне казалось, что Тиффани понравится эта вещь, то я отдавала ее ей.

— Вы считали ее хорошей няней?

— Если бы я так не думала, ни за что не оставила бы с ней своего ребенка. Конечно, до того ужасного дня, когда она заснула в парке...

— Вы знали, что Тиффани была простужена, плохо себя чувствовала и не хотела сидеть с мальчиком в тот день,— резко бросила детектив Дин.— Что, неужели не нашлось никого другого, кому вы могли бы позвонить и попросить о помощи?

— Никого, кто жил бы достаточно близко, мог бы все бросить и прибежать ко мне. Кроме того, почти все мои друзья занимаются делом, как и я. Они работают. Вы должны понять, что я была просто в ужасе. Понимаете, невозможно в последнюю минуту просто позвонить человеку вроде Нины Элдрич и заявить, что вы переносите или отменяете встречу. Я потратила огромное количество времени на разработку эскизов для ее городского дома, а если бы позвонила ей и сказала такое, Нине ничего не стоило бы отказаться от моих услуг. Я лишь молилась о том, чтобы увидеться с ней!

Зан понимала, что старается выполнять наставления Чарли Шора, желавшего знать, куда клонят детективы со всеми этими вопросами, но все равно не могла скрыть нервную дрожь в голосе. Но зачем они расспрашивают ее о Тиффани Шилдс?

— Значит, Тиффани весьма неохотно согласилась помочь вам и пришла в вашу квартиру? — ровным голосом, без какого-либо выражения на лице спросила детектив Дин.

— Да.

— Где в это время был Мэтью?

— Спал в прогулочной коляске. Поскольку на улице было очень тепло, я на всю ночь оставила окно открытым, и он тем утром проснулся в пять часов, от шума мусоровоза. Обычно мальчик спал до семи, но тем утром уже не заснул снова. Мы с ним встали и позавтракали очень рано. Поэтому я пораньше накормила его обедом, а когда должна была прийти Тиффани, уложила в коляску, и он тут же заснул.

— Сколько было времени, когда вы его устроили в коляске? — спросил Коллинз.

— Я бы сказала, около полудня. Сразу после того, как покормила.

— В котором часу в квартире появилась Тиффани?

— Около половины первого.

— Он спал, когда пришла няня, чтобы взять мальчика на прогулку, и продолжал спать, когда его забрали из коляски примерно полтора часа спустя.— В голосе Дженнифер Дин звучала откровенная насмешка.— Но вы не позаботились о том, чтобы застегнуть ремни коляски, которые должны были удерживать ребенка, так?

— Я как раз собиралась это сделать, когда пришла Тиффани.

— Но не сделали.

— Я укрыла Мэтью легким хлопковым одеяльцем и попросила Тиффани застегнуть ремни, прежде чем мы вместе вышли из квартиры.

— То есть вы так спешили, что даже не проверили, закреплен ли ваш единственный ребенок в коляске?

Зан чувствовала, что готова уже закричать от разочарования, зарычать на детектива.

«Она искажает все, что я говорю»,— подумала Морланд, но тут же снова ощутила прикосновение руки Чарли Шора к своему плечу, поняла, что он предостерегает ее, посмотрела прямо в бесстрастное лицо Дин и заявила:

— Когда Тиффани пришла, мне стало ясно, что она действительно не очень хорошо себя чувствует. Я ей сказала, что уложила в коляску еще одно одеяло, в ногах у Мэтью. Если ей не удастся найти скамью где-нибудь в тихом месте, чтобы мальчик там спокойно спал, она может расстелить его на траве и посидеть.

— Вы предложили ей пепси? — спросил детектив Коллинз.

— Да, Тиффани сказала, что хочет пить.

— Что было в этом напитке? — рявкнула Дин.

— Ничего. О чем это вы? — удивилась Зан.

— Вы давали Тиффани что-нибудь еще? Няня уверена, что вы подсыпали что-то в шипучку, чтобы она отключилась там, в Центральном парке, дали ей снотворное вместо лекарства от простуды.

— Да вы с ума сошли! — закричала Зан.

— Вовсе нет,— с презрением произнесла детектив Дин.— Вы стараетесь изобразить себя добрым человеком, мисс Морланд. Но разве не факт, что ребенок мешал вашей драгоценной карьере? У меня есть дети. Они уже в старших классах, но я прекрасно помню то кошмарное время, когда малыши просыпались слишком рано и целыми днями безобразничали. Карьера для вас значит чрезвычайно много, не так ли? Так что этот неожиданный дар небес стал для вас настоящей занозой. Вы знали, что подвернулся идеальный случай избавиться от нее.— Детектив Дин встала и ткнула пальцем в сторону Зан.— Вы намеренно отправились в городской дом Нины Элдрич, хотя она ждала вас на Бикман-плейс. Вы пришли туда с папками эскизов, образцами тканей, оставили все там, а потом пешком прошли через парк, зная, что Тиффани заснет очень скоро. Вы заметили подвернувшийся шанс и не упустили его. Вы схватили сына, унесли его в тот огромный пустой дом и спрятали в подвале за винным погребом.

Вопрос в том, что вы потом сделали с ним, мисс Морланд. Говорите!

— Возражаю! — закричал Чарли Шор, рывком поднял Зан со стула и заявил: — Мы немедленно уходим. Надеюсь, вы не возражаете?

Билли Коллинз спокойно улыбнулся и сказал:

— Нет, советник. Но нам нужны полные имена и адреса упомянутых вами людей, некоей Альвиры и священника. Позвольте мне предположить кое-что. Если мисс Морланд снова услышит голос своего сына, то, может быть, она скажет ему или тому, кто его прячет, что пора бы и домой вернуться?

49

Дела у агентов по недвижимости в Мидлтауне, как и в любом другом районе, могли месяцами стоять на месте. Ребекка Шварц сидела в своем кабинете и смотрела на улицу, обуреваемая мрачными мыслями. Окна были сплошь заклеены объявлениями о продаже домов. На некоторых из них красовалось начертанное поперек слово «Продано», однако эти сделки были совершены до пяти лет назад.

Ребекка оказалась настоящим мастером описания свободных жилищ. Самый маленький и темный домишко в Кейп-Коде был обозначен в объявлении как уютный, добродушный и бесконечно обаятельный.

Как только появлялся возможный покупатель, желавший взглянуть на домик такого рода, Ребекка начинала рисовать яркую словесную картину того, какой может стать эта постройка, когда талантливая хозяйка выявит ее скрытую красоту.

Но даже такие таланты не могли отменить того факта, что демонстрация тайного очарования домов требует приложения огромного труда. Теперь, предчувствуя еще один бесплодный день, она напомнила себе, что на самом деле все равно живет куда лучше, чем большинство людей в их краях. В отличие от других таких же, кому уже пятьдесят девять лет от роду, Ребекка могла позволить себе подождать улучшения общего экономического положения. Она была единственным ребенком в семье и, когда ее родители скончались, унаследовала дом, в котором прожила всю жизнь, и два объекта недвижимости на Мейн-стрит, сдаваемые в аренду.

«Но дело ведь не только в деньгах,— думала Ребекка.— Мне нравится продавать дома, видеть волнение людей в день переезда. Даже если жилье требует большого труда и вложений, все равно это новая глава в их жизни. На новоселье я всегда приношу маленький подарок новым владельцам. Бутылочку вина, сыр и крекеры, если только не знаю наверняка, что они трезвенники. В таком случае я покупаю коробку чая "Липтон" и сухой тортик...»

Джейни, помощница Шварц, работавшая неполный день, не должна была появиться раньше двенадцати. Другой агент, Милли Райт, получала только комиссионные, поэтому сейчас, в период затишья в делах, перешла в другую фирму. Но она обещала Ребекке вернуться, как только рынок недвижимости оживет.

Ребекка настолько погрузилась в мысли, что буквально подпрыгнула, когда зазвонил телефон.

— Агентство недвижимости Шварц, Ребекка слушает,— сказала она, скрестив пальцы на удачу.

Это ведь мог оказаться потенциальный покупатель, а не тот, кто хотел продать свой дом.

— Ребекка, это Билл Риз.

Билл Риз... Ребекка ощутила всплеск надежды. В прошлом году он дважды приезжал, чтобы осмотреть фермерский дом Оуэнса, но каждый раз передумывал покупать его.

— Билл, рада тебя слышать! — бодро произнесла она.

— Скажи-ка, тот дом Оуэнса еще не продан? — спросил Риз.

— Пока нет.— Ребекка мгновенно заговорила как агент.— У нас, правда, есть несколько человек, которые проявили к нему интерес, и один, кажется, даже готов сделать предложение о покупке.

Риз засмеялся и заявил:

— Валяй, Ребекка, вперед! Только зря ты пытаешься меня надуть. Давай-ка честно, сколько именно человек готовы прямо сейчас выложить денежки?

Ребекка тоже засмеялась, представив Билла. Он был умным, приятным, крупным парнем под сорок, имевшим двоих маленьких детишек. Будучи квалифицированным бухгалтером, Риз жил и работал в Манхэттене, но вырос на ферме и в прошлом году сказал Ребекке, что скучает по прежней жизни.

— Мне нравится выращивать всякие мелочи, хочется, чтобы мои дети по выходным могли как следует повеселиться и покататься на лошадях,— заявил он.— Я же в свое время ездил верхом!

— Если честно, никаких предложений насчет дома Сая нет,— призналась Шварц.— Но я тебе уже говорила и повторю сейчас!.. Это не просто обычная агентская болтовня. Особняк действительно чудесный. Когда ты выбросишь все эти чудовищные тяжелые занавески и потертую мебель, покрасишь все, приведешь кухню в современный вид — у тебя появится замечательный уютный дом, которым ты вправе будешь гордиться. В конце концов, затишье на рынке — штука не вечная. Рано или поздно кто-то поймет, что двадцать акров отличной земли с крепким жильем — неплохое вложение денежек!

— Ребекка, я склонен с тобой согласиться. К тому же Тереза и дети просто влюбились в этот дом. Как ты думаешь, Сай согласится снизить цену?

— А как ты думаешь, аллигатор начнет распевать любовные песенки?

— Ладно. Понял тебя.— Билл Риз засмеялся.— Слушай, мы в воскресенье хотим отправиться на прогулку, и если все так, как нам помнится, то мы, пожалуй, договоримся.

— Только там сейчас живет женщина,— сообщила Ребекка.— Дом снят на год, и она заплатила вперед, но это не имеет значения. В контракте четко говорится, что мы можем показывать дом потенциальным покупателям, предупредив арендатора за сутки. Если недвижимость будет продана, то он должен выехать в течение тридцати дней. Конечно, деньги будут возвращены ей с учетом дней, прожитых в доме. Но даже это проблемы не составит. Та женщина, конечно, заплатила вперед за целый год, но говорила мне, что намерена оставаться в этом здании только три месяца.

— Вот и отлично,— сказал Риз.— Если мы решим его купить, я бы хотел перебраться туда к первому мая, чтобы можно было сразу заняться посадкой разных растений. Ты будешь в своем агентстве в это воскресенье около часа дня?

— Годится,— весело ответила Ребекка.

Но когда она повесила трубку, ее радостное возбуждение поугасло. Шварц совсем не вдохновляла мысль о том, что придется звонить Глории Эванс и сообщать, что той, возможно, придется освободить дом.

«С другой стороны, в контракте сразу было заявлено, что Глории Эванс в случае необходимости придется освободить жилище в течение тридцати дней. Я покажу ей другие дома,— постаралась утешить себя Ребекка.— Уверена, что сумею найти для нее такой, который она снимет на более выгодных условиях. Глория ведь говорила, что ей нужны только три месяца, чтобы закончить книгу. Я ей напомню, что на это хватит тех денег, которые будут возвращены ей за дом Сая».

Глория Эванс ответила после первого же звонка. С отчетливым раздражением она произнесла в трубку:

— Да?

«У меня есть и хорошие новости, и плохие»,— думала Ребекка, набирая в грудь воздуха и начиная неприятное объяснение.

— В это воскресенье? Вы хотите, чтобы сюда ворвалась толпа людей? — резко спросила Глория Эванс.

Ребекка прекрасно расслышала нешуточную тревогу в ее голосе и ответила:

— Мисс Эванс, я могу вам показать по меньшей мере полдюжины очень неплохих домов, куда более современных. Вы сэкономите кучу денег, заключив новый договор с более точными сроками.

— В какое время в воскресенье явятся эти люди? — спросила Глория Эванс.

— После часа дня.

— Понятно. Когда я выразила желание заплатить за целый год, хотя дом мне нужен на три месяца, вы могли бы и особо подчеркнуть то, что здесь может вдруг оказаться толпа народа.

— Мисс Эванс, но это прописано в договоре, который вы подписали.

— Да, и я спрашивала вас об этом пункте. Вы мне сказали, что я могу не беспокоиться насчет того, что какой-нибудь покупатель объявится раньше тех трех месяцев, которые я предполагала пробыть здесь. Вы говорили, что рынок не оживет по меньшей мере до начала июня.

— Но я действительно была в этом уверена. Однако Сай Оуэнс просто не сдал бы дом в аренду без этого условия...

Ребекка вдруг заметила, что говорит сама с собой. Глория Эванс уже повесила трубку.

«Да уж, не повезло ей»,— подумала Шварц, набирая номер Сая Оуэнса, чтобы порадовать его новостью о том, что дом, возможно, будет наконец-то продан.

Оуэнс отреагировал именно так, как она того ожидала, и сразу спросил:

— Но ты им четко дала понять, что я не спущу с цены ни гроша, да, Ребекка?

— Само собой, это я сказала в первую очередь,— ответила она и мысленно добавила: «Старый скряга!»

50

Детектив Уэлли Джонсон посмотрел на потрепанную открытку, которую протягивал ему Тоби Грисом, и спросил:

— Почему вы решили, что это написано не вашей дочерью?

— Я вам уже сказал, что начал об этом думать вот почему. Текст напечатан, так открытку могла отправить как она, так и кто-то другой, если хотел, чтобы ее сочли живой и здоровой. Понимаете, у Глори крупный почерк, с разными там завитушками, и потому мне до сих пор не приходило в голову, что эту открытку вообще могла отправлять не она.

— Вы говорили, что получили ее полгода назад,— напомнил Джонсон.

— Да. Это так. Вы никогда не упоминали об этом, но я вдруг подумал, что ее, наверное, надо бы проверить на отпечатки пальцев.

— Сколько человек держали в руках эту открытку, мистер Гриссом?

— Держали в руках? Не знаю. Я показывал ее кое-кому из своих друзей в Техасе и еще тем девушкам, с которыми Глори делила квартиру здесь, в Нью-Йорке.

— Мистер Гриссом, мы, конечно, снимем с открытки отпечатки, но могу вам сразу сказать, что по ним не удастся узнать, отсылала ли ее ваша дочь или кто-то другой. Подумайте хорошенько. Вы показывали открытку вашим друзьям, приятельницам Глори... но еще до того ее держали в руках сколько-то человек на почте. Слишком много народу прикасалось к этой открытке.

Тоби заметил фотографию Глори, лежавшую на углу стола Джонсона, показал на нее и заявил:

— Что-то случилось с моей девочкой. Я это знаю. Вы звонили тому парню, Бартли Лонгу, который возил ее в свой загородный дом, а? — спросил он с легким сарказмом в голосе.

— Вчера вечером у меня было несколько совершенно неотложных дел, мистер Гриссом. Но уверяю, я не стану откладывать разговор с ним.

— Не надо ни в чем меня уверять, детектив Джонсон,— возразил Тоби.— Я с места не тронусь, пока вы не снимете трубку вот с этого телефона и не договоритесь о встрече с Бартли Лонгом. Если мне придется опоздать на рейс, я это переживу, потому что намерен здесь сидеть, пока вы не увидитесь с этим типом. Хотите меня арестовать? Пожалуйста. Можете прямо сейчас это сделать. Я не уйду из полицейского участка, пока вы не отправитесь на встречу с Лонгом. Не вздумайте перед ним расшаркиваться и говорить, что папаша этой девушки — настоящий короед. Отправляйтесь туда и назовите ему имена тех театральных людей, которым он якобы представлял Глори, и заодно у них самих узнайте, было ли такое вообще.

«Вот ведь бедняга,— думал Уэлли Джонсон.— У меня просто духа не хватит разбить ему сердце и сказать, что его дочка к настоящему времени, скорее всего, просто стала содержанкой и живет себе с каким-нибудь толстосумом...»

Вместо этого Джонсон взялся за телефон и спросил у Тоби номер Бартли Лонга.

Когда секретарша в приемной ему ответила, он представился и спросил:

— Мистер Лонг на месте? Мне необходимо поговорить с ним прямо сейчас.

— Я не уверена, что он у себя в кабинете...— начала было секретарша.

«Если она не уверена, это значит, что он точно на месте»,— подумал Джонсон и подождал, пока эта дама вернется.

— Боюсь, он уже уехал, но я буду рада передать ему сообщение от вас,— мягко сказала девушка.

— Я не собираюсь оставлять сообщеня,— решительно произнес Джонсон.— Мы с вами прекрасно знаем, что Бартли Лонг сидит в своем кабинете.

Я могу приехать через двадцать минут. Это чрезвычайно важно. Перед моим столом сидит отец Бриттани Ла Монти. Он хочет получить ответы на коекакие свои вопросы насчет ее исчезновения.

— Если вы подождете чуть-чуть...— Последовала очередная пауза, после чего секретарша сообщила: — Если вы приедете прямо сейчас, мистер Лонг будет вас ждать.

— Вот и хорошо.

Джонсон повесил трубку и сочувственно посмотрел на Тоби Гриссома, отмечая усталость в глазах немолодого человека и глубокие морщины на его лице.

— Мистер Гриссом, я буду отсутствовать несколько часов. Почему бы вам не пойти куда-нибудь поесть, а потом вернуться сюда? Когда, вы сказали, ваш самолет?

— В пять часов.

— Сейчас только начало первого. Я вернусь и попрошу кого-нибудь из наших отвезти вас в Ла Гуардиа. Я поговорю с Лонгом, а потом, как вы и настаиваете, проверю весь список людей, которые, как он утверждает, встречались с ней в его доме. Но вам нет смысла оставаться в Нью-Йорке. Вы говорили, что проходите химиотерапию. Вам не следует пропускать сеансы. Вы и сами знаете, что нельзя это делать.

Тоби вдруг показалось, что вся энергия разом вылетела из него. Сказалась долгая прогулка на холоде, хотя она и нравилась Гриссому. К тому же он проголодался.

— Наверное, вы правы,— сказал он, невесело улыбнулся и добавил: — Тут неподалеку есть «Макдоналдс». Может, мне удастся справиться с бигмаком.

— Хорошая идея,— кивнул Уэлли Джонсон, вставая и протягивая руку к фотографии Глори, лежавшей на его столе.

— Вот уж это вам не понадобится,— сердито бросил Гриссом.— Этот парень отлично знает, как выглядит Глори. Уж поверьте мне, еще как знает!

Уэлли Джонсон кивнул и заявил:

— Вы правы. Но я ее все равно возьму, чтобы показать людям, которые встречались с вашей дочерью в доме Бартли Лонга.

51

— Я уезжаю примерно на час,— сказал Кевин Уилсон Луизе Кирк, но не стал удовлетворять любопытство, вспыхнувшее в ее глазах, и объяснять, куда именно он отправляется.

Кевин прекрасно знал, что после его резкой отповеди на замечание о Зан Морланд Луиза не решится расспрашивать его. Не сомневался он и в том, что потом она внимательно изучит счет за обед, если, конечно, получит его, чтобы выяснить, отмечено ли на нем имя какого-то заказчика, или же Кевин расплатился по личной карте.

Этим утром было еще две доставки. Сначала их осчастливили рулонами текстильных обоев, потом привезли коробки с настольными лампами.

Луиза умудрилась сдержаться и задать только один вопрос:

— Ты хочешь, чтобы все закупленное Зан Морланд складывали в той же большой квартире? Я имею в виду, тут явно есть кое-что, предназначенное для жилья поменьше.

— Складывайте все вместе,— распорядился Кевин, протягивая руку к куртке-ветровке.

Луиза замялась, потом все-таки сказала:

— Кевин, я понимаю, что вмешиваюсь не в свои дела, но готова поспорить на что угодно, что ты собираешься заехать к ней в студию. Как друг прошу тебя, не позволяй себе слишком углубляться в ее проблемы. Я хочу сказать, она ведь очень привлекательна, любой это увидит, если он не слеп, но мне все-таки кажется, что с головой у нее не все в порядке. Александра сегодня утром пришла в полицейский участок и заявила репортерам, что ее сын жив. Но если она знает это, то ей известно и то, где он находится. Значит, Морланд уже почти два года разыгрывает комедию. В Интернете есть видео, которое кто-то запустил в тот день, после сообщения о пропаже ребенка. На кадрах — она в парке, рядом с пустой коляской. Можно не сомневаться, это та самая женщина, которая попалась в объектив тому туристу! — Луиза умолкла, чтобы перевести дыхание.

— Что-нибудь еще? — ровным тоном спросил Кевин.

Луиза пожала плечами и заявила:

— Я знаю, что ты на меня злишься, и не виню тебя. Но как твой друг и секретарь, я просто в ужасе от того, как ты мучаешься. Если будешь и дальше впутываться в ее дела, это повредит тебе и в профессиональном смысле, и в личном.

— Луиза, я ни во что не впутываюсь. Пожалуй, я скажу тебе, куда собрался. Да, в студию Александры Морланд. Я разговаривал с ее помощником, и он показался мне приятным парнем. Хочется уладить все это без лишнего шума. Честно говоря, мне не нравится Бартли Лонг. Ты слышала его, когда он звонил. Этот субъект похож на кота, поймавшего канарейку. Он просто уверен, что я теперь и думать забыл о том, чтобы нанимать Зан Морланд.— Кевин шагнул к двери и уже взялся за ручку, но вдруг обернулся и добавил: — Я очень внимательно изучил и сравнил проекты. Идея мисс Морланд мне нравится больше. Как и говорила Зан, в проекте Бартли Лонга нет уюта. Он чертовски грандиозен. Это, кстати, не гарантирует, что я обязательно найму Морланд. Я могу принять ее основные предложения, использовать материалы, рассчитаться с ней за ту работу, которую она уже проделала, и найти кого-то другого, кто сумеет выполнить все не хуже.

Луиза Кирк не удержалась от высказывания:

— В этом, конечно, есть смысл, но разумный ли?!

Джош собирался с силами перед встречей с Кевином Уилсоном. Он готов был выложить свои предположения. Мол, они с Зан уверены, что в их компьютер залез какой-то хакер, и сейчас проверяют это. Доказав, что заказы сделаны хакером, они смогут потребовать, чтобы поставщики немедленно забрали обратно все, что привезли.

«Вот только на проверку много времени не потребуется,— думал Джош.— Потому что нет никаких хакеров. Зан сама все заказала со своего ноутбука. Кто еще мог в точности знать, что именно надо покупать?»

Должно быть, то письмо она тоже написала на своем ноутбуке.

Зазвонил телефон. Дежурный у входа сообщал о прибытии мистера Кевина Уилсона и спрашивал, можно ли пропустить его наверх.

Кевин не знал, что именно увидит, но совершенно не был готов к тому, что студия Морланд окажется сравнительно небольшим офисом, почти до потолка заваленным рулонами ковров. Он заметил, что всю мебель явно сдвинули как можно дальше к противоположной стене, чтобы освободить пространство. Не ожидал Уилсон и того, что Джош Грин окажется таким молодым.

«Ему не больше двадцати пяти»,— подумал он, протягивая тому руку и представляясь.

Увидев знакомую фамилию поставщика, отпечатанную на плотной бумажной упаковке ковра, Кевин спросил:

— Это все тоже предназначено для моих образцовых квартир?

— Мистер Уилсон...— начал было Джош, но тот его остановил:

— Давайте без формальностей. Просто Кевин.

— Хорошо, Кевин. Тут у нас вот что случилось. Должно быть, какой-то хакер залез в компьютер и сделал все эти заказы. Другого объяснения я не нахожу.

— А вы знаете, что не далее как сегодня утром на Карлтон-плейс тоже пришли три партии материалов? — спросил Кевин, увидел ошеломление на молодом лице и добавил: — Значит, вы об этом ничего не знали?

— Нет, не знал...

— Джош, мне известно, что утром Зан поехала в полицейский участок вместе с адвокатом. Вы скоро ее ждете?

— Я не знаю,— развел руками Джош, стараясь скрыть тревогу.

— Вы давно с ней работаете?

— Почти два года.

— Я предложил ей создать проект оформления моих образцов потому, что мне пришлось гостить в одном доме в Дарьене, штат Коннектикут, и побывать в некоей квартире на Пятой авеню... две совершенно разные работы, которые она выполнила примерно полгода назад.

— Это, наверное, дом Кэмпионов и квартира Лайонсов.

— Вы тоже участвовали в этих проектах? — спросил Кевин.

«К чему это он ведет?» — подумал Джош и ответил:

— Да, участвовал. Конечно, Зан — дизайнер, а я всего лишь помощник. Но поскольку оба этих заказа мы выполняли одновременно, то нам пришлось потрудиться без выходных.

— Понятно.

«Мне нравится этот парнишка,— решил Кевин.— Он говорит, что думает. Какие бы проблемы ни были у Зан Морланд, она в тех квартирах сделала точно то, что нужно. Я не хочу иметь дело с Бартли Лонгом, мне не нравится его проект. Я не могу искать других дизайнеров, которые стали бы что-то добавлять от себя. Совет директоров и без того уже поднял шум из-за задержки с окончанием работ.

Дверь за его спиной открылась. Он обернулся и увидел Морланд, входившую в офис вместе с немолодым мужчиной, видимо ее адвокатом. Зан прикусила губы, пытаясь сдержать рыдания, сотрясавшие плечи. Глаза у нее распухли, слезы продолжали сбегать по щекам.

Кевин понимал, что здесь ему нечего делать, посмотрел на Джоша и сказал:

— Я позвоню поставщику ковров, распоряжусь забрать все отсюда и отправить на Карлтон-плейс. Если привезут что-нибудь еще, не принимайте. Пусть тоже доставляют ко мне, вместе со счетами. Я буду под рукой.

Зан повернулась к нему спиной. Уилсон знал, что ее смущает то, что он увидел ее плачущей. Кевин ушел, не сказав ей ни слова, но пока ждал лифт, понимал как никогда ясно, что ему хочется вернуться и обнять Зан.

«Разум и рассудительность,— мысленно напомнил он себе, когда открылась дверь подошедшего лифта.— Да, когда Луиза узнает, что я сделал...»

52

Мелисса с нарастающей яростью слушала оставленное Тедом сообщение, в котором он предлагал, чтобы вместо объявления награды в пять миллионов долларов за возвращение Мэтью она отправила бы чек на пять миллионов в Фонд пропавших детей.

— Он это что, серьезно? — спросила она Беттину, свою личную помощницу.

Беттина, рассудительная худощавая особа сорока лет от роду с пышной шапкой блестящих черных волос, приехала в Нью-Йорк из Вермонта, когда ей было двадцать. Она надеялась стать рок-певицей, но ей понадобилось не слишком много времени, чтобы понять очевидное. Ее вполне хороший голос не слишком поможет продвинуться в музыкальном мире. Тогда она стала помощницей журналиста, ведущего колонку светских сплетен. Мелисса заметила деловитость и расторопность Беттины и предложила ей место у себя за приличные деньги. Та с готовностью бросила журналиста, который стал сваливать на нее уж слишком много работы.

Теперь же чувства Беттины раздваивались. С одной стороны, она делила ненависть Теда к Мелиссе, с другой — ей нравилось быть частью звездной жизни. Тем более что Мелисса, бывая в хорошем настроении, легко могла прихватить для Беттины один из дорогих подарков, которые в шоу с призами предназначались только для звезд. Естественно, она не забывала при этом и себя.

Едва войдя в девять утра в апартаменты Мелиссы, Беттина поняла, что день будет длинным. Найт мгновенно выложила ей все о своем намерении наградить того, кто вернет Мэтью.

— Заметь, я говорю «вернет целым и невредимым»! — уточнила она.— Почти все уверены в том, что бедный малыш давно мертв, так что я сделаю себе отличную рекламу, не потратив при этом ни цента!

Отрицательное отношение Теда к ее идее взбесило Мелиссу.

Услышав, что он предлагает ей пожертвовать пять миллионов в Фонд пропавших детей, звезда побледнела до синевы и заявила Беттине:

— Карпентер хочет, чтобы я отдала этому фонду пять лимонов! Он что, ненормальный?

Беттине нравился Тед. Она знала, как много приходится ему работать, продвигая Мелиссу.

— Не думаю, что он ненормальный,— мягко откликнулась она.— Это, конечно же, заставит всех задуматься о твоей невероятной щедрости, а ты именно ее и проявишь. Только чек нужно подписывать перед камерами.

— Еще чего не хватало! — рявкнула Мелисса, отбрасывая назад светлые волосы, свисавшие почти до талии.

— Мелисса, я готова сделать для тебя что угодно. Ты это знаешь,— сказала Беттина.— Но Тед прав. С тех самых пор, как вы с ним впервые заговорили на эту тему, ты всем и каждому давала понять, что считаешь, будто его сына похитил и убил какой-то педофил. Если ты теперь предложишь вознаграждение за информацию, желая увидеть Мэтью живым и здоровым, то вызовешь массу довольно язвительных комментариев в ночных шоу и в Интернете.

— Беттина, я намерена сделать такое предложение! Созови журналистов на час дня на завтра. Я точно знаю, как все это преподнесу. Мол, я всегда чувствовала, что мальчика нет в живых, но в то же время вижу, что это просто убивает отца Мэтью, моего возлюбленного Теда Карпентера. Потому я думаю — а вдруг такое предложение заставит кого-то выйти из тени? Может быть, человека, родственник или друг которого воспитывает Мэтью как собственного ребенка?

— Но если и в самом деле появится такой человек, ты действительно готова вручить ему чек на пять миллионов долларов, Мелисса? — спросила Беттина.

— Ох, не глупи! Прежде всего, бедный малыш наверняка давным-давно мертв. Во-вторых, если кто-то и вправду знает, где он, но до сих пор помалкивал, то этот человек будет воспринят как своего рода сообщник преступника, а награды за преступление закон не предполагает. Уловила? Все будут думать, что я совсем пустоголовая, но все равно обо мне заговорят по всему миру, любой и каждый начнет твердить о денежках, обещанных Мелиссой Найт!

Они находились в гостиной пентхауса Мелиссы, у западной стороны Центрального парка. Прежде чем ответить, Беттина подошла к окну и посмотрела на парк.

«А ведь все началось именно здесь,— подумала она.— Солнечным июньским днем, почти два года назад. Но Мелисса права. Малыш, скорее всего, давно погиб. Так что она получит грандиозную рекламу, и это не будет стоить ей ни цента».

53

— Что ж, мы малость расшатали защиту Морланд,— с удовлетворением заметил Билли Коллинз, когда они с Дженнифер Дин принялись за горячие сэндвичи с копченой говядиной и кофе в их любимой кулинарии на Колумбус-авеню.

Детектив Дин покончила с первым сэндвичем, потом ответила:

— Меня настораживает то, что перед нами слишком уж идеальный случай. Ты думаешь, Морланд имела в виду, что слышала голос сына во сне, в бреду, или считаешь, что она действительно говорила с ним по телефону?

— Что бы она там ни подразумевала, галлюцинацию или телефон, но сказала, что мальчик жив. Я в это верю,— решительно произнес Билли Коллинз.— Вопрос в том, где его прячут и напугает ли того, кто это делает, поднявшаяся шумиха. Я возьму еще кофе. Хочешь?

— Нет, с меня на сегодня достаточно кофеина. Пожалуй, попытаюсь-ка я еще раз проверить, дома ли Альвира. Ее муж говорил, что к этому часу она должна уже вернуться из парикмахерской.

Михан сама подошла к телефону и осторожно сказала:

— Заходите, если вам хочется, только я не понимаю, чем могу вам помочь. Мы с мужем дружны с Зан с тех самых пор, когда она отделывала нашу квартиру, это было полтора года назад. Сразу после того, как исчез ее сын. Она прекрасная молодая женщина, и мы ее очень любим.

— Вы не против, если мы заскочим к вам прямо сейчас? Мы находимся практически за углом,— сказала Дженнифер Дин как раз в тот момент, когда Билли вернулся со второй чашкой кофе.

Десять минут спустя они уже парковались на шедшей полукольцом подъездной дороге у дома по адресу: Центральный парк, 322. Трасса была достаточно широкой, чтобы мимо них свободно проезжали другие машины, и когда Тони, швейцар, увидел, как Билли засовывает за «дворник» полицейскую табличку, он ни словом не возразил против того, что автомобиль оставлен прямо перед входом.

— Миссис Михан сказала, чтобы вы сразу поднимались наверх, как только подъедете,— сообщил он детективам.

Альвира и Уилли жили в квартире 16-Б.

— Представляешь, у нас многие знают эту женщину! — сказала Дженнифер, когда они поднимались в лифте.— Обычная уборщица выиграла в лотерею, стала сыщиком-любителем, да еще и мемуары написала об этом!

— Вот чего нам совсем не нужно в нашем случае, так это сыщиков-любителей,— проворчал Билли, когда лифт остановился на шестнадцатом этаже.

Но уже через две минуты он, как и все попадавшие в дом к Альвире и Уилли, чувствовал себя так, словно они были друзьями уже много-много лет.

Уилли Михан напомнил Билли фотографии его дедушки, крупного человека с белоснежными волосами, всю жизнь прослужившего в полиции. Альвира, только что уложившая волосы, была одета в просторные брюки и вязаный джемпер. Коллинз прекрасно понимал, что она покупает одежду отнюдь не на распродажах, но все равно ее внешний вид заставил его подумать об экономках, которые работают в богатых домах.

Билли удивился, когда Дженнифер с удовольствием согласилась выпить кофе, предложенный хозяйкой. Обычно они себе такого не позволяли, но Коллинз тут же сообразил, что лучше и в самом деле не портить отношения с женщиной, которая заранее, еще по телефону сообщила им, что Зан — ее хорошая подруга. Скорее всего, она будет ее защищать...

«Точно, так оно и есть»,— подумал Билли уже через несколько минут, когда Альвира стала говорить о том, как страдает Зан с момента пропажи ее сына.

— Я в таких вещах разбираюсь,— подчеркнуто произнесла она.— Это то, в чем невозможно ошибиться. У нее такая боль в глазах, что мне хочется плакать.

— Вы часто разговаривали о Мэтью? — мягко спросила Дженнифер Дин.

— Вообще-то мы чрезвычайно редко упоминали эту тему. Просто в то время, когда пропал Мэтью, я была внештатным репортером «Нью-Йорк глоуб» и написала статью, в которой умоляла похитителя понять и почувствовать страдания родителей мальчика. Я предложила тому человеку привести ребенка в какое-нибудь людное место, показать ему охранника или полицейского, предложить закрыть глаза и сосчитать до десяти. Потом мальчик подошел бы к охраннику и назвал свое имя. Тогда его быстро доставили бы к родным.

— Но Мэтью в момент похищения было чуть больше трех лет,— возразил Билли.— Дети в таком возрасте не умеют считать до десяти.

— Я читала в газетах, что его мать говорила, будто Мэтью обожал прятки. Это была их любимая игра. В одной статье упоминались слова Зан. Когда ей позвонили и сообщили, что он исчез, она молилась о том, чтобы сын просто проснулся и сам выбрался из коляски, думая, что Тиффани поиграет с ним в прятки.— Альвира немного помолчала, потом добавила: — Мать мне говорила, что Мэтью умел считать до пятидесяти. Он явно был очень умным ребенком.

— Вы видели по телевизору или в газетах те фотографии, на которых Зан Морланд вынимает Мэтью из коляски, миссис Михан? — спросила Дженнифер Дин.

— Я видела фотографии, на которых Мэтью уносит женщина, очень похожая на Зан,— осторожно ответила Альвира.

— Но вы думаете, что на тех снимках изображена Зан Морланд, миссис Михан? — спросил Билли Коллинз.

— Я предпочла бы, чтобы вы звали меня просто Альвирой. Меня все так зовут.

«Она тянет время»,— подумал Коллинз.

— Позвольте мне сказать вот что,— начала хозяйка дома.— Конечно, все выглядит именно так, будто женщина на тех снимках — действительно Зан. Я не слишком разбираюсь в технике съемок, тем более что в наши дни все так быстро меняется... Это может быть фотомонтаж? Я знаю, что Зан Морланд просто уничтожена исчезновением сына. Она была у нас вчера вечером, просто вне себя от расстройства. Я знаю, что у нее есть друзья здесь и за границей, которые приглашают ее отдохнуть у них хотя бы в выходные. Но она сидит дома в одиночестве, не в силах куда-то отправиться.

— Вам известно, в каких странах у нее есть друзья? — тут же спросила Дженнифер Дин.

— Там, где работали ее родители,— ответила Альвира.— Кто-то живет в Аргентине, насколько я знаю, еще кто-то — во Франции.

— Да, а ее родители жили в Италии в то время, когда погибли в автокатастрофе,— осторожно вставил Уилли.

Билли Коллинз понял, что больше от Альвиры и Уилли ему ничего не узнать.

«Да, они верят в то, что на снимках действительно Зан Морланд, но никогда не признают этого вслух»,— думал он, вставая.

— Детектив Коллинз, прежде чем уйдете, вы должны понять вот что. Допустим, на тех снимках действительно Зан. Если это она унесла мальчика, то не осознавала того, что делает. В этом я готова поклясться,— сказала Альвира.

— Вы предполагаете, что она может страдать раздвоением личности? — спросил Коллинз.

— Я и сама не знаю, что предполагаю,— ответила Альвира.— Но Зан не притворяется. Она действительно потеряла ребенка. Мне известно, сколько денег мать потратила на частных детективов и разных экстрасенсов, пытаясь его найти. Если бы она играла, то не стала бы заходить так далеко, но это все не игра.

— Еще один вопрос, миссис Михан... э-э... Альвира. Зан Морланд упоминала какого-то священника, отца Эйдена О'Брайена. Вы, случайно, его не знаете?

— Конечно знаю, он наш друг из монастыря Святого Франциска Ассизского, из той церкви, что на Тридцать первой улице. Зан встретилась с ним у нас вчера вечером. Она уже уходила, когда он пришел. Отец Эйден сказал, что будет молиться за нее, и мне кажется, он немного ее утешил.

— Раньше Александра никогда с ним не встречалась?

— Не думаю. Хотя мне известно, что она заходила в церковь Святого Франциска как раз перед тем, как я там была, вечером в понедельник. Отец О'Брайен в тот день как раз выслушивал исповеди в нижней церкви.

— А Зан Морланд ходила на исповедь? — спросил Билли.

— Я не знаю и, конечно, никогда ни о чем таком не спрашивала. Но вам, возможно, интересно будет узнать об одном человеке, которого я там заметила. Мне показалось, что он вел себя странно, стоял на коленях перед гробницей святого Антония, закрыв лицо руками. Но как только отец Эйден вышел из исповедальной комнаты, незнакомец тут же вскочил и не сводил с него глаз, пока тот не скрылся за дверью монастыря.

— Мисс Морланд еще была в церкви, когда это произошло?

— Нет,— уверенно ответила Альвира.— Я вообще узнала о том, что она заходила в храм, только вчера утром, когда сама вернулась туда и попросила показать мне записи камер наблюдения. Мне хотелось понять, смогу ли я узнать того человека, просто на всякий случай, вдруг он что-то задумал... Тогда я и обнаружила, что Зан приходила туда минут за пятнадцать до меня. Запись камеры показывает, что она пробыла там всего несколько минут. Тот тип, которого я хотела увидеть, ушел передо мной, но народу в церкви было много, и я не смогла рассмотреть его как следует.

— Вы полагаете, что визит мисс Морланд туда не совсем обычен?

— Нет. Это было накануне дня рождения Мэтью. Я подумала, что она, возможно, хотела поставить свечу перед святым Антонием. К нему ведь обращаются все, кто что-то потерял.

— Понятно. Спасибо за то, что уделили нам время,— сказал Билли Коллинз, и они с Дженнифер Дин ушли.

— Да, не слишком-то много полезного мы узнали,— заметила Дин, спустившись.

— Наверное, так, а может, и нет. Мы узнали, что у Зан Морланд есть друзья во многих странах. Я хочу выяснить, ездила ли она к кому-нибудь из них после исчезновения сына. Мы получим ордер, проверим ее кредитные карты и банковские счета, а завтра навестим отца О'Брайена в церкви Святого Франциска Ассизского. Разве тебе не хочется узнать, приходила ли Зан Морланд на исповедь к этому монаху? Если так, то хотелось бы выяснить, что именно она ему сказала.

— Билли, ты же католик! — изумилась Дженнифер Дин.— Я-то нет, но знаю, что ни один священник и говорить не станет о том, что услышал на исповеди!

54

Мэтью никогда, вообще ни разу не видел, чтобы Глори плакала. Она была явно разозлена, когда говорила по телефону, но как только бросила трубку, сразу зарыдала.

Потом Глори посмотрела на него и сказала:

— Мэтти, мы не можем продолжать вот так прятаться.

Мальчик решил, что она имеет в виду переезд на новое место, и сам не знал, грустить ему или радоваться. Сейчас у него была довольно большая спальня, он мог расположить на полу все свои грузовики и катать их один за другим точно так же, как ездили настоящие машины на дороге. Мэтью видел это в ту ночь, когда они с Глори перебирались в новый дом.

Еще здесь были удобные койка, стол и стулья. Глори сказала, что в этой комнате, скорее всего, жили какие-то дети, потому что мебель рассчитана как раз на его возраст. Наверное, они рисовали картинки за этим столом...

Мэтью любил рисовать. Иногда, думая о мамочке, он малевал на листке женское лицо. Ему никогда не удавалось изобразить мамочку по-настоящему, но он помнил ее длинные волосы, которые щекотали ему щеки. Поэтому мальчик всегда рисовал леди с длинными волосами.

Иногда он доставал из-под подушки кусочек мыла, пахнувшего как мамочка, и клал его на стол рядом с собой, прежде чем открыть коробку с красками.

Вдруг новое место, куда они переедут, будет не таким хорошим? Мэтью ничего не имел против того, что Глори запирала его в большом чулане, когда куда-то уходила. Она всегда оставляла включенным свет, у нее в запасе каждый раз имелось несколько новых книжек, чтобы он мог почитать до ее возвращения.

Глори уже снова злилась.Она заявила:

— Да я ни за что не позволю этой старой кошелке устраивать тут экскурсии до воскресенья. Надо просто держать входную дверь на запоре.

Мэтью молчал, не зная, что и сказать.

— Ладно, мы немного изменим планы. Я вечером сообщу ему.

Глори отерла лицо тыльной стороной ладони и подошла к окну. Она всегда держала занавески полностью закрытыми и сдвигала их в сторону, если хотела выглянуть наружу.

Вдруг Глори издала странный звук, как будто ей не хватило дыхания, а потом сказала:

— Эта чертова плюшка опять едет мимо! Что она тут вынюхивает? Ты ее озадачил, Мэтью. Иди-ка наверх и сиди в своей комнате, да проверь, чтобы твои машинки не валялись опять на полу!

Мэтью поднялся к себе, сел за стол, протянул руку к краскам... и заплакал.

55

Бартли Лонг сидел за запертой дверью в своем офисе на Парк-авеню и пытался возмутиться по поводу грубости детектива, который, по сути, приказал ему отложить все назначенные встречи, пока они не поговорят.

Но даже от самого себя Бартли Лонг не мог скрыть, что напуган. Отец Бриттани осуществил свою угрозу и отправился в полицию. Бартли не мог позволить копам снова начать копаться в его прошлом. Та шумная история о сексуальном домогательстве, которая произошла восемь лет назад, не слишком хорошо выглядела в газетах. Чертова секретарша!..

Лонгу тогда пришлось выложить кучу денег, что сильно повредило ему и в финансовом, и в профессиональном смысле. Девица, сидевшая у него в приемной, твердила, что он пришел в бешенство, когда она ему отказала. Бартли тогда так швырнул ее о стену, что она испугалась за свою жизнь. «У него лицо просто почернело от злобы,— заявила копам эта девица.— Он терпеть не может, когда ему отказывают. Я думала, босс меня убьет!»

«Как мне держаться с этими детективами, если они начнут совать нос в мое прошлое? — спрашивал себя Лонг.— Может, выложить им все сразу, чтобы они видели, какой я открытый? Бриттани исчезла около двух лет назад. Но они только тогда поверят, что я ничего с ней не сделал, если она объявится в Техасе, у папочки, причем очень-очень скоро».

Тут крылось и кое-что еще. Почему Кевин Уилсон не принял его приглашение этим утром? Ведь наверняка же он сам или кто-то из его служащих видели в новостях, как Зан со своим адвокатом идет в полицейский участок. Конечно же, Уилсон должен был сообразить, что ее, скорее всего, арестуют. Как она в таком случае стала бы заниматься его квартирами-образцами?

«Мне просто необходим этот заказ,— признался себе Бартли Лонг.— Это настоящий прорыв для того, кто его получит. Конечно, у меня достаточно заказов от разного рода знаменитостей, но почти все они чертовски зло торгуются, жмоты проклятые! Говорят, что позволят разным журналам разместить снимки из новых домов. Это будет для меня бесплатной рекламой. Да плевать мне на такую бесплатную рекламу! После той грязной истории я лишился многих старых заказчиков-толстосумов. Если мое имя окажется замешанным в новом скандале, то я и остальных растеряю...

Почему Уилсон мне не перезвонил? Он письменно предлагал мне подготовить проект и особо подчеркивал, что я должен сделать эскизы как можно скорее, потому что стройка уже выбилась из графика. А теперь от него ни звука...»

Загудел интерком на столе Бартли.

— Мистер Лонг, вы куда-то собираетесь после встречи с детективом Джонсоном или велите мне вам что-то принести, когда он уйдет?

— Пока не знаю,— рявкнул Лонг.— Решу после встречи.

— Разумеется. Кстати, Филлис звонит. Похоже, он уже здесь.

— Пусть проходит.

Нервничая, Бартли открыл верхний ящик письменного стола и посмотрел в зеркало, которое прятал там. Успокаивая себя, он подумал о том, что небольшая косметическая операция, на которую Лонг решился годом раньше, дала отличный результат. Ничего такого не было заметно, просто исчезла небольшая обвислость щек и дряблость кожи под подбородком. Легкая седина в волосах появилась как раз вовремя и придавала ему шарма. Бартли Лонг тщательно следил за своей внешностью. Он немножко потянул рукава рубашки от Пола Стюарта, чтобы монограммы на манжетах легли как надо.

Когда Элейн Райан постучала в дверь и открыла ее перед детективом Уэлли Джонсоном, Бартли Лонг встал и с любезной улыбкой приветствовал нежеланного гостя.

56

В ту самую минуту, когда Уэлли Джонсон переступил порог кабинета Лонга, он преисполнился неприязни к этому человеку. Улыбка Лонга выражала высокомерие и презрение. Всем своим видом он как бы заявлял, что откладывает встречу с очень важным заказчиком и надеется, что детектив Джонсон не отнимет у великого человека более пятнадцати минут, с какими бы вопросами он ни пришел. Так Бартли и заявил.

— Надеюсь, больше и не понадобится,— ответил Джонсон.— Так что давайте сразу приступим к делу. Маргарет Гриссом, сценический псевдоним Бриттани Ла Монти, пропала. Ее отец уверен, что с ней что-то случилось, она угодила в какие-то неприятности. Последнее известное нам место ее работы было у вас. Вы нанимали девушку в качестве модели, принимающей гостей, когда демонстрировали свою работу. Нам известно, что у вас с ней были куда более близкие отношения и она не раз проводила выходные в вашем доме в Личфилде.

— Она бывала там лишь потому, что я оказывал ей услугу, представляя разным театральным деятелям,— возразил Лонг.— Вчера я уже говорил ее отцу, что ни один из них не счел Бриттани достойной внимания, не нашел в ней той неуловимой искры, из которой разгораются звезды. Все они твердили, что максимум, чего девушка может достичь, так это роли в малобюджетных фильмах или в независимом кино, для которых не нужно состоять в актерской гильдии или участвовать в съемках материально. Однако за десять или одиннадцать лет в Нью-Йорке она и того не добилась.

— Именно поэтому вы перестали приглашать ее в Личфилд? — спросил Джонсон.

— Бриттани начала строить слишком серьезные планы, пыталась подвести наши, в общем-то, случайные отношения под звон церковных колоколов. Я уже был однажды женат на честолюбивой актрисе, и мне это слишком дорого обошлось. Я не намерен снова повторять ту же ошибку.

— Вы ей все это сказали. Как она отреагировала? — спросил Джонсон.

— Она высказала мне все, что думала, в весьма бесцеремонной форме и умчалась.

— Из вашего дома в Личфилде?

— Да. Могу еще добавить, что заодно она прихватила мой «мерседес» с откидным верхом. Мне следовало бы предъявить ей обвинение, но она почти сразу позвонила и сказала, что оставила машину в подземном гараже того дома, где находится моя квартира.

Джонсон наблюдал за тем, как лицо Бартли темнело от злости.

— Когда в точности это было, мистер Лонг? — спросил он.

— Послушайте, почти два года прошло! В начале июня, вот когда.

— Более точную дату вы назвать не можете?

— Это был первый июньский уик-энд, а уехала она в воскресенье, во второй половине дня.

— Понятно. Где находится ваша квартира, мистер Лонг?

— Западная сторона Центрального парка, дом номер десять.

— Именно там вы жили два года назад?

— Я живу в этой квартире уже восемь лет.

— Понятно. После того воскресенья в начале июня, почти два года назад, вы хоть раз виделись еще с мисс Ла Монти, слышали о ней?

— Нет, не видел, не слышал и не желал бы.

Уэлли Джонсон выдержал длиннейшую паузу, прежде чем заговорить снова.

«Этот парень перепуган до смерти,— думал детектив.— Он постоянно лжет и знает, что я не перестану искать Бриттани».

Еще Джонсон понимал, что сегодня ему ничего больше не добиться от Бартли.

— Мистер Лонг, я бы хотел иметь список тех гостей, что бывали в вашем доме в те выходные, когда туда приходила и Бриттани Ла Монти.

— Разумеется. Но вы должны понимать, что я нередко принимаю гостей в Личфилде. К радушному хозяину гости всегда стремятся. У меня бывают люди и просто состоятельные, и прославленные. Многие из них становятся моими заказчиками. Вполне возможно, что какие-то имена я не смогу вспомнить,— сказал Лонг.

— Это мне понятно, но я бы попросил вас хорошенько порыться в памяти и составить для меня список самое позднее к завтрашнему утру. У вас есть моя карточка с электронным адресом,— сказал Джонсон, вставая и собираясь уйти.

Лонг не сдвинулся с места, даже не поднялся на ноги. Уэлли подчеркнуто перегнулся через стол и протянул дизайнеру руку, не оставляя выбора. Тому пришлось ответить на рукопожатие.

Как и ожидал детектив, наманикюренная рука Бартли Лонга была отвратительно влажной.

На обратном пути в полицейский участок Уэлли Джонсон решил слегка отклониться в сторону и заехать в гараж дома номер 10 на западной стороне Центрального парка. Там он вышел из машины и показал подошедшему дежурному, красивому афроамериканцу, свой полицейский жетон.

— Я не буду парковаться,— сказал детектив.— У меня просто несколько вопросов.— Он посмотрел на беджик с именем, закрепленный на груди молодого человека.— Ты здесь давно работаешь, Дэнни?

— Восемь лет, с тех самых пор, как этот дом заселили,— с гордостью ответил тот.

Джонсон удивился и сказал:

— Я думал, тебе лет двадцать, не больше.

— Спасибо. Многие люди так считают.— Дэнни с улыбкой добавил: — Это все из-за смешанной крови. Но мне уже тридцать один, сэр.

— Тогда ты наверняка знаешь мистера Бартли Лонга, так?

Джонсон ничуть не удивился, увидев, как мгновенно изменилось выражение лица Дэнни. Это подтверждало, что мистера Лонга он отлично знал.

— Ты когда-нибудь встречался с некоей молодой женщиной, его подругой, которую зовут Бриттани Ла Монти? — спросил Джонсон.

— У мистера Лонга много молодых подруг,— неуверенно ответил Дэнни.— С ним постоянно приезжают разные женщины.

— Дэнни, у меня такое чувство, что ты помнишь Бриттани Ла Монти.

— Да, сэр. Я довольно давно ее не видел, но это и неудивительно.

— Почему? — тут же спросил Джонсон.

— Сэр, понимаете... когда девушка в последний раз была здесь, она приехала на «мерседесе» мистера Лонга, том, что с откидным верхом. Я бы сказал, что Бриттани тогда чертовски злилась.— Губы Дэнни скривились.— У нее были с собой вещи мистера Лонга — накладки и парики. Она их все искромсала, шесть штук, а после приклеила куски липкой лентой на руль, на приборный щиток и капот. Это сразу бросалось в глаза. Все передние сиденья были засыпаны волосами. Потом она сказала: «Пока, ребята!» — и ушла.

— Что случилось дальше?

— На следующий день пришел мистер Лонг, он был просто вне себя. Наш управляющий собрал все парики и накладки в один пакет. На мистере Лонге была бейсбольная кепка, и мы тогда решили, что мисс Ла Монти утащила все его накладные волосы. Между нами, сэр, мистер Лонг вообще был на себя непохож, так что мы тут здорово повеселились.

— Не сомневаюсь,— кивнул Уэлли Джонсон.— Он, кажется, из тех, кто может на Рождество подарить фальшивую банкноту.

— О Рождестве вообще забудьте, сэр,— усмехнулся Дэнни.— Он о таком празднике и не слыхал. Чаевых он нам дает в лучшем случае один доллар, и то, считай, повезло.— Тут на лице Дэнни вспыхнула озабоченность.— Не надо было мне это говорить, сэр... Я надеюсь, вы не перескажете всего мистеру Лонгу? Мне нельзя терять работу.

— На этот счет не беспокойся, Дэнни. Ты мне здорово помог.— Уэлли Джонсон направился к выходу.

Дэнни бросился вперед, чтобы открыть перед ним дверь, и взволнованно спросил:

— С мисс Ла Монти все в порядке, сэр? Она была такой милой, когда приезжала с мистером Лонгом.

— Надеюсь, с ней все хорошо, Дэнни. Большое тебе спасибо.

Тоби Гриссом сидел перед столом Джонсона, когда тот вернулся в участок.

— Вы купили себе поесть, мистер Гриссом? — спросил детектив.

— Да. Что вы узнали о Глори у этого важного жулика?

— Выяснил, что ваша дочь и мистер Лонг поссорились. Она уехала на его машине в город и оставила ее на подземной парковке в доме, где у него квартира. Он утверждает, что больше никогда ее не видел. Молодой человек из гаража подтвердил, что Глория больше туда не возвращалась, по крайней мере в гараже ее не видели.

— Что все это значит? — спросил Гриссом.

— Для меня ясно, что они расстались навсегда. Как уже вам говорил, я собираюсь получить список всех тех гостей, что бывали на выходных у Лонга, и выяснить, знает ли кто-то из них, что дальше случилось с Бриттани или Глори, как вы ее зовете. Еще я собираюсь снова встретиться с ее соседками по квартире и выяснить точно, когда она съехала. Обещаю вам, мистер Гриссом, я доберусь до самой сути. Пока, пожалуйста, позвольте мне отправить вас в аэропорт и пообещайте, что завтра же утром пойдете к вашему врачу. Когда вы уже будете в пути, я созвонюсь с соседками вашей дочери и договорюсь о встрече.

Тоби Гриссом встал, опираясь на стол, и заявил:

— У меня такое чувство, что мне уже до самой смерти не увидать моей дочки. Надеюсь, что вы свое обещание сдержите, детектив, а я утром отправлюсь к доктору.

Они пожали друг другу руки.

Тоби Гриссом попытался улыбнуться и сказал:

— Ладно, пусть меня доставят в аэропорт с полицейской мигалкой. Как вы думаете, если я их попрошу, они могут еще и сирену включить?

57

В четверг днем, после срыва в офисе, Зан позволила Джошу отвезти себя домой. Эмоционально опустошенная, она сразу легла в постель и даже приняла таблетку снотворного, что делала чрезвычайно редко. Утром в пятницу, сонная, с тяжелой головой, Морланд долго лежала в кровати и в офис добралась только к полудню.

— Я думала, я справлюсь со всем этим, Джош,— сказала Александра, когда они уселись за письменный стол и съели сэндвичи с индейкой, которые Грин заказал в ближайшем гастрономическом магазине.

Джош приготовил кофе в кофеварке, самый крепкий, как попросила Зан. Она взяла свою чашку и сделала осторожный глоток, наслаждаясь вкусом.

— Это куда лучше, чем то, что подал детектив Коллинз в полицейском участке,— сухо заметила она, потом, видя озабоченный взгляд Джоша, продолжила: — Слушай, я знаю, что вчера просто развалилась, но со мной все будет в порядке. Я справлюсь. Чарли меня предупреждал, что не надо говорить с репортерами. Теперь я уверена в том, что они исказят мои слова насчет того, что Мэтью жив. Ведь и детективы все переврали... Наверное, в следующий раз я его послушаюсь.

— Зан, я чувствую себя таким бесполезным!.. Мне очень хотелось бы тебе помочь,— сказал Джош, стараясь, чтобы его голос не отражал чувств, но ему просто необходимо было кое о чем спросить.— Зан, как ты думаешь, нам следует упомянуть об авиабилете в Буэнос-Айрес, который кто-то купил по твоей карте, об одежде из «Бергдорф Гудман» и обо всех тех заказах для квартир на Карлтон-плейс?

— Еще о том факте, что мой банковский счет опустошен? — пробормотала Зан, а потом добавила: — Ты ведь не веришь, что я всего этого не покупала или не имею отношения к этим сделкам, да? Я знаю! Мне известно и другое. Альвира, Уилли и Чарли Шор не сомневаются в том, что я психически больна, только стараются никак этого не показать.— Она не дала Джошу возможности возразить.— Видишь ли, я ничуть не ругаю тебя. И Теда не виню за то, что он говорит обо мне. Я даже Тиффани не считаю виноватой, мне ведь детективы сказали: она думает, будто я ее чем-то подпоила, чтобы она заснула там, в парке, и я могла бы утащить собственного ребенка в тот чертов пустой дом и бросить его там в подвале, связанным и с кляпом во рту! Конечно, в том случае, если не убила сразу..

— Зан, я люблю тебя! Альвира с Уилли тоже! Чарли Шор хочет тебе помочь, защитить,— растерянно произнес Джош.

— Самое грустное тут в том, что я знаю: это правда. Ты, Альвира и Уилли действительно меня любите. Чарли Шор и в самом деле готов меня защищать. Но ни один из вас не верит в то, что некто похожий на меня украл моего ребенка. Эта особа или тот, кто ее нанял, пытается уничтожить и меня, и мой бизнес. Так что, отвечая на твой вопрос, должна сказать одно. Нам не следует давать этим детективам так называемых новых доказательств моего умственного расстройства, потому что тогда они будут искать только в одном направлении.

У Джоша был такой вид, словно он хотел бы возразить на то, что ему сказала Зан, но она видела и то, что он слишком честен для подобной попытки.

Поэтому Морланд молча допила кофе, протянула чашку Грину, чтобы тот налил еще, потом подождала, пока он вернется, и только после этого продолжила:

— Я, конечно, была не в состоянии разговаривать с Уилсоном, когда вернулась сюда вчера, но слышала, что он тебе сказал. Как думаешь, Кевин это серьезно? Он действительно готов взять на себя оплату всех заказов?

— Думаю, да,— кивнул Джош, радуясь перемене темы.

— Это с его стороны более чем благородно,— сказала Зан.— Даже представить не могу, что начали бы болтать газеты, узнай они обо всем... если бы он публично заявил о своем поступке. Заказов-то в целом на десять тысяч долларов. Если Уилсон хотел попасть на первые страницы, то мы ему это обеспечили.

— Кевин сказал, что наш... то есть твой проект нравится ему куда больше, чем вариант Бартли Лонга,— сказал Грин.

— Наш проект,— подчеркнула Зан.— Джош, ты очень талантлив, похож на меня, какой я была девять лет назад, когда только начинала работать у Бартли Лонга. Ты так много всего добавил к проекту! — Она взялась было за второй сэндвич, но тут же отложила его.— Джош, а знаешь, что я думаю насчет того, как пойдут дела дальше? Меня могут арестовать за похищение Мэтью. Я всем сердцем верю, что он жив, но если все-таки ошибаюсь, то могу тебя кое в чем заверить. Мне плевать, если штат Нью-Йорк посадит меня за его убийство. Потому что если Мэтью мертв, то моя жизнь будет не лучше тюрьмы.

58

Когда утром в пятницу Карпентер вошел в свой офис, его ждали дурные новости. Рита Моран уже ожидала Теда, и ее лицо выглядело натянутым из-за гнева и разочарования.

— Мелисса созывает журналистов к себе домой, чтобы заявить о предложении пяти миллионов долларов тому, кто вернет Мэтью живым и здоровым. Ее помощница позвонила нам и предупредила. Она не хочет, чтобы ты оставался в неведении. При этом Беттина сказала: Мелисса уверена, что Мэтью давно погиб, но неизвестность якобы просто убивает тебя.— Рита добавила весьма саркастичным тоном: — Она делает это ради тебя, Тед!

— Черт побери! — закричал Карпентер.— Я же ей говорил, умолял, заклинал ее!..

— Знаю,— сказала Рита.— Но, Тед, не забывай вот о чем. Ты не можешь позволить себе потерять такую клиентку, как Мелисса Найт. Мы только что получили новую смету на ремонт водопроводной системы в этом доме, и позволь тебе сказать, это просто ужас! Мелисса и ее приятели уже позволили тебе держать голову над водой, а если к ним присоединится еще и Джейми, нам и вовсе будет чем дышать. Я думаю, тебе следует снизить цену. Это настоящий монстр, а не дом. Пока не найдется покупатель, сосредоточься на поиске новых клиентов вроде Мелиссы и постарайся ничем не злить эту леди. Ты не можешь себе это позволить!

— Знаю, что не могу. Спасибо, Рита.

— Мне очень жаль, Тед, я знаю, сколько тебе приходится нести на своих плечах. Но помни, что у нас все-таки есть несколько отвратительных певцов, актеров и ансамблей. Когда им удастся прорваться, они не забудут, как много ты сделал для их продвижения. Так что я тебе советую позвонить этой ведьме, когда она предложит свои пять миллионов, и сказать, как ты ей благодарен и любишь ее.

59

В пятницу Пенни Хэммел проехала мимо дома Оуэнса достаточно медленно, чтобы заметить движение занавесок на окне, выходившем на улицу.

«Должно быть, та женщина дома. Она услышала, как мой фургончик грохочет по кочкам,— подумала Пенни.— Но что прячет там Глория Эванс? Почему у нее всегда закрыты занавески?»

Уверенная в том, что за ней продолжают наблюдать, Пенни намеренно развернулась, не доехав до конца тупика, на тот случай, если таинственная женщина еще в чем-то сомневалась.

«Пусть знает, что я с нее глаз не спускаю,— думала Пенни.— Чем она там занимается? Такой замечательный день!.. Разве любому человеку не захотелось бы впустить в дом солнце? Она еще утверждает, что пишет книгу! Могу на что угодно поспорить, мало кто из писателей стал бы сидеть у компьютера в темноте, когда в окно могут литься солнечные лучи!»

Пенни вообще-то повернула на дорогу к дому Оуэнса, поддавшись порыву, на самом деле она собралась в город. Ей хотелось прикупить кое-что из бакалеи, а заодно не путаться под ногами у Берни. Муж был занят Великим ремонтом, хлопотал над чем-то в своей мастерской в подвале. Проблема тут состояла в том, что каждый раз, когда он заканчивал очередной рабочий подвиг, например заменял ручку на сковороде или склеивал разбитую крышку сахарницы, Берни начинал кричать во весь голос, требуя, чтобы Пенни спустилась к нему и посмотрела, как ее супруг потрясающе все сделал.

«Наверное, ему хочется, чтобы кто-то слышал его голос, он ведь бóльшую часть времени сидит в своем грузовике один»,— размышляла Пенни, поворачивая на Мидлтаун-авеню.

Она не собиралась заезжать к Ребекке, но потом заметила свободное место на парковке почти перед самым ее агентством, да еще и увидела через окно, что подруга сидит за своим рабочим столом.

«Почему бы и нет?» — тут же решила Пенни, поставила машину, быстро пересекла тротуар и распахнула дверь агентства.

— Bonjour, мадам Шварц! — прогудела она, отлично имитируя французский акцент.— Я к вам пришла, чтобы купить тот большущий уродливый особняк на Тартл-авеню, который вы не можете продать уже два года! Мне хочется снести его до основания, потому что он просто терзает глаз. В моем лимузине лежат в сундуке четыре миллиона евро. У нас есть то, что американцы называют сделкой?

Ребекка расхохоталась и заявила:

— Очень забавно, но позволь сообщить тебе кое-что, весьма похожее на чудо. У меня есть покупатель на дом Сая Оуэнса.

— А как же арендаторша? — мгновенно спросила Пенни.

— Ей придется выехать в течение тридцати дней.

Пенни осознала, что испытывает нечто вроде разочарования. Ее очень развлекали фантазии о Глории.

— Ты уже сообщила Эванс?

— Да, и она очень расстроилась, даже бросила трубку, не дослушав. Я ей сказала, что могу показать по меньшей мере пять-шесть домов куда более привлекательных, чем этот. Она сможет за них заплатить гораздо меньше, не отдавая лишнего ни за один день.

— После этого она бросила трубку? — Пенни буквально упала на стул, ближайший к письменному столу Ребекки.

— Да, расстроилась не на шутку.

— Ребекка, я только что проезжала мимо дома Оуэнса. Ты там бывала после того, как она въехала?

— Нет. Вспомни, я тебе говорила, что проезжала мимо рано утром в тот день, когда Эванс должна была туда перебраться, видела ее машину перед домом, но внутрь не заходила.

— Может быть, тебе следовало бы поискать предлог для того, чтобы туда заглянуть. Наверное, ты могла бы просто постучаться к ней, извиниться за неожиданный визит, сказать, что тебе очень жаль, и так далее. Если она окажется настолько невежливой, что не пригласит тебя войти, я скажу, что это полностью доказывает мою догадку. Там происходит что-то не то.

Ухватившись за идею, Пенни начала придумывать, как именно подтолкнуть Ребекку к действию.

— Этот дом — просто идеальное место для наркодилеров, например,— теоретизировала она.— Тихая, почти деревенская дорога. Тупик. Никаких соседей. Подумай об этом! Если ее накроют полицейские, что будет с продажей? Предположи, что она уже скрывается от закона! — Прекрасно понимая, что на самом деле у нее нет ни единого факта, подтверждающего все догадки, Пенни в конце концов сказала: — Знаешь, что я сделаю? Я подожду до вторника, потом пойду к Альвире Михан, расскажу ей все о мисс Эванс и попрошу совета. Хочу сказать, вдруг Глория и вправду скрывается от полиции и за ее поимку обещано вознаграждение? Разве такого не может быть?

60

Пятница началась для отца О'Брайена с семичасовой утренней молитвы за безработных, собравшихся перед церковью. В этот день, как обычно, более трехсот человек терпеливо ждали возможности позавтракать. Некоторые из них, как было известно отцу Эйдену, уже простояли в очереди не меньше часа.

Один из добровольных помощников священника шепнул ему на ухо:

— Вы замечаете, что тут много новых лиц?

Отец Эйден кивнул. Конечно, он это заметил. Некоторых из этих людей монах видел в разных медицинских пунктах для бездомных стариков, куда нередко заглядывал. Он часто слышал от них, что им приходится выбирать между едой и лечением, в котором они отчаянно нуждались.

Отец Эйден постоянно об этом думал, всем сердцем сочувствовал несчастным, но сегодня, едва проснувшись, он помолился за Зан Морланд и ее ребенка. Был ли малыш Мэтью до сих пор жив? Если да, то где мать прятала его? Он видел страдание в глазах Зан Морланд, когда держал ее за руки. Возможно ли, как в то, похоже, верила Альвира, чтобы Зан действительно страдала раздвоением личности и просто не знала, что делает ее вторая часть?

Если это было так, то не другая ли Зан приходила на исповедь и говорила о том, что участвует в преступлении и не может предотвратить убийство?

Проблема состояла в том, что не имело значения, которая половина являлась на исповедь. Отец Эйден в любом случае был связан священным обетом и никому не мог рассказать о том, что услышал.

Он помнил, какими холодными были ухоженные руки Зан Морланд, когда он сжимал их в своих ладонях.

Ее руки. Что беспокоило его при мысли о них? Тут крылось что-то очень важное, но отец Эйден не мог ничего вспомнить, как ни старался.

После обеда в монастыре он уже собирался вернуться в свой кабинет, когда ему позвонил детектив Билли Коллинз и поросил о встрече.

— Мы с напарницей хотели бы задать вам несколько вопросов, святой отец. Нельзя ли нам прийти прямо сейчас? Мы могли бы быть у вас минут через двадцать, не больше.

— Да, конечно. Можно спросить, в чем дело?

— Это касается Александры Морланд. Мы скоро будем, отец.

Ровно через двадцать минут Билли Коллинз и Дженнифер Дин оказались в кабинете отца Эйдена. После взаимных представлений монах сидел за письменным столом лицом к лицу с детективами и ждал, когда они начнут беседу.

Первым заговорил Билли Коллинз:

— Святой отец, Александра Морланд приходила в церковь вечером в понедельник, это так?

Францисканец ответил, осторожно выбирая слова:

— Альвира Михан узнала ее на записи наших камер наблюдения за вечер понедельника.

— Мисс Морланд приходила на исповедь?

— Детектив Коллинз, ваша фамилия заставляет предположить, что вы ирландец, а это значит, что вы, скорее всего, католик или хотя бы выросли в католической среде.

— Да, вырос в такой среде и до сих пор остаюсь католиком,— подтвердил Билли.— Не то чтобы я ходил к мессе каждое воскресенье, но все же бываю там довольно регулярно.

— Приятно это слышать.— Отец Эйден улыбнулся.— Но в таком случае вы должны знать, что я не вправе говорить о чем бы то ни было, касающемся этого таинства, не только о том, что там говорилось, но даже и о том, кто приходил или не приходил на исповедь.

— Понятно. Но вы недавно встречались с Зан Морланд в доме Альвиры Михан, да? — негромко спросила Дженнифер Дин.

— Да, встречался. Буквально на несколько мгновений.

— То, что она сказала вам там, не охраняется тайной исповеди, верно? — продолжала Дин.

— Да это и незачем скрывать. Александра попросила меня молиться за ее сына.

— Она, случайно, не упомянула о том, что опустошила свой банковский счет и купила билет в Буэнос-Айрес на следующую среду, а? — поинтересовался Билли Коллинз.

Отец Эйден постарался не показать, насколько был изумлен, и ответил:

— Нет, ничего такого она не говорила. Повторяю, мы общались меньше пятнадцати секунд.

— Тогда вы с ней увиделись впервые? — выстрелила очередным вопросом Дженнифер Дин.

— Ох, только не пытайтесь меня одурачить, детектив Дин,— сурово откликнулся отец Эйден.

— Мы не пытаемся вас дурачить, отец,— возразил Билли Коллинз.— Но вам, возможно, интересно будет узнать, что после достаточно долгого разговора мисс Морланд так и не поделилась с нами своими планами покинуть страну. Мы это выяснили самостоятельно. Что ж, отец, если вы не возражаете, мы тоже взглянем на записи ваших камер наблюдения, на которых видна мисс Морланд, входящая в церковь и покидающая ее.

— Разумеется. Я распоряжусь, чтобы Нейл, наш помощник на все руки, показал их вам.— Отец Эйден потянулся к телефону.— Ох, я забыл. Нейла сегодня нет. Значит, придется попросить помочь вам Пола, нашего продавца книг.

Пока они ждали, Билли Коллинз спросил:

— Святой отец, Альвира Михан сказала нам, что обеспокоена следующим обстоятельством. Ей показалось, будто кто-то слишком пристально наблюдал за вами на днях. Вы знаете людей, которых могли бы назвать своими врагами?

— Нет, ни единой души! — выразительно ответил францисканец.

Когда Пол увел детективов, чтобы показать им записи, отец Эйден опустил голову на руки.

«Должно быть, она и вправду виновна,— думал он.— Потому и решила бежать...

Но что же такого особенного было в руках Зан Морланд? Что именно я должен вспомнить?..»

Два часа спустя, когда отец Эйден все еще сидел за своим рабочим столом, ему снова позвонила Морланд.

Продолжая надеяться, что ему удастся предотвратить то убийство, о котором она говорила, священник сказал:

— Я очень надеялся вас услышать, Зан. Вы хотите прийти и поговорить со мной? Может быть, я в силах по-настоящему вам помочь?

— Нет, я так не думаю. Мне только что позвонил мой адвокат. Меня собираются арестовать. Я должна сегодня к пяти явиться вместе с ним в полицейский участок. Так что, если можно, помолитесь и за меня тоже.

— Зан, я давно уже молюсь за вас,— от всей души произнес отец Эйден.— Если вы...

Но он не закончил фразу. Александра уже повесила трубку.

По расписанию отец Эйден должен был отправиться в одну из исповедальных комнат в четыре часа.

«Как только я там закончу, позвоню Альвире,— решил монах.— К тому времени она будет знать, отпустят Зан под залог или нет».

В то мгновение отец О'Брайен и заподозрить не мог, что кто-то может войти в исповедальню с намерением не признаться в убийстве, а совершить его.

61

Днем в пятницу, в 4.15, Зан позвонила Кевину Уилсону и сказала ровным голосом:

— Я просто не знаю, что говорить, как выразить вам благодарность за то, что вы взяли на себя прием всех заказов для ваших квартир. Но я не могу этого допустить. Меня вот-вот арестуют. Мой адвокат думает, что мне позволят внести залог, но случится это или нет, от меня будет не слишком много пользы как от дизайнера.

— Вас намерены арестовать, Зан?!

Кевин не сумел скрыть потрясение, прорвавшееся в его голосе, хотя Луиза и твердила ему, что удивлена тем, что Морланд до сих пор на свободе.

— Да. Я должна явиться в полицейский участок к пяти часам. Как мне объяснили, скорее всего, прямо оттуда меня отправят в суд.

Кевин прекрасно слышал, каких усилий стоило Зан сдерживаться.

— Зан, но это не меняет того факта, что...— начал было он, но Александра перебила его:

— Джош позвонит поставщикам и объяснит, что все необходимо отправить обратно, а я постараюсь как-то договориться с ними о неустойке.

— Прошу вас, не думайте, что мое решение принять все заказы — нечто вроде особого акта сочувствия. Мне нравится ваш проект, а не Бартли Лонга. В этом вся суть и причины. До того как вы пришли, Джош мне объяснил, что вы с ним вместе работали над этим проектом. Пока вы разрабатывали одну часть, он трудился над другой. Это правда или нет?

— Да, так и есть. Конечно. Джош очень талантлив.

— Значит, все в порядке. Говоря деловым языком, я нанимаю студию Морланд для отделки образцовых квартир. Отпустят вас под залог или нет, я не изменю решения. Конечно, счет за собственно работу вы подадите отдельно, сверх стоимости материалов и мебели.

— Не знаю, что и сказать,— растерянно произнесла Зан.— Кевин, вы ведь должны понимать, какой шум поднимется в прессе. Все будет только хуже. Вы уверены, что вам это нужно — чтобы все знали, что женщина, обвиняемая в похищении, а то и в убийстве собственного ребенка, работает на вас?

— Зан, я прекрасно понимаю, как плохо все выглядит, но уверен в вашей невиновности и не сомневаюсь, должно быть какое-то объяснение всему тому, что с вами происходит.

— Так оно и есть. Молю Бога, чтобы все разъяснилось.— Зан попыталась засмеяться.— Я хочу сказать, что вы первый человек, который уверенно высказался в мою защиту и считает меня невиновной.

— Если я первый, то очень рад этому, но уверен, что не последний,— твердо сказал Кевин.— Зан, я постоянно о вас думаю. Как вы со всем этим справляетесь? Когда я вас видел, вы были так расстроены, что просто больно было смотреть на это.

— Как я справляюсь? Да я и сама себя об этом спрашиваю, но думаю, что знаю ответ. Много лет назад, когда мои родители работали в Греции, мы однажды летали в Израиль и посетили Святую землю. Вы там бывали, Кевин?

— Нет, не пришлось. Но мне всегда хотелось туда поехать. Просто очень долго у меня не было на это денег, а теперь нет времени.

— Что вы знаете о Мертвом море?

— Только то, что оно находится в Израиле.

— Что ж, а я плавала в нем тогда. Это на самом деле соленое озеро, которое лежит почти на тысячу триста футов ниже уровня моря, очень низкая точка земли, самая-самая. В воде так много соли, что нужно следить, чтобы она не попала в глаза, потому что будет ужасно жечь.

— Зан, но какое это имеет отношение к настоящему моменту?

Голос женщины надломился, когда она ответила:

— Я теперь себя чувствую так, словно нахожусь на дне Мертвого моря и мои глаза широко открыты. Такой ответ вас устроит, Кевин?

— Да. Боже, как мне жаль, Зан...

— Верю вам. Мой адвокат уже пришел. Пора предоставить полиции отпечатки пальцев и сесть под замок. Спасибо вам еще раз.

Уилсон осторожно опустил трубку на аппарат, а потом отвернулся, чтобы Луиза Кирк, как раз открывшая дверь кабинета, не заметила слезы на его глазах.

62

Днем в пятницу он позвонил Глории. Когда она ответила, то, как он того и ожидал, ее голос звучал сердито и обиженно.

— Пора уже и объясниться,— рявкнула девица.— Потому что этот твой план «неделя или дней десять» что-то не спешит осуществляться. Мне, похоже, придется убираться отсюда в течение месяца, а днем в воскресенье сюда намерена явиться та агентша по недвижимости вместе с типом, который покупает этот дом. Если ты думаешь, что тебе удастся запихать меня в очередную дыру вроде этой, то ошибаешься. К воскресному утру тебе лучше передать мне денежки, или я отправлюсь в полицию и потребую вознаграждение в пять миллионов долларов.

— Глория, к воскресенью мы все закончим. Если считаешь, что получишь вознаграждение, то ты еще глупее, чем я думал. Помнишь знаменитого серийного убийцу Дэвида Берковица, его еще звали Сыном Сэма? Если нет, поищи в Интернете. Он убил сколько-то человек, еще сколько-то ранил и писал книгу о том, как веселился при этом. Но нашелся закон, по которому преступник не может получить выгоду от своего злодеяния. Так что, леди, понимаешь ты это или нет, но сама замешана по уши. Ты похитила Мэтью Карпентера и прятала его почти два года. Если тебя поймают, ты сразу угодишь в тюрьму. Уловила?

— Может быть, для меня сделают исключение,— с вызовом произнесла Глория.— Этот малыш очень умен. Ты ошибаешься, если думаешь, что он не заявит, будто мамочка и не подходила к нему в парке в тот день, как только его найдут. Я совершенно уверена, что мальчик все помнит. Когда он проснулся в машине, на мне все еще был парик. Мэтью ужасно закричал, когда я его сняла. *Это* он помнит. Однажды я думала, что дверь заперта, и примерила парик, перед тем как его помыть. Я стояла спиной к двери. Мэтью заглянул внутрь и вошел прежде, чем я успела снять парик. Он спросил: «А зачем ты стараешься выглядеть как моя мамочка?» Вот и предположи, как ребенок заявит, что из коляски его забрала Глория. Каково это будет?

— Но ты ведь не допустила, чтобы он увидел все те снимки, которые показывали по телевизору? — спросил он таким тоном, как будто на него внезапно обрушилась стена.

Если Мэтью знает, что его похитила не мама, и расскажет об этом полицейским, то все планы рухнут...

— Ты сам-то понимаешь, что задаешь дурацкие вопросы? — огрызнулась Глория.— Конечно, он ничего не видел!

— Думаю, ты ненормальная, Бриттани. Все случилось почти два года назад. Он слишком мал, чтобы помнить!

— Вот только не надо думать, что мальчик будет вести себя как безголосый кролик, когда его найдут. И не называй меня Бриттани! Мне казалось, мы это уже обсуждали.

— Хорошо-хорошо. Послушай, мы слегка изменим наш план. Не надо гримироваться под Зан и идти в ту церковь. Я сам обо всем позабочусь. Собери все свои вещи и уложи в машину. Встретимся завтра вечером в аэропорту. Я принесу тебе деньги и билет на самолет в Техас.

— А с Мэтью что?

— Делай то же, что всегда, только на этот раз ему придется подождать немного дольше. Уложи его спать в чулане, не выключай свет, оставь ему побольше хлопьев, сэндвичей, воды и так далее. Ты говоришь, те люди собираются осматривать дом в воскресенье?

— Да. Но что будет, если они не придут? Мы же не можем оставить маленького ребенка запертым в чулане!

— Конечно нет. Ты позвони той агентше и скажи, что уезжаешь в воскресенье утром и оставила ей адрес, по которому нужно вернуть переплату. Можешь быть уверена, к полудню воскресенья она обшарит весь дом, будет у нее новый покупатель или нет, и обнаружит Мэтью.

— Шестьсот тысяч долларов!.. Пять наличными, остальное — переводом на счет моего отца в банке в Техасе. Возьми ручку. Я продиктую номер счета.

Его рука вспотела так сильно, что он не мог удержать авторучку, выскальзывающую из пальцев, но все же записал цифры, которые диктовала Глория.

Перед ним возникло обстоятельство, о котором он никогда не задумывался. Мэтью может помнить, кто его похитил в тот день. Это была не мать...

Если такое случится, все поверят в рассказ Зан и его тщательно разработанные планы окажутся бесполезными. Даже если он убьет ее, как и собирался, все равно полиция будет продолжать поиски того, кто задумал всю эту мистификацию и похищение.

Они вполне могут докопаться до истины. Ведь та самая активность, с которой копы сейчас преследуют Зан, может развернуться в другом направлении.

Ему действительно было очень жаль, но копы не должны найти Мэтью в том чулане. Мальчишка исчезнет до того, как агент по недвижимости войдет в дом в воскресенье.

«Я ведь никогда не предполагал убивать его,— с горечью думал он.— Мне и в голову не приходило, что все может кончиться вот так. Ладно, что тут поделаешь? Пора идти в церковь. Благослови меня, Отец Небесный, потому что я согрешил».

63

На этот раз Зан не стала отвечать на вопросы репортеров, когда они с Чарли Шором приехали к полицейскому участку Центрального парка. Вместо того, низко опустив голову, она бегом бросилась от машины к входной двери, а Чарли мчался рядом, поддерживая ее под локоть. Их проводили в уже знакомую комнату для допросов, где ждали детективы Билли Коллинз и Дженнифер Дин.

Не поздоровавшись, Коллинз спросил:

— Надеюсь, вы не забыли прихватить с собой паспорт, мисс Морланд?

За нее ответил Чарли Шор:

— Да, паспорт с нами.

— Хорошо, потому что судье он потребуется,— кивнул Билли.— Мисс Морланд, почему вы ничего не сказали нам о том, что собирались в следующую среду улететь в Буэнос-Айрес?

— Потому что я не собиралась этого делать,— спокойно поговорила Зан.— Заодно отвечу сразу, не дожидаясь вопроса: я не снимала денег со своего банковского счета. Я уверена, вы уже и это проверили.

— То есть вы хотите сказать, что та самая самозванка, которая похитила вашего ребенка, еще и купила билет в один конец в Аргентину и сумела взломать ваш счет в банке?

— Да, именно это я и говорю,— кивнула Зан.— Добавлю кое-что на тот случай, если вы еще не знаете. Тем же мошенником или мошенницей была куплена дорогая одежда в магазинах, где у меня есть кредитные карты. Еще был сделан заказ на множество материалов, которые могли бы мне понадобиться для внутренней отделки, получи я эту работу.

Нахмуренный лоб Чарли Шора напомнил Зан о том, что адвокат много раз повторял ей. Она должна только отвечать на заданные ей вопросы, а не выкладывать сама ту или иную информацию.

Морланд повернулась к нему и сказала:

— Чарли, я знаю, что ты сейчас думаешь, но мне нечего скрывать. Может быть, если детективы проверят все эти факты, они поймут, что я сама ничего этого не могла сделать. Вероятно, одному из них все-таки придет в голову, что я, похоже, говорю правду, если они внимательно посмотрят друг на друга.— Зан снова повернулась к детективам.— Моргните, если вы верите в чудеса! Я ведь пришла сегодня для того, чтобы меня арестовали. Не пора ли приступить к делу?

«Да, не много времени понадобилось на то, чтобы превратиться в преступницу»,— думала Зан часом позже, когда уже был выписан ордер на ее арест, а на документ поставлен номер. У нее взяли отпечатки пальцев и сфотографировали анфас и в профиль.

После этого Александру отвезли в суд, и она предстала перед суровым служителем закона.

— Мисс Морланд, вы обвиняетесь в похищении ребенка, создании препятствий правосудию и помех к осуществлению родительских прав,— произнес судья.— Если вы готовы внести залог, то все же не можете покинуть страну без разрешения суда. У вас есть с собой паспорт?

— Да, ваша честь,— ответил за нее Чарли Шор.

— Передайте его судебному приставу. Сумма залога назначается в двести пятьдесят тысяч долларов.

Судья встал и вышел из зала.

Зан в ужасе повернулась к адвокату и заявила:

— Чарли, мне не найти такой суммы! Ты и сам это знаешь!

— Мы с Альвирой обсуждали такую возможность. Она уже оформила документы на то, чтобы предоставить свою квартиру в качестве залога, и выступает твоим поручителем. Как только я позвоню Уилли, он сразу приедет сюда. Когда бумаги представят в канцелярию суда, ты сможешь свободно уйти.

— Свободно уйти,— прошептала Зан, глядя на следы черной краски, которые не смогла отмыть с пальцев.— Свободно уйти...

— Сюда, мэм.— Судебный пристав коснулся ее руки.

— Зан, тебе придется подождать в камере для задержанных, пока Уилли не представит документы. Я ему позвоню, потом вернусь и подожду вместе с тобой,— сказал ей Чарли.— Ты должна понимать, что это самая обычная процедура.

Зан, едва передвигая ноги, позволила увести себя в ближайшую дверь. За ней скрывался узкий коридор. В конце его располагалась пустая зарешеченная камера с открытым туалетом и скамьей. Офицер легонько подтолкнул Зан, она шагнула в камеру и тут же услышала, как за ее спиной щелкнул замок.

«Выхода нет,— подумала Зан, вспомнив пьесу Сартра с таким же названием.— Я играла в ней роль прелюбодейки, когда училась в колледже. Выхода нет. Выхода нет.— Она повернулась и уставилась на решетку, потом осторожно коснулась рукой железных прутьев.— Бог мой, как все это могло со мной приключиться? Почему? Почему?»

Зан простояла на одном месте около получаса, потом наконец-то явился Чарли Шор и сообщил:

— Я уже переговорил насчет поручительства. Уилли будет здесь через несколько минут. Он должен подписать кое-какие бумаги, передать их по акту, заплатить комиссионный сбор — и все, ты отсюда выйдешь. Я понимаю, что ты сейчас должна чувствовать, но теперь я, твой адвокат, точно знаю, с чем мы столкнулись и как нам действовать.

— Хочешь нажать на безумие? Разве ты не об этом думаешь, Чарли? Могу поспорить, что так оно и есть. Перед тем как ты пришел, мы с Джошем включили телевизор в задней комнате моей студии. В этот момент ведущий Си-эн-эн брал интервью у какого-то доктора, специалиста по раздвоению личности. По его просвещенному мнению, я как раз подхожу под эту категорию, и это поможет адвокату. Потом он упомянул какой-то случай, когда защита строилась на том, что человек, совершивший преступление, не знал, что именно он делает. Знаешь, что сказал судья на такой аргумент? — закричала вдруг Зан.— Он заявил: «Мне плевать, сколько личностей у этой женщины! Пусть все они подчиняются закону»!

Чарльз Шор посмотрел в сверкающие глаза Александры, понял, что ему нечем ни утешить, ни поддержать свою подзащитную, и решил больше не оскорблять ее такими попытками.

64

Глория Эванс, урожденная Маргарет Гриссом, она же Глори для обожающего ее отца, сценический псевдоним Бриттани Ла Монти, не была уверена в своей готовности поверить в то, что все закончится в течение сорока восьми часов. За последние почти два года она тысячи раз шептала себе: «Если бы только...», бессонными ночами осознавая весь масштаб собственного преступления.

«А если в итоге все сорвется? — думала она.— Предположим, они меня выследят, и что тогда? Я отправлюсь в тюрьму на всю оставшуюся жизнь. Зачем мне шестьсот тысяч долларов? Нет, меня не найдут. Я буду хорошо одеваться, брать уроки актерского мастерства, постараюсь найти приличного агента и рекламщика... Он говорил, что познакомит меня с нужными людьми из Голливуда, но что было толку от всех тех людей, с которыми меня знакомил Лонг? Чушь все это!»

Мэтти был таким чудесным мальчиком. Глория понимала, что слишком привязалась к нему, но разве можно было не полюбить этого малыша?

«Я его действительно люблю,— думала она, укладывая дубликаты одежды Зан Морланд.— Бог мой, а я ведь отлично поработала, учитывала каждую мелочь. Морланд немного выше меня. Я сделала особые подушечки под пятки в тех босоножках, на случай, если меня кто-то сфотографирует в момент похищения ребенка...»

Похваливая себя в процессе упаковки костюмов и платьев, Глория вспоминала, как ей пришлось потрудиться над париком, чтобы волосы выглядели как нужно и по цвету, и по фасону стрижки. Она кое-что подложила в то платье, потому что плечи у Морланд были немного шире, чем у нее.

«Могу на что угодно поспорить, но копы, изучавшие те снимки, просто не могли и подумать, что это не Морланд,— поджав губы, размышляла Глория.— Да и косметика у меня была выше всяких похвал».

Она окинула взглядом спальню с блеклыми белыми стенами, потертой дубовой мебелью, старым ковром и спросила себя вслух:

— Так что я со всего этого имею?

«Два года метания от одного укрытия к другому. Все это время Мэтью сидит под замком, когда я отправляюсь по магазинам, время от времени хожу в кино или еду в город, чтобы показаться в роли Морланд то в одном месте, то в другом. Да, этот парень и в Форт-Нокс прорвался бы»,— думала она, вспоминая, как однажды он встретил ее на вокзале и сунул в руку фальшивую кредитную карту.

У него тогда был с собой список разной одежды.

— Ты должна купить все это,— заявил он.— У нее есть точно такие же вещи.

Иногда он присылал ей по почте целые ящики одежды, копирующей наряды Морланд, и говорил по телефону:

— На всякий случай, вдруг понадобятся.

В понедельник, когда Глория отправилась на Манхэттен, она надела один из тех костюмов, черный с меховой отделкой, и нанесла соответствующую косметику. Он велел ей купить кое-что у Бергдорфа и заплатить по карте Морланд. Глория ничего не знала о его задумках, не представляла, что должна делать.

Когда они встретились, он был откровенно расстроен и сказал:

— Ладно, возвращайся в Мидлтаун.

Это было во второй половине дня в понедельник.

«Я тогда просто взбесилась, сказала ему, чтобы убирался ко всем чертям, и пошла на парковку,— думала Глория.— Надо мне было снять этот чертов парик и по-другому повязать шарф, чтобы не быть похожей на Морланд. Я этого не сделала, потом увидела церковь и зашла туда, хотя это и было чистым безумием. Не знаю, что меня подтолкнуло, почему я оказалась в исповедальной комнате и заговорила... Бог мой, неужели я схожу с ума? Мне следовало бы догадаться, что он за мной проследит. Иначе как он узнал бы, что я там была?»

— Глори, можно войти?

Она оглянулась. В дверях стоял Мэтью. Присмотревшись к нему, Глория заметила, что мальчик похудел, и подумала, что он в последнее время почти ничего не ест.

— Конечно. Входи, Мэтти.

— Мы что, снова переезжаем?

— Нет, у меня для тебя есть новости получше. Через пару дней за тобой приедет мама.

— Правда? — взволнованно вскрикнул Мэтью.

— Можешь не сомневаться. Теперь все в порядке. Те плохие люди, которые хотели тебя украсть, исчезли. Разве это не замечательно?

— Я соскучился по мамуле,— прошептал Мэтью.

— Я знаю, милый. Веришь ты или нет, я тоже буду скучать по тебе.

— Ты сможешь иногда приходить к нам в гости?

— Там видно будет.

Заглянув в умные, пытливые глаза Мэтью, Глория вдруг подумала: «А ведь если через год-другой он увидит меня по телевизору или на экране кинотеатра, то сразу скажет: "Это же Глория! Та самая леди, которая обо мне заботилась!" Боже, да ведь не только я это сообразила!

Он знает, что Мэтти не должны найти. Неужели он может...»

Да, он может. Глория уже это поняла.

«Я не позволю, чтобы случилось такое,— тут же решила она.— А пока буду делать то, о чем мы договорились. Завтра пораньше позвоню агентше и скажу, что выезжаю утром в воскресенье. Потом встречусь с ней в городе, это уже вечером, но сначала пойду в полицию и заключу сделку. Они повесят на меня микрофон, чтобы иметь железные доказательства...»

— Глори, можно мне спуститься вниз и выпить содовой? — спросил Мэтью.

— Конечно, милый, но я пойду с тобой и дам тебе что-нибудь поесть.

— Я не голоден, Глори, и уже не верю, что скоро увижу мамулю. Ты мне столько раз это говорила!..

Мэтью спустился, вернулся с бутылкой содовой, лег на кровать, сунул руку под подушку, прикоснулся к куску туалетного мыла, но тут же оттолкнул его.

«Глори говорит неправду,— думал мальчик.— Она постоянно мне твердит, что я скоро увижу мамочку. Нет, мама не хочет приходить за мной».

65

В пятницу без десяти четыре отец Эйден медленно шел из монастыря в нижнюю церковь. Он несколько часов просидел за письменным столом, а после долгой неподвижности у него всегда болели спина и колени.

Сегодня, как обычно, несколько человек уже собрались перед двумя исповедальными комнатами неподалеку от входа в церковь. Отец Эйден видел, что один из них отошел к гроту Марии Лурдской, а кто-то другой преклонил колени на скамеечке перед святым Иудой. То ли прихожанин решил дать отдых ногам, то ли просто набирался храбрости перед исповедью.

«Но тут ведь нужна не храбрость, а только вера»,— думал францисканец.

Когда отец Эйден проходил мимо гробницы святого Антония, он заметил мужчину в плаще военного покроя, с густыми темными волосами, стоявшего на коленях. У священника мелькнула мысль, что Альвира могла говорить об этом самом человеке, недавно проявлявшем к нему такой странный интерес. Но отец Эйден отогнал эту мысль. Он решил, что мужчина просто хотел сбросить с души какой-то груз. Следовало надеяться, что дело обстоит именно так.

Без пяти четыре монах прикрепил табличку со своим именем на двери исповедальной комнаты, вошел внутрь и уселся на стул. Перед тем как начать выслушивать кающихся, он всегда произносил одну и ту же молитву о том, чтобы ему удалось утешить тех, кто приходит за этим.

В четыре ровно он нажал на кнопку, зажигавшую зеленую лампочку над дверью, чтобы первый в очереди ожидавших знал — его приглашают войти.

День выдался необычайно нагруженным даже для поста, и через два часа отец Эйден решил, что он может уйти, не выслушав всех, хотя перед дверью оставались еще несколько человек.

Потом, без пяти шесть, в комнату вошел тот самый мужчина с пышными волосами и в темных очках. Воротник его плаща был высоко поднят. Пряди черных волос прикрывали уши и лоб. Руки он держал в карманах.

Отец Эйден ощутил мгновенный укол страха. Он сразу понял, что этот человек пришел явно не для того, чтобы облегчить душу.

Мужчина сел и хрипло произнес:

— Благословите меня, отец, потому что я согрешил.

Он замолчал, но отец Эйден ждал и услышал:

— Я не уверен, что вам захочется даровать мне прощение. Преступление, которое я готовлю, куда серьезнее тех, что уже совершены. Видите ли, я намерен убить двух женщин и ребенка. Одну женщину вы знаете, это Зан Морланд. Кроме того, я и вас собираюсь прикончить. Я не знаю, что вы от нее услышали или заподозрили.

Отец Эйден попытался встать, но не успел, потому что мужчина выхватил из кармана пистолет, прижал ствол к сутане монаха и сказал:

— Не думаю, что нас кто-то услышит. У меня ведь глушитель. В любом случае там все слишком усердно молятся.

Отец Эйден почувствовал острую, жгучую боль в груди, и тут же все провалилось в темноту. Он только ощутил, как руки мужчины прижимают его к спинке стула.

Руки... Зан Морланд. Вот что он пытался вспомнить.

У Зан Морланд были прекрасные руки с длинными пальцами.

А у женщины, приходившей к нему на исповедь, руки были намного меньше и пальцы короче...

Потом этот образ улетучился из головы монаха, тьма стала полной и окончательной.

66

Когда они наконец смогли выйти из здания суда, Уилли шагнул в сторону от многочисленных объективов, перебежал через улицу и поймал такси.

Прикусив губы, чтобы они не так заметно дрожали, и держась за руку Чарли Шора, Зан бросилась к такси. Но ей не удалось скрыться от вспышек и микрофонов, которые тыкались прямо ей в лицо.

— Какие-нибудь заявления для прессы, Зан? — кричали репортеры.

Остановившись, она закричала в ответ:

— На фотографиях не я, не я, не я!

Уилли стоял у края тротуара, держа открытой дверцу машины.

Чарли помог Зан сесть и тихо сказал:

— Этот добрый человек поддержит тебя сейчас.

Такси рванулось с места, и некоторое время ни Александра, ни Уилли не произносили ни слова.

Потом, когда они уже почти доехали до Центрального парка, Зан повернулась к нему и начала:

— Не знаю, как и благодарить тебя. У меня ведь арендованная квартира. Счета в банке теперь просто нет. Я не смогла бы сама внести залог и сидела бы в темнице в оранжевом тюремном комбинезоне, если бы не вы с Альвирой.

— Ну уж нет, Зан! Сегодня ты не попала бы в тюрьму,— возразил Уилли.— Только не в мое дежурство.

Когда они добрались до квартиры семьи Михан, Альвира уже ждала их, приготовив кофе, и сказала:

— Чарли позвонил мне и сообщил, что Зан нуждается в чем-нибудь покрепче красного вина. Что бы это могло быть?

— Наверное, виски.— Морланд попыталась улыбнуться, разматывая шарф и снимая жакет, но эта попытка не удалась.— Может, даже две или три порции,— добавила она.

Как только гостья справилась с жакетом, Альвира обняла ее и проговорила:

— Чарли позвонил, сказал, что ты едешь к нам, и попросил напомнить тебе, что это был всего лишь первый этап долгого процесса. Он готов бороться за тебя на каждом шагу.

Зан прекрасно знала, что именно должна сказать, но не была уверена, что сумеет все выразить достаточно точно.

Чтобы оттянуть время, она села на кушетку, окинула взглядом комнату и заявила:

— Я очень рада, что ты все-таки согласилась на эти парные клубные кресла, Альвира. Помнишь, как мы спорили, когда ты поначалу настаивала на креслах с подголовниками, а?

— Да, ты твердила, что с низкими спинками будут удобнее,— кивнула хозяйка дома.— Просто когда мы с Уилли поженились, то, как и все наши знакомые, купили диван, кресло с подголовником и клубное с низкой спинкой. Приставные столики и один для коктейлей. Соответствующие светильники тоже. Так что... Но видишь ли, в то время в нашем районе не было принято нанимать специальных декораторов.

Говоря, Альвира внимательно изучала гостью, отмечая глубокие тени под глазами, неестественную бледность кожи и то, что Зан, всегда бывшая худощавой, теперь стала просто прозрачной.

Александра с благодарностью приняла коктейль, приготовленный Уилли, чуть-чуть встряхнула бокал, чтобы кубики льда звякнули о стекло, и заговорила:

— Мне очень трудно говорить об этом, потому что я буду выглядеть совсем уж неблагодарной...— Она посмотрела на озабоченные лица друзей и тихо продолжила: — Я просто вижу, о чем вы думаете. По-вашему, я готова исповедаться, заявить, что похитила, а то и убила своего сыночка, плоть от моей плоти... Но я собираюсь сказать совсем не это. Хочу вам заявить, что не страдаю никакими раздвоениями. Я не психопатка, не шизофреничка. Понимаю, что дело выглядит именно так, и ничуть не виню вас за то, что вы верите в это, полностью или отчасти.— Голос Зан звучал все сильнее, наполнялся страстью.— Мэтью унес тогда кто-то другой, не поленившийся добиться полного сходства со мной. Недавно я прочла об одной женщине, которой пришлось провести в тюрьме год из-за того, что двое друзей ее бывшего жениха утверждали, что она угрожала им пистолетом. Потом один из них все-таки сломался и признался, что солгал.— Зан смотрела в глаза Альвиры, умоляя о понимании.— Перед Богом, жизнью Мэтью клянусь, я невиновна! Ты сама хороший детектив. Я читала твою книгу. Ты распутала несколько очень сложных преступлений. Теперь я хочу попросить тебя заново подумать над всей этой ужасной путаницей. Скажи себе: «Зан невиновна. Все, что она говорит мне,— чистая правда. Как я могу доказать ее невиновность, вместо того чтобы просто жалеть эту особу? Возможно ли такое?»

Альвира и Уилли переглянулась, прекрасно зная, о чем думают. Увидев в газетах и по телевизору фотографии Зан — или женщины, чрезвычайно на нее похожей,— они сразу вынесли приговор. Виновна.

«Я никогда даже не задумывалась о том, что на снимках может быть не Морланд,— припомнила Альвира.— Вдруг всему этому действительно есть какое-то другое объяснение?»

— Зан! — медленно начала она.— Мне очень стыдно, потому что ты права. Я действительно хороший детектив и вынесла чересчур поспешное суждение о тебе. Ты безусловно невиновна. Ведь презумпция невиновности — основа правосудия, нечто такое, о чем я, как и множество других людей, в данном случае забыла. Но где же мне искать ответы?

— Я клянусь, за всем этим стоит Бартли Лонг,— уверенно произнесла Зан.— Я отвергла его авансы. Не самый умный поступок, когда работаешь с таким человеком. Я ушла, открыла собственное дело, перехватила у него несколько заказчиков, а сегодня узнала, что оформление образцов квартир на Карлтон-плейс остается за мной.— Она увидела, как во взглядах супругов вспыхнуло изумление.— Можете вы поверить, что архитектор Кевин Уилсон все-таки нанял меня, хотя и полагал, что я могу угодить в тюрьму? Конечно, меня все же выпустили под залог, так что я смогу работать там вместе с Джошем, но Кевин-то нанял нас в уверенности, что в случае чего Грин и сам справится с работой!

— Зан, я понимаю, как много значит для тебя этот заказ,— сказала Альвира.— Ты одержала победу над Лонгом!

— Да, но если он уже отчаянно меня ненавидит, то можешь представить, что будет, когда Бартли узнает об этом.

У Альвиры промелькнула ужасающая мысль... Зан кое-что упустила. Допустим, она права. Некая женщина весьма искусно ее изображала. Именно Бартли Лонг нанял актрису, чтобы та оделась как Александра и похитила Мэтью. Что может произойти теперь?! Как Лонг поступит с мальчиком, узнав оскорбительную для него новость, что именно Зан получила такой престижный заказ, работу, которой он сам добивался? Пусть Бартли виновен, а Мэтью до сих пор жив. Не зайдет ли Лонг слишком далеко в желании причинить боль Зан?

Прежде чем Альвира успела открыть рот, Александра снова заговорила:

— Я пыталась сама как-то во всем разобраться. По какой-то причине Нина Элдрич заявила детективам, что я должна была встретиться с ней в ее квартире на Бикман-плейс. Это откровенная неправда. Но может быть, ее экономка все-таки слышала, как Нина говорила мне о встрече в городском доме на Шестьдесят девятой улице в тот день?

— Хорошо, Зан, это может нам пригодиться. Я постараюсь повидаться с той экономкой. Я умею заводить дружбу с людьми такого рода. Не забывай, я ведь много лет была простой уборщицей.

Альвира отправилась в кухню, чтобы взять блокнот и карандаш, лежавшие на полочке под телефонным аппаратом.

Когда она вернулась, Зан сказала:

— Пожалуйста, поговори с няней Тиффани Шилдс. Она тогда попросила пепси и направилась следом за мной, когда я пошла в кухню. Девушка сама взяла бутылку из холодильника и открыла ее. Я к ней даже не прикасалась. Она еще спросила, нет ли у меня каких-нибудь таблеток от простуды. Я ей и дала именно такой тайленол. Никакого снотворного у меня и в доме-то никогда не было! Но теперь она думает, что я ей подсунула седативное средство.

Тут зазвонил телефон.

— Вот вечно он мешает, когда мы собираемся обедать,— проворчал Уилли и пошел к аппарату.

Через мгновение на его лице отразился ужас.

— Что?! Боже! Какая больница? Мы сейчас же туда едем. Спасибо.

Уилли бросил трубку и повернулся к Альвире и Зан, смотревшим на него.

— Кто? – спросила Михан, прижав ладонь к сердцу.

— Отец Эйден. Какой-то тип с густыми черными волосами выстрелил в него прямо в исповедальной комнате! Он в госпитале Нью-Йоркского университета. В интенсивной терапии. В очень тяжелом состоянии. Может не дожить до утра!

67

Альвира, Уилли и Зан ждали перед отделением интенсивной терапии до трех утра. С ними вместе сидели двое монахов-францисканцев. Наконец им разрешили на одну минуту подойти к отцу О'Брайену.

Вся его грудь была скрыта под повязками. К носу и рту тянулись дыхательные трубки. В вены были воткнуты иглы капельниц. Но теперь доктор уже проявлял некоторый оптимизм, хотя и весьма осторожный. Каким-то чудом все три пули проскочили мимо сердца. Состояние пациента было чрезвычайно тяжелым, но все же он постепенно восстанавливал силы.

— Я не уверен, что бедняга вас услышит, но можете с ним поговорить, только недолго,— сказал врач.

Альвира прошептала:

— Отец Эйден, мы вас любим!

Уилли сказал:

— Выбирайтесь, падре! Вы можете с этим справиться!

— Это Зан, святой отец.— Морланд осторожно положила ладонь на руку францисканца.— Что бы там ни было, я знаю, это ваши молитвы дали мне надежду. Теперь я молюсь за вас.

Когда они вышли из госпиталя, Миханы отвезли Александру домой на такси. Альвира ждала, пока Уилли проводит Зан до дверей ее квартиры.

Вернувшись, он проворчал:

— Слишком холодно для всех этих стервятников. Ни одной камеры вокруг.

На следующее утро они проспали до девяти часов.

Едва очнувшись, Альвира схватилась за телефон, позвонила в госпиталь и доложила мужу:

— Отец Эйден держится. Ох, Уилли, я увидела того типа в церкви в понедельник и сразу поняла, что от него следует ждать неприятностей. Если бы только на видеозаписи можно было как следует рассмотреть этого типа! Мы могли бы опознать преступника.

— Полицейские наверняка уже как следует изучили все, проверили, нет ли возможности увидеть его получше,— заверил ее Уилли.

Во время завтрака они просматривали первые страницы разных газет. «Пост» и «Ньюс» опубликовали фотографии Зан, выходившей из здания суда вместе с Чарли Шором. Ее слова были вынесены в заголовок в «Ньюс»: «На фотографиях не я, не я, не я!» Заголовок «Пост» выглядел иначе: «“Не я!” — кричит Зан». Фотограф этой газеты подобрался настолько близко, что запечатлел страдальческое выражение лица Морланд.

Альвира отрезала первую страницу «Пост», аккуратно сложила ее и сказала:

— Уилли, сегодня суббота, так что та няня сейчас может оказаться дома. В любом случае, Зан дала мне ее адрес и номер телефона. Только я не буду звонить, а прямо сейчас поеду к ней. Морланд говорила, что Тиффани Шилдс сама достала пепси из холодильника. Это значит, что Александра никак не могла что-либо туда подсыпать. Что же касается таблеток, то Зан утверждает, будто седативных она никогда и не покупала. Ты сам это слышал. Просто та девушка заснула, гуляя с Мэтью, а теперь пытается свалить вину за это на мать.

— Да зачем бы девочке выдумывать всю эту историю? — спросил Уилли.

— Кто знает? Может быть, чтобы саму себя оправдать за то, что уснула на работе.

Час спустя Альвира уже нажимала на кнопку звонка управляющего в том доме, где прежде жила Зан. Ей открыла молодая женщина в купальном халате.

— Вы, должно быть, Тиффани Шилдс,— предположила Альвира с самой обаятельной улыбкой.

— Так что? Зачем вы пришли? — враждебным тоном откликнулась девушка.

Гостья протянула ей визитную карточку и пояснила:

— Меня зовут Альвира Михан, я — внештатный корреспондент «Нью-Йорк глоуб». Мне очень хотелось бы поговорить с вами, потому что я пишу об Александре Морланд.

«Это совсем не ложь,— мысленно заверила она себя.— Я действительно напишу статью о Зан».

— Вы хотите написать о глупой няне, которую теперь все винят за то, что она спала, пока мамаша похищала собственного ребенка? — огрызнулась Тиффани.

— Нет. Я хочу написать о молодой девушке, которая была больна и согласилась взяться за работу только потому, что маме малыша необходимо было встретиться с заказчицей, а новая няня не явилась.

— Тиффани, кто там?

Бросив взгляд за спину девушки, в вестибюль, Альвира увидела широкоплечего лысого мужчину, направлявшегося к ним.

Она уже собиралась представиться, когда Тиффани сказала:

— Па, эта леди хочет поговорить со мной. Она пишет статью.

— Моей дочери уже досталось от всяких писак вроде вас,— сказал отец Тиффани.— Идите-ка вы отсюда, леди!

— Но я совсем не собираюсь в чем-то обвинять вашу дочь,— возразила Альвира.— Тиффани, послушай, Зан Морланд рассказала мне, как Мэтью тебя любил, утверждала, что вы с ней были настоящими подругами. Она говорила, что знала о твоей болезни, и теперь винит себя за то, что настояла на том, чтобы ты пришла в тот день. Вот об этом я и хочу написать.

Альвира скрестила пальцы, пока отец и дочь переглядывались.

Потом мужчина сказал:

— Думаю, тебе следует поговорить с этой леди, Тиффани.

Когда девушка распахнула дверь и позволила Альвире войти, ее папаша сам проводил их в гостиную, где наконец-то представился:

— Я Марти Шилдс. Оставлю вас наедине. Мне надо пройти на верхний этаж, там у кого-то замок сломался.— Потом он посмотрел на визитную карточку Альвиры.— Эй, погодите-ка! Вы не та ли самая леди, которая выиграла в лотерею и написала книгу о том, как раскрывать преступления?

— Да, это я,— призналась Альвира.

— Тиффани, твоя мать просто обожает эту книгу. Она ходила в тот самый магазин, где вы раздавали автографы, миссис Михан, и говорила, что вы подписали ей книгу и чудесно с ней поговорили. Она сейчас на работе, продавщица в Блумингдейле. Могу вам сразу сказать, супруга будет ужасно сожалеть о том, что не встретилась с вами. Ладно, ухожу-ухожу.

«Вот ведь повезло, что его жене понравилась моя книга,— радостно подумала Альвира, усаживаясь на стул с прямой спинкой, стоявший рядом с кушеткой, на которой свернулась клубочком Тиффани.— Да она просто ребенок,— решила Михан.— Понятно теперь, как ей было тяжело все это время. Я ведь слышала, как ее звонок в девять-один-один проигрывали в новостях, и миллионы людей слышали...»

— Тиффани, мы с мужем дружим с Зан почти с тех самых пор, как исчез Мэтью,— начала она.— Я должна особо подчеркнуть, что никогда, ни единого раза не слышала, чтобы Александра обвиняла тебя в том, что случилось в тот день. Я никогда не расспрашивала ее о Мэтью, потому что понимаю, как трудно ей говорить о сыне. Каким он был?

— Чудесный мальчик! — с готовностью ответила Тиффани.— Такой умный! Но чему тут удивляться? Зан ему читала каждый вечер, а по выходным они ходили в разные места. Ему очень нравился зоопарк, и он знал, как называются все звери, живущие там! Мальчик умел считать до двадцати и ни разу не пропускал ни одной цифры! Знаете, Зан ведь настоящая художница. То, что она рисует, ну, отделка комнат, мебель, разная фурнитура на окнах — все это просто прекрасно! Мэтью уже в три года отлично умел рисовать. У него большие карие глаза. Они становятся такими серьезными, когда он о чем-то задумывается. Волосы уже начинали рыжеть.

— А у Зан были тогда настоящие подруги, друзья?

— Думаю, да.— В глазах Тиффани тут же мелькнула настороженность.

— С год назад, насколько я помню, она мне говорила, что вы с ней дружили и ты всегда восхищалась ее нарядами. Она когда-нибудь дарила тебе... шарф, перчатки или сумочку, которые были ей не нужны?

— Эта женщина всегда была очень добра ко мне.

Альвира открыла свою сумочку, достала из нее сложенную первую страницу «Пост» и сказала:

— Зан арестовали вчера по обвинению в похищении ребенка. Тиффани, ты только взгляни на ее лицо! Разве ты не видишь, как она страдает?

Девушка бросила взгляд на фотографию и быстро отвернулась.

— Тиффани, детективы сказали Зан, будто ты думаешь, что она могла тебя чем-то отравить.

— Могла. Потому я и была такая сонная! Что-то могло быть в том пепси, а потом еще таблетка от простуды... Могу поспорить, там было снотворное!

— Да, я понимаю, ты именно это сказала детективам, но, Тиффани, Зан прекрасно помнит тот день! Ты попросила пепси, потому что очень хотела пить, и прошла вместе с ней в кухню. Она открыла для тебя дверцу холодильника, но ты сама взяла банку и открыла ее. Зан к ней даже не прикасалась! Разве не так?

— Я ничего такого не помню.— Теперь Тиффани явно оборонялась.

— Еще ты спросила Зан, нет ли у нее чего-нибудь от простуды. Она дала тебе тайленол, но снотворного у нее в доме никогда не было. Конечно, я согласна с тем, что антигистамин мог вызвать легкую сонливость, но ты ведь сама попросила лекарство, Зан тебе его не предлагала.

— Я не помню.— Тиффани теперь сидела очень прямо.

«Все она прекрасно помнит,— подумала Альвира.— Морланд абсолютно права. Тиффани пытается переписать историю ради собственного спокойствия».

— Тиффани, мне хочется, чтобы ты еще раз хорошенько вспомнила все события. Зан так страдает от обвинений! Она клянется, что женщина, похитившая Мэтью, та, на снимках,— не она. Мать не знает, где ее мальчик, держится только на надежде на то, что его найдут живым. Она предстанет перед судом, а тебе придется быть свидетелем. Я лишь надеюсь, что ты как следует подумаешь, прежде чем приносить присягу, и скажешь правду. Ладно, мне пора. Я тебе обещаю, что, когда напишу всю эту историю, особо подчеркну, что за исчезновение Мэтью Зан всегда винила только себя, а не тебя.

Девушка не поднялась, а Альвира встала и сказала:

— Я тебе оставлю свою карточку, Тиффани. Здесь номер моего сотового. Если вдруг тебе что-то еще придет в голову, позвони мне.

У самой двери она остановилась, потому что Тиффани ее окликнула:

— Миссис Михан!.. Я не знаю, может, это ничего и не значит, но...— Она встала.— Я хочу вам показать босоножки. Мне их подарила Зан. Когда я увидела те фотографии, где мальчика забирают и уносят, то обратила внимание на одну вещь. Погодите минутку.— Девушка вышла в коридор, через мгновение-другое вернулась с обувной коробкой в одной руке и газетой — в другой, а потом открыла упаковку.— Вот, видите? Босоножки точно такие же, как у Зан. Это она их мне подарила. Когда я стала ее благодарить, Александра сказала, что случайно, по ошибке заказала через интернет-магазин две пары одного цвета. Но дело не только в этом. У нее уже была еще такая же пара, только с ремешками другой ширины. То есть у Зан оказалось три пары практически одинаковой обуви.

Не понимая, к чему ведет Тиффани, и не смея надеяться, что узнает сейчас нечто важное, Альвира просто молча слушала.

Тиффани показала на газету, которую держала в руке, и спросила:

— Видите, какие босоножки на Зан или на той женщине, которая на нее так похожа? Вот здесь, где она наклоняется над коляской.

— Вижу. Что с ними не так?

— Смотрите, ремешки шире, чем вот на этой паре, да? — Тиффани достала одну босоножку из коробки и протянула Альвире.

— Да. Они различаются, хотя и несильно. Но в чем тут суть?

— Я заметила и могу в этом поклясться, что Зан надела пару с узкими ремешками в тот день, когда исчез Мэтью. Мы же с ней вместе вышли из дома. Она побежала к такси, а я покатила коляску в парк.— На лице Тиффани вспыхнула тревога.— Я ничего не сказала копам, жутко испугалась и просто свалила все на Зан. Но что люди скажут, если узнают?.. Я вчера вечером об этом задумалась, но, знаете, так и не поняла, зачем бы ей было возвращаться домой и переобуваться.— Она пристально, пытливо, умоляюще заглянула в глаза Альвиры.— Вы видите в этом какой-то смысл, миссис Михан?

68

Утром в субботу детектив Уэлли Джонсон решительно нажал на кнопку переговорного устройства под табличкой «Энтон, Колбер, 3-Б» в фойе здания из бурого песчаника, в котором жили Анджела Энтон и Вита Колбер. Вместе с этими молодыми женщинами снимала квартиру Бриттани Ла Монти, перед тем как исчезла.

Не получив ответа на сообщение, оставленное вечером в четверг, детектив вознамерился на следующее утро отправиться к ним прямо домой и постараться застать их. Но в пятницу в восемь утра ему позвонила Вита Колбер и спросила, нельзя ли им встретиться в субботу, в первой половине дня. Просто у них с подругой уже были назначены репетиции на пятницу, и это должно было затянуться на весь день.

Просьба оказалась вполне разумной, и Уэлли потратил пятницу на то, что разбирался с другими людьми, фамилии которых назвала ему секретарша Бартли Лонга.

— Это все разные театральные деятели, которые могли встретиться с Бриттани в загородном доме мистера Лонга,— объяснила она.

Двое из них оказались кинопродюсерами, в данный момент пребывавшими за границей. Третья была директором по кастингу, и ей пришлось хорошо поднапрячься, чтобы вспомнить Бриттани Ла Монти.

— Вокруг Бартли постоянно роятся разные блондинки,— объяснила она детективу.— Я их почти не различаю, и если не могу вспомнить эту девушку, Бриттани, значит, она не привлекла моего внимания.

Теперь детектив нажал кнопку и назвался, и музыкальный голос сказал в ответ:

— Поднимайтесь к нам!

Дверь квартиры 3-Б уже открыла высокая, стройная молодая женщина с длинными светлыми волосами, спадавшими ниже плеч.

— Я Вита,— представилась она.— Входите, пожалуйста.

Маленькая гостиная явно была обставлена вещами, которые стали кому-то не нужны, однако в ней поддерживалась чистота, да и общее впечатление от комнаты оказалось приятным благодаря ярким подушкам на винтажном диване, цветным занавескам на высоких узких окнах и афишам бродвейских хитов на белых стенах.

Когда по приглашению Виты детектив уселся в одно из обитых мягкой тканью кресел без подлокотников, из кухни вышла Анджела Энтон, неся две чашки с капучино.

— Одна для вас, вторая для меня,— сообщила она.— Вита у нас пьет только чай, но сейчас ничего не хочет.

Анджела Энтон была ростом более пяти футов, с красиво подстриженными каштановыми волосами и светло-карими глазами, которые, как сразу заметил Уэлли, сильно отливали зеленью. Она двигалась так грациозно, что детектив заподозрил в ней танцовщицу.

Девушки устроились на диване и выжидательно уставились на детектива.

Уэлли отпил глоток и сделал Анджеле комплимент:

— Кофе просто замечательный. Итак, как я вам уже говорил, мне нужно услышать от вас кое-что о Бриттани Ла Монти.

— Что, у нее неприятности? — обеспокоенно спросила Вита и тут же продолжила, не дав детективу возможности ответить: — Я хочу сказать, она куда-то пропала почти два года назад, и в этом было что-то загадочное. Бриттани пригласила нас с Анджелой поужинать. Да, именно пригласила, сама оплатила счет. Она была очень взволнована, сказала, что ей подвернулась какая-то необычная работа, за которую должны очень хорошо заплатить, но это займет какое-то время. Потом, мол, она сможет уехать в Калифорнию, потому что болтаться в Нью-Йорке и пытаться пробиться в какое-нибудь шоу на Бродвее — это не для нее.

— Отец Бриттани очень тревожится о ней, как вы уже знаете,— сказал Джонсон.— Он мне говорил, что заходил к вам.

Ответила ему Анджела:

— Да, только Вита с ним разговаривала всего пару минут. Ей нужно было бежать на кастинг. У меня имелось немножко времени, так что я выслушала историю мистера Гриссома, но потом мне пришлось сказать ему, что мы просто ничего не знаем о Бриттани.

— Он мне говорил, что показывал вам открытку, которую дочь прислала ему полгода назад из Нью-Йорка. Как вы думаете, это действительно она отправила? — спросил Джонсон.

Молодые женщины переглянулись, потом Анджела медленно произнесла:

— Я не знаю. У Бриттани крупный почерк, весьма затейливый. Мне, в общем, понятно, почему она предпочла напечатать текст на такой маленькой открытке. Но я не знаю, почему Бриттани не позвонила ни одной из нас, если вернулась на Манхэттен. Мы ведь были довольно близки друг с другом.

— Сколько времени вы вместе снимали квартиру? — спросил Уэлли, ставя чашку на кофейный столик.

— Со мной она прожила четыре года,— ответила Анджела.

— А со мной — три,— сообщила Вита.

— Вы что-нибудь знаете о Бартли Лонге?

Уэлли Джонсон немало удивился, когда девушки вдруг засмеялись.

— Ох боже мой! — воскликнула Вита.— Вам известно, что Бриттани сотворила с его париками и накладками?

— Слышал об этом,— кивнул Джонсон.— Что там вообще была за ситуация? У Бриттани сложились только деловые отношения с ним или завязался роман?

Анджела глотнула кофе, и Уэлли не понял, то ли она обдумывает ответ, то ли просто тянет время, не желая предавать подругу.

Наконец девушка сказала:

— Думаю, Бриттани недооценила этого парня. Она проводила с ним время, но только из расчета, чтобы познакомиться с людьми, бывавшими у него в Личфилде, теми, кто мог быть ей полезен как актрисе. Даже не выразить, как сильно она стремилась к славе. Это для нее было главным, а над Бартли Лонгом Бриттани смеялась и ужасно веселила нас, изображая его.

Уэлли Джонсон подумал о словах Лонга, утверждавшего, что Бриттани просто рвалась за него замуж.

— А она хотела выйти за него? — спросил детектив.

Девушки захохотали.

— Ох, ну и ну! — воскликнула Вита.— Да Бриттани скорее вышла бы за...— Она немножко помолчала.— Клянусь, я даже не могу подобрать подходящего примера.

— Но что заставило ее покрошить его парики? — спросил Джонсон.

— Она поняла, что в Личфилде бывают потенциальные заказчики для него самого, а не люди театра, и решила, что Лонг просто вынуждает ее зря тратить время. Или, может быть, дело в той таинственной работе, которая ей подвернулась. Бартли Лонг подарил Бриттани кое-какие драгоценности, потом, думаю, понял, что ей до смерти надоело приезжать к нему, и забрал их из ее шкатулки. Это по-настоящему вывело девчонку из себя. Они даже подрались. Он не захотел возвращать подарки и ушел в ванную комнату. Бриттани собрала все парики и накладки Лонга и уехала на его «мерседесе» в Нью-Йорк. Она нам рассказывала, как резала все шкурки Бартли — так она это называла — и рассыпала стриженые волосы по машине, чтобы все в гараже сразу все увидели.

— После этого она еще что-то слышала о Лонге?

— Он прислал ей сообщение,— ответила Вита, и улыбка соскользнула с ее лица.— Бриттани дала нам его прослушать. Лонг говорил очень важно и злобно. Он сказал: «Ты об этом пожалеешь, Бриттани. Если доживешь до того, чтобы пожалеть».

— Так прямо и угрожал ей? — спросил Джонсон с внезапно обострившимся интересом.

— Да. Мы с Анджелой испугались за нее, а Бриттани только смеялась. Она говорила, что он просто надутая пустышка. Но я переписала для себя это голосовое сообщение, потому что действительно за нее испугалась. Спустя несколько дней подруга собрала свои вещи и исчезла.

Уэлли Джонсон подумал над услышанным и спросил:

— У вас сохранилась та запись голоса Лонга?

— Ох, конечно! — воскликнула Вита.— Меня обеспокоило то, что Бриттани просто смеется, но потом она уехала из города, и я решила, что Бартли Лонг постепенно остынет.

— Мне хотелось бы прослушать эту запись, если вам нетрудно ее найти,— сказал Джонсон и обратился к Анджеле, когда Вита отправилась за плеером: — Вы тоже работаете в шоу-бизнесе, полагаю?

— Да, я танцовщица. Прямо сейчас репетирую одно шоу, которое начнется через два месяца.— Прежде чем детектив успел задать очередной вопрос, она сказала: — Чтобы вы знали, Вита — по-настоящему хорошая певица. На Бродвее сейчас восстанавливают «Снежную лодку», и она поет там.

Уэлли Джонсон посмотрел на афиши бродвейских спектаклей, висевшие на стенах, и спросил:

— А Бриттани что делала, пела или танцевала? — спросил он.

— Она умела и то и другое, но вообще-то была драматической актрисой.

По легкой неуверенности в тоне Анджелы Энтон Джонсон без труда догадался, что та не была в восторге от талантов Бриттани Ла Монти.

— Анджела! — заговорил он.— Тоби Гриссом тяжело болен, он умирает, и ему становится только хуже оттого, что он тревожится за свою дочь, боится, что она попала в какие-то неприятности. Насколько хорошей актрисой была Бриттани?

Анджела Энтон тоже посмотрела на афиши, точнее, на одну из них, висевшую в рамке над тем стулом, на котором сидел Джонсон, и ответила:

— С ней все было в порядке. Конечно, ей хотелось стать звездой... Знаете, я помню, как один раз, года четыре назад, вернулась домой и увидела, что она сидит тут и плачет, потому что очередной агент ей отказал. Видите ли, детектив Джонсон, она была потрясающим гримером. Действительно потрясающим! Бриттани могла изменить вашу внешность в одно мгновение. Иной раз, когда у всех не случалось работы, она превращала нас в каких-нибудь знаменитостей. У нее была целая коллекция париков, да таких, что обалдеть можно! Мы переодевались и отправлялись куда-нибудь. Все вокруг думали, что пришли настоящие звезды, те, которых мы изображали! Я говорила Бриттани, что куда больший успех ждет ее именно в этом, но она и слышать ничего не хотела.

Вита Колбер наконец вернулась в гостиную и сказала:

— Извините. Пленки не было в том ящике, в который я вроде бы положила ее. Она оказалась в другом месте. Будете слушать, детектив Джонсон?

— Да, будьте добры.

Вита нажала кнопку на панели плеера. Голос Бартли Лонга, полный ярости, угрожающий, пугающий, разнесся по комнате:

«Ты об этом пожалеешь, Бриттани. Если доживешь до того, чтобы пожалеть».

Уэлли Джонсон попросил прокрутить пленку снова. От слов Лонга у него по спине пробежал холодок.

— Я должен забрать это с собой,— резко произнес он.

69

Пенни Хэммел знала, что ей не следовало бы снова проезжать мимо дома Оуэнса с риском оказаться замеченной Глорией Эванс. Но она уже сообщила Берни, что ей было известно и другое. В том доме происходило что-то непонятное, быть может имеющее отношение к наркотикам.

— Вдруг за это полагается вознаграждение? — предположила она.— Знаешь, можно ведь остаться анонимом. О тебе не станут болтать в новостях, рассказывая, что это ты насвистел полиции.

Время от времени Пенни вбивала себе в голову, что рядом с ней происходит нечто загадочное, и в таких случаях Берни ничего не имел против того, чтобы почаще отправляться в рейсы.

— Милая, помнишь, как ты однажды решила, что пудель, подобранный на дороге,— победитель каких-то выставок, сбежавший из аэропорта? Когда ты все проверила, оказалось, что этот пес на целый фут выше и на двенадцать фунтов тяжелее знаменитости.

— Ну да, и что? Он был такой симпатичный. Когда я подала объявление, хозяин за ним тут же приехал.

— Конечно, и отблагодарил тебя бутылкой самого дешевого вина, какое только сумел найти в магазине,— напомнил ей Берни.

— И что с того? Пес был просто счастлив, когда его нашли!

Пенни лишь философски пожала плечами, вспомнив о том случае. Было субботнее утро. Во время завтрака они с Берни увидели в новостях, как Александра Морланд накануне выходила из полицейского участка и кричала репортерам, что не похищала своего сына. Пенни окончательно утвердилась в своем мнении насчет того, что следовало бы сделать с бессердечной мамашей.

Берни уже укладывал вещи, которые были ему необходимы для недолгой поездки, вернуться он должен был вечером в понедельник. Пенни несколько раз напомнила мужу, что тот ни в коем случае не должен пропустить встречу победителей лотерей в квартире Альвиры и Уилли вечером во вторник.

Берни застегнул куртку на молнию и натянул на голову шерстяную шапку. Только в этот момент он заметил, что Пенни надела тренировочный костюм и крепкие ботинки.

— Собираешься на прогулку? — спросил Берни.— Там довольно холодно.

— Ох, не знаю,— рассеянно откликнулась Пенни.— Я вот думаю, не отправиться ли в город и не повидаться ли с Ребеккой.

— Но ты ведь не собираешься идти туда пешком, а?

— Нет, может, я куплю что-нибудь, и вообще...

— Да-да, только не перестарайся.— Берни поцеловал жену в щеку.— Я тебе позвоню утром, милая.

— Будь поосторожнее! Если начнет клонить в сон, сразу останавливайся. Помни, что я тебя люблю и не хочу стать веселой вдовой.

Это было их обычное прощание перед поездками Берни.

Пенни подождала, чтобы быть уверенной в том, что муж уже выехал из города и не объявится внезапно, а потом, около десяти часов, заглянула в кладовую, чтобы взять плотную куртку, вязаную шапку и перчатки. Она уже припрятала бинокль на серванте, за лампой, где Берни не мог бы его заметить.

«Я поставлю машину на той улице, что подходит к краю владений Сая, потом потихоньку выйду и какое-то время поброжу там между деревьями,— решила Пенни.— Может, это и глупо, но кто знает? Эта Эванс точно во что-то замешана. Я это просто нутром чую».

Через двадцать минут Пенни уже стояла за елью с густыми ветвями. Отсюда ей отлично был виден дом Сая Оуэнса. Она ждала около часа, но потом, когда у нее окончательно застыли руки, решила убираться восвояси. Именно в этот момент открылась боковая дверь, и Пенни увидела Глорию Эванс, выходившую с двумя сумками.

«Она уезжает прямо сейчас. С чего вдруг такая спешка? Ребекка говорила, что у Глории есть в запасе тридцать дней. С другой стороны, подруга сказала, что завтра приведет покупателя, чтобы осмотреть дом. Похоже, именно это и перепугало красотку Эванс. Ставлю доллар против пончика, я права! Что же она там прячет?» — размышляла Пенни.

Глория Эванс уложила сумки в багажник машины и вернулась в дом. Когда она опять вышла, то волокла огромный мешок для мусора, явно очень тяжелый, а потом принялась заталкивать в багажник и его. Пенни увидела, как от верхней части мешка отделился листок бумаги и отлетел во двор. Эванс проводила его взглядом, но не стала поднимать. Она снова ушла в дом и в следующие полчаса не выходила.

Пенни отчаянно замерзла и вернулась в машину. Время шло к полудню, и она поехала в город, однако на двери агентства Ребекки увидела записку: «Скоро вернусь».

Пенни в разочаровании отправилась было обратно домой, но поддалась внутреннему импульсу и решила вернуться на свой наблюдательный пункт за домом Сая Оуэнса. На этот раз, к ее огромной досаде, автомобиля Эванс уже не было видно.

«Ох черт, да ведь это значит, что здесь никого нет!» — подумала Пенни и, затаив дыхание, подкралась к дому сзади.

Все окна были плотно занавешены, не считая одного, где жалюзи остались приподнятыми дюймов на шесть. Пенни всмотрелась в щель и увидела кухню со старой тяжелой мебелью и полом, покрытым линолеумом.

«Ничего нельзя толком рассмотреть,— подумала Пенни.— Интересно, почему она уехала? К добру ли это?»

Возвращаясь к лесистому участку, Пенни увидела тот самый листок бумаги, брошенный ветром на какой-то куст, и тут же радостно бросилась за ним.

Это оказался явно детский рисунок — лицо женщины с длинными волосами, в котором просматривалось отдаленное сходство с Эванс. Под рисунком стояло одно-единственное слово: «Мамуля».

«Так значит, у нее все-таки есть ребенок,— размышляла Пенни.— Но она почему-то не хочет, чтобы об этом знали. Могу поспорить на что угодно, дамочка прячет дитя от папаши. Это явно в ее духе. Навѐрняка она и волосы-то укоротила совсем недавно. Что ж, тогда неудивительно, что Глория испугалась, когда я заметила детскую машинку. Я знаю, что мне делать. Позвоню Альвире и расскажу ей все. Может, она сумеет выследить эту Эванс. Вдруг отец объявил вознаграждение тому, кто найдет его ребенка? Вот уж тогда Берни удивится!»

Пенни с довольной улыбкой села в машину, аккуратно держа рисунок затянутыми в перчатку пальцами. Она положила листок на пассажирское сиденье, посмотрела на него и нахмурилась. Что-то застряло на самом краю ее ума, прямо как больной зуб, который собирался вот-вот заныть снова.

«Черт бы меня побрал, если я знаю, в чем тут дело»,– сердито подумала Пенни, тронула машину с места и уехала.

70

Утром в субботу исчезло то сильное чувство довольства, которое уже стало привычным. Оно появилось у него, когда все газетенки принялись мазать Зан грязью. Он провел ужасную ночь, ему постоянно снились кошмары. В них он пытался убежать от каких-то полчищ, неустанно преследовавших его.

Присутствие духа исчезло из-за необходимости стрелять в того священника. Он старался прижать ствол пистолета прямо к рясе монаха, но тот в последнее мгновение дернулся в сторону. Если верить новостям, францисканец остался жив, хотя и находился в критическом состоянии.

В критическом состоянии, но не мертв!

Что теперь делать? Он велел Глории сегодня вечером явиться в аэропорт Ла Гуардиа, но теперь, хорошо подумав, понял, что идея была никудышная. Глория очень боялась, что ее поймают. Она подозревала, что он не принесет ей деньги.

«Я знаю, как рассуждает эта девица,— думал он.— Я не стал бы исключать, что она может попытаться получить вознаграждение, обещанное Мелиссой, не удивился бы, если бы Глория оказалась полной дурой, попыталась бы заключить сделку с копами и позволила бы им повесить на себя микрофон перед нашей встречей. Но если она уже назвала им мое имя, то все кончено...

Но Глория могла понадеяться и на то, что все обойдется, от жадности не поспешить в полицию, рассчитывая получить мои денежки и при этом не попасть в тюрьму. Тогда она должна была явиться на встречу.

Я не могу допустить, чтобы кто-нибудь заметил меня средь бела дня рядом с тем арендованным домом. Но я приеду туда раньше, чем она отправится в аэропорт на встречу со мной. Я унесу из дома все то, что принадлежало ей и Мэтью. Потом, когда явится агент с покупателем и обнаружит их мертвыми, никому и в голову не придет, что Глория изображала Зан».

Сначала он планировал прикончить Морланд так, чтобы это выглядело самоубийством. Но в определенном смысле новый план оказался даже лучше. Матери ни за что не пережить потерю Мэтью.

Думая об этом, он наслаждался воображаемой картиной куда сильнее, чем мыслью о том, как всадит пулю в сердце Зан. Он развлекался так все эти годы. Это началось еще до рождения Мэтью. Он наблюдал почти за каждым мгновением жизни Зан в ее доме, когда только ему того хотелось, а уж в последние два года просто млел, глядя на то, как она лежит в постели, всхлипывает во сне, просыпается утром, протягивает руку и касается фотографии Мэтью, не подозревая о том, что кто-то видит все это...

Было уже одиннадцать. Он позвонил на сотовый Глории, но она не ответила. Вдруг девица уже отправилась в Нью-Йорк, в полицию?

Эта мысль напугала его. Что он может предпринять? Куда бежать?

Некуда.

В половине двенадцатого он позвонил снова, потом еще раз — в половине первого... К этому времени у него уже дрожали руки. Но Глория вдруг ответила.

— Ты где? — резко спросил он.

— Как ты думаешь, где я могу быть? Торчу в этом проклятом доме на краю света.

— Ты куда-то выходила?

— Ну да, в магазин. Мэтти ничего не желает есть. Я купила ему на обед хот-догов. Когда мы с тобой встретимся?

— Вечером, в одиннадцать.

— Почему так поздно?

— Потому что незачем встречаться раньше. К тому времени Мэтью будет уже крепко спать, так что ты сможешь спокойно запереть его в доме и надолго оставить одного. Я принесу все деньги. Попытайся пронести их через таможню, отошли отцу почтовой посылкой. Дело твое, но ты будешь знать, что они у тебя, Бриттани.

— Не называй меня так! Ты застрелил того священника, ведь так, да?

— Глория, я должен кое-что тебе напомнить. Если тебя до сих пор не покинули мысли о том, чтобы пойти в полицию и заключить сделку, то ничего хорошего из этого не выйдет. Я им скажу, что это ты умоляла меня убить доброго старого монаха, потому что у тебя хватило глупости проболтаться ему обо всем на исповеди. Они мне поверят. Ты никогда не выйдешь на свободу. Зато в другом случае у тебя останется возможность делать то, что хочется, заняться карьерой. Даже если полиция согласится на договор, все равно тебе светит самое малое лет двадцать. Уж поверь мне, в тюрьме невелик спрос на актрис и на гримеров.

— Тебе лучше просто принести денежки.

Он почувствовал, что если она и намеревалась пойти в полицию, то теперь ее охватили сомнения.

— Я как раз сейчас этим занимаюсь.

— Шестьсот тысяч долларов? — спросила она.— Все сразу?

— Вечером я подожду, пока ты их пересчитаешь.

— Если Мэтью скажет, что это я унесла его там, в парке?

— Я подумал о том, что ты говорила. Ему было всего три года. Причин для беспокойства нет. Я в этом уверен. Они решат, что малыш просто перепутал. Он никак не мог запомнить, кто его унес в тот день, мать или кто-то другой, в смысле ты. Знаешь, что вчера была арестована Зан? Копы не верят ни единому ее слову.

— Наверное, ты прав. Я просто хочу, чтобы все это поскорее закончилось.

«Мне от этого только легче»,— подумал он и добавил:

— Не оставляй там ничего из вещей, которые ты надевала, изображая Зан.

— Да не дергайся ты! Все до последней тряпки уже упаковано. Ты купил мне билет на самолет?

— Да. С пересадкой в Атланте. Будет лучше, если ты не полетишь прямым рейсом. Это еще одна предосторожность. Когда отправишься из Атланты в Техас, пользуйся уже своими настоящими документами. Твой вылет завтра в половине одиннадцатого из Ла Гуардиа в Атланту, компания «Континенталь». Так что если решишь отправить деньги отцу почтовой посылкой, что лично мне кажется вполне разумной идеей, то у тебя хватит на это времени. Встретимся на парковке у гостиницы «Холидей», со стороны главного входа в Центральный парк. Я там для тебя закажу место.

— Наверное, ты прав. Верно говоришь, если мы встретимся попозже, мне не придется слишком рано закрывать Мэтью в чулане.

— Вот именно.— Он добавил в голос тепла и заботы.— Знаешь, Глория, ты просто великолепная актриса. Все это время ты не только выглядела как Зан, но и двигалась точно как она. Я рассмотрел те фотографии, что сделал турист. Это сверхъестественно. Говорю тебе, копы абсолютно уверены в том, что на снимках — Зан!

— Да... спасибо.— Она отключила телефон.

«Зря я всю ночь мучился,— подумал он.— Глория не хочет идти в полицию».

Он снова взял газету с фотографией Зан крупным планом и сказал вслух:

— Просто дождаться не могу, когда наконец увижу твое лицо с другим выражением... после того как агентша по недвижимости и ее покупатель найдут Бриттани и Мэтью и ты узнаешь об этом!

Он довольно громко сказал и о созревшем у него окончательном решении. Это будет стоить ему денег, но такой расход он позволит себе охотно.

Дело в том, что он просто не мог своими руками убить ребенка.

71

Лишь ближе к полудню Уэлли Джонсон добрался до своего рабочего стола после встречи с приятельницами Бриттани Ла Монти. Сев на стул, он откинулся на спинку.

Не обращая ни малейшего внимания на телефонные звонки и шум голосов в большом помещении, детектив внимательно всмотрелся в фотографию Бриттани и подумал:

«А ведь она чем-то напоминает ту женщину, Морланд».

Анджела Энтон говорила, что Ла Монти — талантливый художник-гример. Джонсон приложил фотографию к первой странице «Пост», где красовалось изображение Александры Морланд, выходившей из здания суда и кричавшей: «На снимках не я!..» Заголовок гласил: «“Не я!” — кричит Зан».

Вдруг это действительно так?

Уэлли закрыл глаза. С одной стороны, с другой стороны... Жива ли до сих пор Бриттани Ла Монти, или Бартли Лонг сумел осуществить свою угрозу? О ней ничего не известно уже почти два года, а та открытка могла быть простой фальшивкой.

Записи телефонного звонка было вполне достаточно для того, чтобы вызвать Лонга на допрос. Но если предположить...

Уэлли Джонсон не додумал эту мысль до конца. Вместо того он схватился за сотовый телефон и позвонил Билли Коллинзу.

— Это Уэлли Джонсон, Билли. Ты на месте?

— Скоро буду. Мне пришлось заглянуть к дантисту. Минут через двадцать буду на месте.

— Я к тебе зайду. Хочу показать кое-что.

— Конечно,— ответил Билли, слегка удивленный.

Накануне вечером, после визита Зан Морланд в суд, Билли отправился прямиком на спектакль университетского театра в кампусе на Роуз-хилл, в Бронксе. Его сын, старшекурсник, играл там одну из главных ролей. Билли и Эйлин услышали о том, что кто-то стрелял в отца Эйдена О'Брайена, на обратном пути в Форест-хиллз, по радио в машине.

— Жаль, что дело достанется не нам, но это на территории другого участка,— искренне сказал тогда Билли своей жене.— Стрелять в монаха, которому семьдесят восемь лет, да еще в тот момент, когда он предлагает людям прощение... хуже этого уже ничего не придумать. Я же только сегодня разговаривал с этим отцом О'Брайеном насчет дела Морланд. Самое любопытное здесь то, что священника предупреждали об этом типе! Альвира Михан, подруга Зан Морланд, я тебе о ней рассказывал, заметила, что кто-то следил за отцом Эйденом вечером в понедельник. Она даже не поленилась просмотреть записи камер наблюдения, но преступника нельзя было разглядеть как следует.

Всю эту ночь Билли почти не спал и чувствовал себя так, словно лично предал отца О'Брайена.

«Но мы ведь действительно просматривали все те записи,— думал он.— Там была видна только куча черных волос, толку-то!.. Это мог оказаться кто угодно».

Утром Коллинз первым делом позвонил в госпиталь, где перед палатой интенсивной терапии был уже установлен полицейский пост.

— Отец Эйден держится, Билли! — услышал он утешающий ответ на свой вопрос.

В участке его уже ожидала Дженнифер Дин вместе с Дэвидом Фелдманом, одним из детективов, занимавшихся нападением на отца О'Брайена.

Дженнифер внешне выглядела вполне спокойной, но Билли знал ее достаточно хорошо, чтобы сразу почувствовать напряжение.

— Ты только послушай, что Дэйв нам принес! — начала она.— Это просто бомба!

Фелдман не стал тратить время на предисловия:

— Билли, как только медики повезли монаха в госпиталь, мы стали просматривать записи камер.—

Вокруг глаз Дэвида Фелдмана залегли морщинки, говорившие о том, что по натуре этот человек улыбчив, но сейчас выражение его лица было мрачным.— У нас имелось описание того мерзавца, сделанное людьми, которые находились во внутреннем дворе и обратили на него внимание, услышав три странных звука, похожих на хлопки. Они видели мужчину ростом в шесть футов или чуть выше, с густой черной шевелюрой, в плаще военного покроя с поднятым воротником и в темных очках. Этот человек выбежал из исповедальни. Нетрудно было найти его на записи камер наблюдения. Мы видели, как он входил в церковь и покидал ее. Думаю, что эти волосы — просто парик. Нигде нет отчетливой картинки его лица.

— Кто-нибудь видел, в какую сторону он направился? — резко спросил Билли.

— Одна женщина видела мужчину, бежавшего в сторону Восьмой авеню. Это мог быть наш парень или же кто-то другой.

— Ладно...

Билли отлично знал, что Дэвид Фелдман мало говорит, но много делает, тщательно, шаг за шагом ведет расследование.

— Этим утром пришел церковный работник Нейл Хант. Он вчера был на собрании анонимных алкоголиков, потом отправился домой, сразу лег спать и ничего не знал о стрельбе до самого утра. Но обрати внимание вот на что.— Фелдман придвинул стул поближе к столу Билли и наклонился вперед.— Хант когда-то был копом. Его выгнали, дважды застукав на дежурстве пьяным. То есть пару раз предупредили, а на третий уволили.

— Билли, погоди-ка, но ведь это не все,— вмешалась Дженнифер, в голосе которой послышалось едва скрытое изумление.— Вспомни, Альвира Михан говорила нам, что была в церкви вечером в понедельник. Ей не понравилось, как некий мужчина, якобы молившийся, вдруг вскочил, стоило отцу О'Брайену выйти из исповедальни. Это ее настолько встревожило, что она потом вернулась и просмотрела записи камер...

Фелдман, недовольный тем, что его перебили, бросил на Дин сердитый взгляд и сказал:

— Мы взяли все записи за вечер понедельника, Билли. Да, это тот же самый тип, который попался под объективы вчера, прошел через внутренний двор перед нижней церковью и появился несколько минут спустя. Он и стрелял в священника. Тут не ошибешься. Густые черные волосы, большие темные очки, тот же самый плащ. Францисканец понятия не имеет, кто это может быть. Но, Билли, я не об этом. Мы ведь твердо решили, что Зан Морланд тоже была в церкви вечером в понедельник. Она ушла до того, как там появилась Альвира, но человек с черными волосами мог прийти и следом за ней. Он не покидал церкви до тех пор, пока не увидел, как выглядит отец Эйден.

— Но Морланд могла зайти туда помолиться, или ты думаешь, что она связана с нашим стрелком? — резко произнес Билли.— Зан ходила на исповедь и преступник забеспокоился?

— Думаю, такое может быть,— ответил Фелдман.— Билли, это не все. Я уже сказал, что Нейл Хант, тот работник, который прокручивал нам записи, когда-то был копом.

— Вчера это делал кто-то другой,— снова перебила его Дженнифер Дин.

— Он утверждает, что у него фотографическая память, хвастает, что это даже записано в его характеристике, составленной во время работы в полицейском департаменте,— продолжил Фелдман.— Хант клянется, что вечером в понедельник, сразу после того, как Морланд вышла из церкви, он отправился домой. Это в квартале оттуда. Некая женщина, точь-в-точь похожая на Морланд, проскочила по тротуару перед ним и поймала такси. Нейл сказал, что принял бы ее за ту же самую особу, если бы не другая одежда — свободные брюки и жакет. Та женщина в церкви была в платье.

Билли Коллинз и Дженнифер Дин добрую минуту смотрели друг на друга и думали одно и то же. Возможно ли, что Александра Морланд говорила им чистую правду? Неужели действительно существует женщина, похожая на нее как две капли воды? Или этот бывший коп пытается ухватиться за возможность продемонстрировать себя и сочиняет историю, которую никто не мог бы ни подтвердить, ни опровергнуть?

— Интересно, прочитал ли наш бывший коллега утренние газеты, не ищет ли он возможности срубить денег за интервью? — предположил Билли, хотя интуиция уже твердила ему, что дело совсем не в этом.— Дэйв, давай-ка доставим этого Нейла Ханта сюда и посмотрим, будет ли он держаться за свою версию.

Тут зазвонил сотовый телефон Билли Коллинза. Погруженный в мысли, он машинально нажал на кнопку и рявкнул свое имя.

Звонила Альвира Михан. Детектив без труда услышал в ее голосе победоносную нотку.

— Я хотела спросить, можно ли мне прийти к вам прямо сейчас,— сказала она.— У меня есть кое-что чрезвычайно интересное!

— Я на месте, миссис Михан, и буду рад вас видеть.

Он поднял голову.

Между неровно стоящими столами к нему стремительно пробирался детектив Уэлли Джонсон.

72

Субботним утром Кевин Уилсон провел в своем спортивном уголке больше часа. Занимаясь, он переключал пультом каналы телевизора, пытаясь найти какой-нибудь выпуск новостей, где показали бы, как Зан выходит из здания суда. Ее вырвавшийся из глубины души крик: «Не я!..» — ударил его как нож.

Хмурясь, он послушал какого-то психиатра, сравнивавшего фотографии, на которых Зан примчалась в Центральный парк после получения известия о пропаже Мэтью, вынимала мальчика из коляски и уносила прочь.

— Просто невозможно предположить, что эта женщина — кто-то другой, а не мать, похищающая своего сына,— бубнил психиатр.— Вы присмотритесь к этим снимкам. Разве кто-то мог вот так легко найти абсолютно такое же платье, успеть переодеться и похитить ребенка?

Кевин решил, что должен сегодня увидеть Зан. Она говорила, что живет в Баттери-Парке, то есть всего в пятнадцати минутах ходьбы от него, и дала ему номер своего сотового телефона. Скрестив на удачу пальцы, Кевин набрал ее номер.

Гудок прозвучал пять раз, потом ответил ее голос:

— Привет, это Зан Морланд. Пожалуйста, оставьте ваш номер, я вам перезвоню.

— Зан, это Кевин. Мне неприятно вас беспокоить, но действительно нужно повидаться. Мы наняли рабочих, они у нас с понедельника, но тут есть несколько моментов, которые мне просто необходимо обсудить с вами.— Он тут же поспешно добавил: — Ничего особенного, просто вопрос выбора.

Кевин принял душ, надел свои любимые джинсы, спортивную рубашку и джемпер. Он не был голоден, но съел немного хлопьев, выпил кофе, потом уселся к маленькому столу перед окном, выходящим на Гудзон, и просмотрел газетную статью, в которой говорилось об обвинениях, выдвинутых против Зан. Похищение ребенка, помеха осуществлению родительских прав, обман представителей закона, то есть полицейских.

Ей было велено сдать паспорт и не покидать страну.

Кевин попытался представить, как сам чувствовал бы себя, стоя перед судьей и выслушивая все эти обвинения. Однажды он был присяжным заседателем в деле о непредумышленном убийстве и имел возможность понаблюдать за перепуганным подсудимым, двадцатилетним парнем, который сел за руль, находясь под дозой, сбил двух человек, скончавшихся позже, и получил за это двадцать лет тюрьмы.

Парень тогда твердил, что ему подсыпали какую-то дрянь в содовую. Кевин до сих пор гадал, возможно ли было такое, или же преступник заранее имел в запасе объяснение на случай ареста.

«На фотографиях — не я!»

«Почему я ей верю, несмотря на все эти странные доказательства? — спрашивал себя Кевин.— Но я знаю, просто знаю, что она говорит правду!»

Зазвонил сотовый. Это была его мать.

— Кевин, ты видел в газетах сообщение об аресте этой Морланд?

«Ты ведь и сама прекрасно знаешь, что видел, мамуля»,— подумал Уилсон.

— Кевин, ты что, после всего этого все равно намереваешься дать ей работу?

— Мама, я понимаю, что это звучит безумно, но верю, что Зан — жертва, а не преступница. Иногда ведь так бывает. Ты просто что-то знаешь о ком-то, и сейчас как раз такой случай.

Они немного помолчали, потом Кэтрин Уилсон сказала:

— Кевин, у тебя всегда было самое доброе на свете сердце. Но не все люди заслуживают твоей доброты. Подумай об этом. Пока, дорогой!

Она отключилась.

Кевин чуть-чуть поразмыслил над словами матери, снова набрал номер Зан и отключил телефон, как только автоответчик заговорил ее голосом.

Было уже почти половина второго.

«Да ты и не собираешься мне перезванивать,— подумал Уилсон, встал, сунул тарелки в посудомоечную машину и решил прогуляться.— Дойду-ка я до Баттери-Парка, прямо до квартиры Зан и постучусь в дверь. Нетрудно ведь догадаться, что этот заказ сейчас для нее важнее, чем когда бы то ни было. Ведь счета Морланд опустошены...»

Он уже открыл шкаф, где висела его кожаная куртка, когда телефон опять зазвонил. «Только бы это не была Луиза с истерическими рассуждениями об аресте Зан,— испуганно подумал Кевин.— Если это она, я ее уволю!»

Он почти рявкнул в трубку:

— Да?

Это оказалась Зан.

— Кевин, извините. Я забыла сотовый в кармане жакета вчера вечером, а звонок был отключен. Хотите встретиться на Карлтон-плейс?

— Нет, я уже просто одурел от работы за эту неделю. Я как раз собирался пройтись немного. До вас мне пятнадцать минут ходу. Могу я прийти к вам для разговора?

Последовала неуверенная пауза, потом Зан сказала:

— Да, конечно, если вам так удобнее. Я буду дома.

73

— Ну же, Мэтти, съешь сосиску! — уговаривала Глория.— Я специально ездила за ней в магазин!

Мэтью попытался откусить кусочек, но тут же положил хот-дог обратно на тарелку.

— Я не могу, Глория...— Он думал, что она рассердится, но девушка лишь грустно посмотрела на него и сказала:

— Хорошо, что все подошло к концу, Мэтти. Ни тебе, ни мне уже просто не выдержать дольше.

— Глория, а почему ты уложила все мои вещи? Мы что, переезжаем в новый дом?

— Нет, Мэтти.— Улыбка Глории наполнилась горечью.— Я тебе говорила, но ты мне не поверил. Ты возвращаешься домой.

Мэтью недоверчиво покачал головой и спросил:

— А ты куда поедешь?

— Сначала я тоже съезжу домой повидаться с папой. Я не видела его все то время, что и ты свою маму. Потом, думаю, я попробую сделать карьеру... Ладно, не хочешь есть сосиску — не надо. Как насчет мороженого?

Мэтью не хотелось говорить Глории, что ему теперь ничто не кажется вкусным. Она уже уложила почти все его игрушки, машинки, книжки с картинками и цветные карандаши, забрала даже портрет мамули, который он пристроил в коробку, потому что не хотел ни заканчивать его, ни выбрасывать. Еще Глория упаковала тот кусок мыла, который пах как мамочка.

Каждый день Мэтью старался вспоминать, каково это было — жить рядом с мамочкой. Ее длинные волосы, иногда щекотавшие ему нос. Халат, в который она закутывала Мэтью вместе с собой. Всех зверей в зоопарке. Иногда Мэтью снова и снова повторял их названия, как алфавит, лежа в постели. Слон. Горилла. Лев. Обезьяна. Тигр. Зебра. Мама говорила ему, что очень забавно складывать вместе буквы и слова и для каждой буквы придумывать картинку. «С» — слон. «Б» — бегемот... Мэтью понимал, что начинает кое-что забывать, и ему этого не хотелось. Глория иногда давала мальчику DVD с разными животными, но это было не то же самое, что смотреть на зверей в зоопарке, вместе с мамочкой.

После обеда Глория сказала:

— Мэтти, почему бы тебе не посмотреть какое-нибудь кино? Мне нужно закончить с упаковкой. Ты закрой дверь в свою комнату.

Мэтью решил, что Глория, наверное, просто хочет включить телевизор. Она делала это каждый день, но никогда не позволяла Мэтью смотреть вместе с ней. Телевизор в его комнате показывал только фильмы с плеера, и дисков у мальчика было множество. Но сейчас ему не хотелось их смотреть.

Вместо того он поднялся в свою комнату, лег на кровать и с головой укрылся одеялом. Забывшись, ребенок сунул руку под подушку, но мыла, пахнувшего мамой, там уже не было. Мэтью хотелось спать, его глаза сами собой закрылись, и он даже не заметил, что плачет.

Маргарет-Глори-Бриттани съела сосиску, к которой Мэтью едва прикоснулся, задумчиво уселась за кухонный стол, окинула взглядом кухню и сказала вслух:

— Мерзкий дом, мерзкая кухня, мерзкая жизнь...

Злость на себя за то, что впуталась в такую историю, смешалась с грустью. Глорию всю ночь мучила тоска, и она прекрасно знала, что это чувство связано с отцом.

С папой что-то было не так. Глория просто нутром это чуяла. Она даже протянула руку к сотовому телефону, но тут же оттолкнула его.

«Я завтра вечером уже приеду к нему,— подумала девушка.— Вот будет сюрприз!»

— Я его удивлю! — сказала она, но собственные слова показались ей пустыми и даже глупыми.

74

Альвира сидела у стола Билли Коллинза и слово в слово пересказывала ему и его напарнице Дженнифер Дин свой разговор с няней Шилдс. Коробка с босоножками, которые отдала ей Тиффани, стояла между ними на столе. Михан достала одну босоножку. Она, конечно, не знала, что поставила туфлю прямо на фотографию Бриттани Ла Монти, которую Коллинз поспешно перевернул изображением вниз, когда посетительница подошла к столу.

— Я ничуть не виню Тиффани,— сказала Альвира.— Ей и без того досталось от всех этих писак и телевизионщиков. Когда она решила, что это Зан похитила Мэтью, девочка, конечно, не просто разозлилась, но и почувствовала, что ее предали. Потом я объяснила ей, что Александра никогда ни в чем ее не обвиняла, напомнила, что придется приносить присягу, и она быстро изменила тон.

— Так, давайте уточним еще раз,— предложил Билли.— Мисс Морланд случайно купила две пары одинаковых туфель, при этом у нее уже были почти такие же, только с другими ремешками.

— Именно так! — горячо воскликнула Альвира.— Мы с Тиффани долго об этом говорили, и она припомнила кое-что еще. Зан ей объяснила, что заказала босоножки через Интернет и просто ошиблась, так что получила в итоге две пары одного цвета. Потом Морланд заметила, что новые босоножки очень похожи на те, которые у нее уже были, и просто отдала Тиффани одну из новых пар.

— Похоже, у няни начала восстанавливаться память,— сказала Дженнифер Дин.— Почему она так уверена в том, что Зан Морланд в тот день надела пару с узкими ремешками?

— Девушка это помнит потому, что Зан как раз надела такие же босоножки, какие были на ней самой, только с узкими ремешками. Она сказала, что сразу обратила на это внимание, но не стала ничего говорить, потому что Александра очень волновалась и спешила.— Альвира внимательно посмотрела на детективов и продолжила: — После разговора с Тиффани я сразу поспешила сюда, к вам. У меня, конечно, нет с собой тех фотографий, где видно, какая обувь надета на Зан в тот момент, когда она якобы похищает Мэтью, и тех, где она только что примчалась в парк, узнав об исчезновении сына. Но у вас-то они есть! Так присмотритесь к ним! Велите вашим экспертам как следует их изучить. Потом подумайте, зачем бы женщине, только что узнавшей о похищении ее ребенка, бежать домой и переобуваться?

Билли и Дженнифер переглянулись в очередной раз, и каждый из них снова знал, что думает в этот момент его напарник. Если то, что говорила им сейчас Альвира Михан, правда, то обвинение против Зан Морланд разваливалось. Они ведь уже и сами с изумлением заметили сходство между Александрой и Бриттани, как только Уэлли Джонсон указал им на это. Сюда следовало добавить те факты, что Ла Монти была мастером грима. Она исчезла как раз в то время, когда был похищен Мэтью Карпентер, и работала на Бартли Лонга, того самого, которого Зан Морланд обвиняла в похищении сына.

Но в таком нашумевшем деле необходимо было действовать с чрезвычайной осторожностью. Билли не хотелось признаваться в том, что он был потрясен куда сильнее, чем при каких бы то ни было прежних расследованиях.

«Мы ведь уже говорили с Лонгом и отвергли его в качестве подозреваемого,— думал детектив.— Но теперь?.. Со всеми этими новыми фактами? Вдруг бывший коп Нейл Хант попал в точку, когда заявил, что видел женщину, точь-в-точь похожую на

Зан Морланд, неподалеку от той церкви? Он даже запомнил номер машины, так что мы можем легко проверить поездки за вечер понедельника...»

Это Билли сразу записал в блокнот.

Но была ли Тиффани Шилдс надежным свидетелем? Скорее нет, чем да. Девочка уже меняла показания насчет того утра с Мэтью Карпентером.

Вдруг она права насчет босоножек?

Альвира уже встала, собираясь уходить, и сказала:

— Мистер Коллинз, вчера вечером, после ужасного испытания, когда ее арестовали и отправили в камеру, Зан Морланд, мать Мэтью Карпентера, умоляла меня начать собственное расследование, исходя из убеждения, что она невиновна. Я решила именно так и поступить, сразу же нашла Тиффани и напомнила ей, что на суде она должна будет дать клятву. Тогда девушка рассказала мне то, что я считаю правдой.— Альвира глубоко вздохнула.— Я думаю, вы достойный человек, который желает защитить невиновных и наказать преступников. Так почему бы и вам не сделать то, о чем молила вас Зан? Презумпция невиновности. Предположите, что Морланд ни в чем не виновата, проверьте еще раз Лонга, которого она считает ответственным за похищение Мэтью, начните копать как следует! Видите ли, хотя ее и арестовали, она все равно получает тот огромный заказ вместо Бартли — отделку новых квартир в большом доме. Если Лонг придумал, как украсть мальчика, и Мэтью до сих пор жив, то Бартли может попытаться снова воздействовать на Зан с помощью того единственного оружия, которое у него имеется. Ее сына.

Билли Коллинз встал, протянул руку Альвире и проговорил:

— Миссис Михан, вы совершенно правы. Наша работа в том и состоит, чтобы защищать невиновных. Но это все, что я вправе сказать вам прямо сейчас. Я очень благодарен вам за то, что вы убедили Тиффани Шилдс рассказать вам то, что, возможно, дает более точное представление обо всем происшедшем в день похищения Мэтью.

Альвира ушла. Детектив Коллинз глядел ей вслед и прислушивался к своему внутреннему голосу, твердившему, что эта женщина вышла на правильный путь и времени осталось мало...

Как только Михан скрылась из вида, Коллинз быстро выдвинул ящик своего стола и достал все до единой фотографии Зан, которыми располагал, в том числе и те, что всплыли совсем недавно благодаря британскому туристу. Разложив их на столе, Коллинз взял увеличительное стекло, внимательно рассмотрел несколько снимков и протянул лупу Дженнифер.

— Билли, Альвира права!..— через несколько секунд прошептала Дин.— На ней другие туфли.

Билли перевернул фотографию Бриттани Ла Монти, положил ее рядом с остальными и спросил напарницу:

— Что может сделать хороший гример, чтобы изменить внешность и стать похожим на кого-то другого?

Это был риторический вопрос.

75

Когда в 1.45 Зан открыла дверь Кевину, он сначала долго молча смотрел на нее, а потом, ощущая, что ничего естественнее и быть не может, обнял женщину. Несколько секунд они стояли неподвижно. Руки Александры были опущены вдоль тела, а глаза смотрели в лицо Уилсона.

Кевин решительно произнес:

— Зан, я не знаю, насколько профессионален твой адвокат, но тебе явно необходим хороший частный детектив, чтобы переломить ситуацию.

— Значит, ты действительно веришь, что я не виновата? — осторожно спросила Зан.

— Конечно. Доверься и ты мне.

— Мне очень жаль, Кевин. Бог мой, да ты же первый человек, который говорит, что верит мне. Но чаепитие у Безумного Шляпника продолжается. Посмотри вокруг.

Кевин окинул взглядом теплую, со вкусом обставленную гостиную со стенами цвета яичной скорлупы, уютным бледно-зеленым диваном, полосатыми креслами и ковром с геометрическим рисунком темно-зеленых и кремовых тонов. Диван и кресла были завалены открытыми коробками от Бергдорфа.

— Это доставили сегодня утром,— сказала Зан.— Все оплачено с моего счета. Но я ничего не покупала, Кевин! Я поговорила с продавщицей Бергдорфа, которую хорошо знаю. Она сказала, что не занималась со мной в понедельник днем, но узнала меня и даже обиделась за то, что я обратилась не к ней.

Эта женщина припомнила, что я уже покупала точно такой же костюм несколько недель назад. Зачем бы мне это делать? Тот, что у меня уже есть, висит в шкафу. Альвира думает, что видела меня на записи камер наблюдения в церкви в понедельник вечером, в черном костюме с меховым воротником. Но я надевала его только на следующий день, когда встречалась с тобой.— Зан сжала руки в жесте отчаяния.— Когда это кончится? Как мне это остановить? И почему? Почему?..

— Зан, погоди... Иди сюда. Сядь.— Он сжал ее руки в своих и подвел к дивану.— Ты когда-нибудь замечала, что за тобой следят?

— Нет, Кевин, но я чувствую себя так, словно живу в аквариуме! Я арестована. Кто-то изображает меня, а средства массовой информации преследуют. Мне кажется, что кто-то постоянно крадется за мной как тень, подражает мне. У этого человека и находится мой ребенок!

— Зан, давай вернемся немного назад. Я видел в газетах фотографии той женщины, которая, как ты клянешься, изображает тебя и уносит твоего сына.

— Да, на ней была точно такая же одежда, как на мне, вообще все такое же!

— Вот об этом я и хочу поговорить, Зан. Когда ты надела то самое платье, куда в нем выходила, чтобы тебя могли видеть?

— На улицу вместе с Тиффани. Мэтью спал в коляске. Я поймала такси на Шестьдесят девятой улице, чтобы поехать в городской дом Нины Элдрич.

— Это значит, что если какая-то женщина видела тебя в тот момент и хотела выглядеть так же, как ты, то у нее было с час времени или около того, чтобы найти точно такое же платье.

— Разве ты не понимаешь? Какие-то репортеры уже обсуждали это в газете. Они твердят, что просто невозможно такое проделать!

— Да, но не в том случае, если эта особа видела тебя в то время, когда ты одевалась, и если у нее уже было приготовлено точно такое же платье.

— Но в квартире никого не было, кроме Мэтью, когда я выбирала, что надеть!

— Такое вот копирование твоей одежды продолжается по сей день.— Кевин Уилсон встал.— Зан, ты не против того, чтобы я осмотрел твою квартиру?

— Нет, делай что хочешь, но зачем?

— Просто доставь мне такое удовольствие.

Кевин Уилсон прошел в спальню. Кровать была застелена и завалена подушками. На ночном столике стояла фотография смеющегося мальчика. В комнате был полный порядок. Из мебели здесь имелись только небольшой платяной шкаф, маленький письменный стол и кресло-кровать. Сборчатая занавеска на панорамном окне была той же бело-голубой расцветки, что и покрывало на кровати.

Кевин подсознательно оценил всю прелесть этой спальни, но его взгляд внимательно оглядывал комнату. Архитектор думал об одном случае три года назад, когда некий клиент купил квартиру в кондоминиуме после шумного развода ее прежних владельцев. Рабочий начал менять там электропроводку и обнаружил в спальне крошечную видеокамеру.

Возможно ли, что Зан находилась под таким же пристальным наблюдением, когда решала, что ей надеть в день похищения Мэтью? Есть ли вероятность, что она до сих пор остается под присмотром неведомого наблюдателя?

Думая об этом, Кевин вернулся в гостиную и спросил:

— Зан, у тебя есть стремянка? Мне нужно как следует все осмотреть.

— Да, есть...

Уилсон следом за ней направился к кладовке в холле, потом протиснулся мимо Зан внутрь и забрал лесенку из ее рук. Александра пошла за ним в спальню и смотрела, как Кевин поднялся на стремянку и начал медленно, тщательно ощупывать поясок над карнизом в верхней части стен.

Точно напротив ее кровати, над платяным шкафом, он нашел то, что искал,— крошечный объектив видеокамеры.

76

«Пост» и «Таймс» каждое утро приходили в городской дом Нины Элдрич. Мария Гарсия клала их в специальный матерчатый карман рядом с подносом для Нины, которой нравилось завтракать в постели. Прежде чем отнести все в спальню, Мария посмотрела на заголовок статьи. «На фотографиях — не я!»

«Миссис Элдрич солгала полиции,— подумала Мария.— Я знаю, почему она это сделала. Мистер Элдрич был в отъезде. Сюда слишком часто заходил

Бартли Лонг и оставался надолго. Миссис Элдрич прекрасно знала, что заставляет ту молодую женщину напрасно терять время, но ей было наплевать на это. Потом она нагло лгала тем детективам. Это же куда проще, чем объяснить, почему она заставила мисс Морланд ждать так долго».

Мария принесла поднос в спальню.

Нина Элдрич откинулась на подушки, сразу схватила «Пост» и посмотрела на первую страницу.

— Ее все-таки арестовали! — воскликнула она.— Уолтер будет в бешенстве, если меня вызовут на процесс. Но я просто повторю то, что говорила детективам, и на этом все.

Мария Гарсия молча вышла из спальни, но к полудню поняла, что больше не в силах терпеть. У нее была карточка, оставленная детективом Коллинзом. Мария тихонько, чтобы ее не заметила миссис Элдрич, спустилась вниз и взялась за телефон.

Билли Коллинз сидел в полицейском участке и ожидал Бартли Лонга, который был вынужден прийти по вызову детектива Дэвида Фелдмана, несмотря на всю свою ярость.

Билли снял трубку и услышал дрожащий голос:

— Детектив Коллинз, это Мария Гарсия. Мне очень страшно вам звонить, потому что у меня пока что нет грин-карты...

«Горничная Нины Элдрич,— тут же вспомнил Билли.— Что у нее имеется?»

Он заговорил как можно мягче:

— Миссис Гарсия, я этого не слышал. Вы что-то хотите сообщить?

— Да.— Мария глубоко вздохнула, а потом разразилась нервной скороговоркой: — Детектив Коллинз, клянусь могилой матери, что миссис Элдрич велела мисс Морланд приехать именно сюда, в городской дом, в тот день, около двух лет назад. Я сама это слышала и знаю, почему она лжет вам. Бартли Лонг, тот дизайнер, заехал к ней на Бикман-плейс. Они... у них было свидание. Она заставила бедную мисс Морланд проделать всю ту работу, а сама наняла Лонга, когда он за ней приударил. Но в тот день моя хозяйка велела мисс Морланд приехать сюда, в дом, и прекрасно знала, что та ее ждет. Александра так и оставалась тут. Она надеялась, что миссис Элдрич изволит появиться...

Билли уже собирался задать вопрос, когда Мария Гарсия выдохнула:

— Ох, миссис Элдрич сюда спускается. Мне надо бежать!

В ухе у детектива громко щелкнуло, и Билли Коллинз остался с новой дыркой в цепи доказательств против Александры Морланд, когда разъяренный Бартли Лонг в сопровождении своего адвоката ворвался в полицейский участок Центрального парка.

77

Днем в субботу, без четверти час, Мелисса позвонила Теду и спросила:

— Ты уже видел газеты? Все только и болтают о том, какую щедрость я проявила ради возвращения твоего сына!

Тед сумел отвертеться от встречи с ней вечером в пятницу под тем предлогом, что его грипп, похоже, прошел еще не до конца. По настоянию преданной Риты он позвонил Мелиссе после ее заявления средствам массовой информации и льстиво поблагодарил ее.

Теперь же, стиснув зубы, Карпентер ответил голосом механического предсказателя:

— Прекрасная леди, я предвижу, что через год с этого момента вы станете звездой номер один на всей планете, а возможно, и во всей вселенной.

— Прелесть моя! — засмеялась Мелисса.— Я тоже так думаю. Ох, у меня хорошая новость. Джейми-бой опять разругался со своими пиарщиками. Настоящий мятеж, да? Сцена их примирения и всеобщего прощения продолжалась всего двадцать четыре часа. Теперь он хочет повидаться с тобой.

Тед в этот момент стоял в гостиной своей элегантно обставленной двухуровневой квартиры в районе Митпэкинг, которой он обладал уже восемь лет. Она стала его главным приобретением в тот момент, когда Карпентер заработал столько, чтобы купить и обставить ее. Бартли Лонг и Зан Морланд, его помощница, поработали здесь на славу. Вот тогда-то он и познакомился с ней.

Все это промелькнуло в памяти Теда, когда он думал о том, что ему никак нельзя обижать Мелиссу.

— Когда Джейми хотел бы встретиться? — спросил Карпентер.

— Вроде бы в понедельник.

— Что ж, это было бы замечательно!

Тед не скрывал своего довольства. Он не был готов встретиться с Джейми-боем прямо сегодня. Мелисса должна была лететь в Лондон, на день рождения какой-то знаменитости. Карпентер это знал, и его беспокоило то обстоятельство, что звезда не хотела отправляться на вечеринку без его сопровождения, хотя и опасалась подхватить вирус.

Теду захотелось расхохотаться, и он с трудом подавил это желание. Вот было бы потрясающе, если бы кто-то действительно нашел Мэтью и Мелиссе пришлось бы выложить пять миллионов долларов!

— Тед, если тебе уже лучше, поспеши в аэропорт! Или мне придется поискать другого кавалера на вечеринке. Британские парнишки та-а-акие симпатичные!

— Думать не смей!

Тед произнес это тоном «папочка все узнает!», одновременно прощаясь с Мелиссой. Он наконец-то смог расстаться с телефоном, открыл дверь на террасу и вышел наружу. Его тотчас же охватил холодный воздух.

Карпентер посмотрел вниз и подумал:

«Иной раз мне кажется, что лучше было бы просто прыгнуть вниз и покончить наконец со всем этим».

78

Вернувшись с ежедневной прогулки по Центральному парку, Уилли понял, что сильно проголодался. Проблема была в том, что по субботам они с Альвирой частенько предпочитали обедать где-нибудь вне дома, а потом отправлялись в какой-нибудь музей или в кино.

Он позвонил жене на сотовый, но она не ответила.

«Я бы решил, что Тиффани Шилдс должна была уже все ей рассказать, если ей вообще было о чем говорить,— подумал Уилли.— Впрочем, Альвира могла заняться покупками. Нет, не стану портить аппетит»,— решил он, хотя жена все не возвращалась.

Однако пятнадцать минут спустя муж уже заколебался, а потом зазвонил телефон.

— Уилли, даже и не пытайся угадать, что я тебе расскажу! — начала Альвира.— Слушай, я так взволнована, просто сил нет! В общем, я только что была у детективов Коллинза и Дин в участке Центрального парка. Давай встретимся в «Русской чайной» и пообедаем там.

— Уже иду! — сообщил Уилли.

Он прекрасно понимал, что жена тут же вывалит на него все новости, если он задаст ей хоть один вопрос, и предпочел бы их услышать за обеденным столом.

— Я поспешу! — пообещала Альвира.

Уилли повесил трубку, направился к стенному шкафу в прихожей, быстро надел куртку и перчатки. Когда он уже открывал дверь квартиры, телефон снова заработал. Уилли подождал на тот случай, если это по какой-то причине звонила Альвира.

Но после сигнала автоответчика зазвучал другой голос:

— Альвира, это Пенни Хэммел! Я пыталась дозвониться тебе на сотовый, но ты не отвечаешь. Ты просто не представляешь, что я хочу тебе рассказать! Могу поклясться, я права! Сегодня утром...

Уилли аккуратно закрыл за собой дверь, не дослушав сообщение.

«Потом, Пенни, попозже»,— мысленно произнес он, направляясь к лифту.

Уилли не пожелал выслушать до конца слова Пенни, которая говорила Альвире о том, что может поспорить на что угодно, но ребенок, которого Глория Эванс прячет в арендованном ею доме,— это Мэтью Карпентер!

— Что мне теперь делать? — пытала Пенни автоответчик.— Прямо сейчас позвонить в полицию? Но я хотела бы сначала посоветоваться с тобой, потому что у меня нет абсолютно никаких доказательств! Альвира, позвони мне!

79

— Кевин, что все это значит? — изумленно спросила Зан.— Ты утверждаешь, что в моей спальне была установлена видеокамера, которая записывала каждую минуту, когда я находилась там?

— Да.— Уилсон не стал тратить время на размышления о том, как ужасно должна была почувствовать себя Зан, внезапно поняв, что некто постоянно вторгался в ее личную жизнь.— Кто-то установил это в твоей спальне или заплатил за такую работу. Скорее всего, в твоей прежней квартире сделано то же самое. Именно потому и было возможно в точности повторять твою одежду в любой момент.

Отвернувшись от объектива камеры, Уилсон посмотрел на Зан. Ее лицо было белым, как бумага.

Она осторожно покачивала головой и говорила сдавленным голосом:

— Боже мой!.. Тед присылал ко мне того парня, с которым был знаком еще в Висконсине, Ларри Поста...— сдавленным голосом произнесла она.— Он у Карпентера и водитель, и повар, и вообще помощник во всем. Все для него делает. Пост устанавливал у меня всю осветительную арматуру, телевизор в спальне и в прежней квартире, всю компьютерную систему в моем офисе... Наверное, он именно так и взломал мои банковские счета. Я все это время винила Бартли Лонга! Все устроил Тед! — вдруг пронзительно закричала она.— Это Карпентер! Но что он сделал с моим сыном?!

80

В третьем часу дня Ларри Пост добрался до Мидлтауна. На этот раз Тед возложил на него трудную задачу.

«Все должно выглядеть так, будто Бриттани убила мальчика, а потом покончила с собой. Легче сказать, чем сделать»,— думал он по дороге.

Ларри ничуть не удивился тому, что Тед передумал и решил не ездить туда сам, не кончать с ними самостоятельно. Карпентер до коликов боялся того, что Бриттани способна пойти в полицию, к тому же до него только теперь дошло, что мальчик вполне может убедить полицейских в том, что совсем не Зан увела его из парка. Если бы такое случилось, то копы мгновенно обратили бы внимание на Теда, который не сомневался в этом.

Ларри вполне понимал, почему Тед не в силах заставить себя убить собственного сына, но тем не менее сделать это было необходимо.

«Я, конечно, не такой уж мягкосердечный, но мне никогда и в голову не приходило, что работа на Теда когда-нибудь доведет меня вот до такого,— думал Ларри.— Но он напомнил мне, что если полицейские начнут копать, то быстро найдут камеры в квартире Зан и она тут же им скажет, что я устанавливал ей освещение и налаживал компьютер».

Когда Зан решила уйти от Теда и сняла квартиру на Восемьдесят шестой улице, а потом, после исчезновения Мэтью, переехала в Баттери-Парк, великодушный Тед сам вызвался помочь ей, причем в обоих случаях. Он прислал сантехника проверить всю систему канализации и Ларри Поста — заменить проводку и поставить новые светильники. Заодно и кое-что еще.

«В тот день, когда она переехала с Восемьдесят шестой, в ее новой квартире уже стояли камеры»,— думал Ларри.

В первые три года Тед довольствовался тем, что просто подсматривал за бывшей женой, когда ему того хотелось. Потом она начала преуспевать в своем бизнесе. Они с Мэтью были так дружны, что Карпентер не мог это выносить. Именно тогда он на какой-то вечеринке познакомился с Бриттани, и у него созрел дьявольский план...

«Тед безусловно прав,— размышлял Ларри Пост.— Если мы не начнем действовать прямо сейчас, недолго придется ждать, пока копы постучат в нашу дверь. Я не хочу возвращаться в тюрьму. Уж лучше сдохнуть. Он отдаст мне те деньги, которые уже положил на счет Мэтью. Да, тут все честно. Я нужен Теду, а тот — мне.

Карпентер сказал, что Бриттани стала слишком уж неуправляемой, просто слетела с катушек, и теперь она — серьезная угроза нам обоим. Он говорил, что у нее хватит глупости на то, чтобы решить, будто она сможет договориться с полицией да еще и получить обещанные Мелиссой пять миллионов. Ну и дура же эта звезда!»

Ларри расхохотался. Если мальчишка доберется до дома живым, то Мелиссу просто удар хватит! Но этого не случится. Они с Тедом уже продумали, как со всем этим управиться.

«Бриттани узнает мой грузовик, когда я подъеду к дому,— мысленно рассуждал Ларри.— Надо надеяться, она не запаникует, увидев меня. Ей известно, что я участвую в деле с самого начала. Оказавшись рядом с домом, я ей позвоню и скажу, что привез две большие коробки с наличностью, шестьсот тысяч долларов. Мол, Тед хочет, чтобы девчонка получила их сразу, не говорила бы потом, что он ее обманул, и имела бы время как-то переправить их в Техас. В том случае, если она что-то заподозрит и побоится открывать дверь, я принесу одну коробку к окну. Тогда Бриттани сможет увидеть стодолларовые купюры верхнего слоя. Сквозь окно она никак не сможет понять, что под ними — старые газеты.

Когда девица меня впустит, я сделаю то, что должен. Если все равно не откроет — взломаю замок. Конечно, тогда уже это не будет похоже на самоубийство, но тут уж ничего не поделаешь. Главное, чтобы ни один из них не смог заговорить».

81

Бравада Бартли Лонга не произвела ни малейшего впечатления на Билли Коллинза.

— Мистер Лонг, я рад, что вы пришли сюда с адвокатом,— сказал он.— Потому что прежде чем мы с вами скажем что-либо значимое, я вам сообщаю: именно вы — тот человек, который заинтересован в исчезновении женщины по имени Бриттани Ла Монти. У ее соседок по квартире нашлась запись того, как вы ей угрожали.

Билли не собирался докладывать дизайнеру, что подозревает его еще и в том, будто тот нанял Бриттани Ла Монти, которая изображала Зан Морланд и похитила ее ребенка. Эту карту детектив решил пока что придержать в рукаве.

— Я ни разу не встречался с Бриттани, после того как она покинула мой дом в начале июля, почти два года назад,— рявкнул Бартли Лонг.— Эта так называемая угроза прозвучала просто потому, что девчонка изуродовала мою собственность!

Уэлли Джонсон и Дженнифер Дин сидели тут же, рядом.

— Вы говорите о ваших накладках и париках, мистер Лонг? — спросила Дженнифер.— Кстати, среди тех, что вы купили взамен испорченных, не было ли одного с густыми черными волосами?

— Вот уж нет! — огрызнулся Лонг.— Давайте все-таки проясним ситуацию. Я с тех пор ни разу не видел Бриттани. Можете проверить меня на детекторе лжи. Я его с закрытыми глазами пройду! — Он повернулся к Уэлли Джонсону.— Вы поговорили с теми людьми, имена которых дала вам моя секретарша?

— Двоих нет в стране,— резко ответил Уэлли Джонсон.— Возможно, вы знали, что до них так просто не добраться.

— Я не слежу за передвижением моих друзей. Они успешные продюсеры и постоянно куда-то ездят.— Лонг повернулся к своему адвокату.— Я требую, чтобы меня немедленно проверили на детекторе лжи. Я не обязан болтать тут с этими детективами.

Дженнифер Дин сидела молча. Они с Коллинзом иногда вели допрос именно так. Билли задавал вопросы, а она прислушивалась к ответам. Коллинз чувствовал, что его напарница иной раз срабатывает куда лучше, чем детектор лжи.

«Но не всегда,— напомнил он себе.— Если Зан Морланд права насчет того, что кто-то сознательно ее имитировал, то мы этого не заметили».

Даже если Морланд не ошибалась, это не давало ответа на вопрос о том, где находится Мэтью Карпентер и жив ли он до сих пор.

Зазвонил телефон. Это был Кевин Уилсон.

Билли приложил трубку к уху и некоторое время слушал с бесстрастным лицом.

— Спасибо, мистер Уилсон. Мы сейчас будем.— Он повернулся к Бартли и сказал: — Вы можете быть свободны, мистер Лонг. Мы не станем выдвигать против вас обвинение по поводу угрожающего телефонного звонка. Всего доброго.

В ту же секунду Билли вскочил и рванул вон из комнаты. Дженнифер Дин и Уэлли Джонсон, стараясь не показать своего изумления, помчались следом за ним.

— Надо скорее ехать в квартиру Теда Карпентера,— коротко сообщил им Билли.— Подозреваю, что если он прямо сейчас случайно заглянет в свой компьютер, то тут же поймет, что все кончено.

82

Она не могла больше ждать. Ей необходимо было услышать голос отца, сказать ему, что дочь возвращается домой. Но сначала... Глория на цыпочках поднялась по лестнице, чтобы проверить, закрыта ли дверь комнаты Мэтью.

Она думала, что мальчик смотрит какой-нибудь фильм, но тот спал, укрывшись одеялом.

«Какой он бледненький,— подумала Глория, наклоняясь над ним.— Снова плакал!..»

Осознание всего того, что она натворила, обрушилось на Глорию, когда она тихо, чтобы не разбудить ребенка, выходила из комнаты и закрывала за собой дверь.

Стоя в кухне, девушка взяла последний из незарегистрированных сотовых телефонов, которые дал ей тот самый человек, и набрала домашний номер отца в Техасе. Ей ответил незнакомый голос.

— Э-э... а мистер Гриссом где?

Глорию охватил панический ужас. Она уже поняла, что сейчас услышит дурные новости.

— Вы его родственница?

— Дочь.— Глори задыхалась, и ее голос звучал очень высоко.— Он что, болен?

— Мне очень жаль. Я врач экстренной медицины. Он позвонил девять-один-один, мы сразу же приехали, но спасти его не смогли. У него был сильный сердечный приступ. Вы — Глори?

— Да. Да.

— Что ж, мэм, я надеюсь, что хоть чем-то смогу вас утешить. Последние слова, которые сказал ваш отец, были такими: «Передайте моей Глори, что я ее люблю».

Девушка нажала на кнопку, разрывая связь.

«Я должна немедленно поехать домой, в последний раз обнять его.— Мысли бешено прыгали в ее голове.— На какой рейс заказан билет? Ну да, завтра утром, в десять тридцать, аэропорт Ла Гуардиа, компания “Континенталь”, рейс в Атланту. Я позвоню и изменю заказ. Полечу прямиком домой.

Я должна его увидеть, сказать, что виновата и мне очень жаль...»

Она открыла ноутбук. Ее терзали горестные мысли, но пальцы машинально набрали адрес сайта авиакомпании.

Глория несколько минут перебирала клавиши компьютера, потом замерла и подумала:

«Мне следовало догадаться».

Никто не заказывал билета на имя Глории Эванс в Атланту на завтрашний рейс в 10.30.

В это время вообще не было самолета на Атланту.

Маргарет-Глори-Бриттани закрыла компьютер.

«Он скоро будет здесь и не привезет никаких денег. Мне не сбежать от него. Он будет гоняться за мной с такой же ненавистью, с какой преследовал Зан Морланд. Ее грех только в том и состоял, что она не хотела его как мужчину, я же представляю прямую угрозу».

Он должен был скоро появиться. Глория это знала. Она стояла у окна кухни, глядя на подъездную дорогу. К дому медленно катил белый грузовик. Глория задохнулась от ужаса. Ларри Пост ждал ее в белом грузовике, когда она вышла с Мэтью из Центрального парка. Если это он, значит, ей уже не успеть сдать Теда копам...

Бежать с Мэтью к машине тоже было слишком поздно. Глаза Глории расширились, ум бешено работал. Она рванулась наверх и выхватила спящего мальчика из кроватки.

«Точно так же я забрала его из коляски»,— мелькнуло у нее в голове.

Она быстро спустилась и положила ребенка на надувной матрас в чулане.

— Мы уже уезжаем? — сонно спросил Мэтью.

— Уже скоро.

Глория знала, что не нужно предупреждать его о необходимости хранить молчание до ее возвращения.

«Я уже научила этому бедного малыша»,— подумала она.

Звук дверного звонка разнесся по дому.

Глория заперла дверь в чулан и по пути к входной двери спрятала ключ под подносом в столовой.

В кухонное окно заглядывал улыбающийся Ларри Пост.

— Бриттани, у меня для тебя подарок от Теда! — крикнул он.

83

— Отличный был обед,— с довольным видом сказал Уилли, допивая капучино.

— Да, верно. Ох, милый, я, конечно, знаю, что детектив Коллинз теперь уже смотрит на все иначе. Хочу сказать, ведь ясно же как день, что никакая женщина, собравшись похитить собственного ребенка, не станет тратить время на то, чтобы менять одни туфли на другие, практически такие же. Но меня не на шутку пугает то, что похититель, кем бы он ни был, может запаниковать, если обнаружит, что полиция начинает верить Зан. Вопрос еще вот в чем. Пусть невиновность Зан будет доказана, но хватит ли у нее сил продержаться достаточно долго, если Мэтью не найдут?..

Уилли серьезно кивнул, явно понимая опасения жены, принялся доставать бумажник и сказал:

— Милая, когда я выходил из дома, позвонила Пенни Хэммел. Я не стал отвечать.

— Ох, Уилли, я тоже!.. Я выключила свой сотовый, когда встречалась с детективом Коллинзом, но звонила тебе и увидела, что пришло сообщение от Пенни. Вот только мне не хотелось его слушать. Я была слишком взволнована тем, что обстоятельства, похоже, разворачиваются в пользу Зан.— Альвира огляделась по сторонам.— Знаю, не принято пользоваться сотовым в ресторане, но я ведь не стану разговаривать, только послушаю.

Альвира отвернулась от стола, делая вид, что пытается найти что-то в записной книжке. Она открыла телефон, нажала на кнопку воспроизведения сообщений и стала слушать. Почти сразу ее лицо побледнело до синевы.

— Уилли! — дрожащим голосом обратилась она к мужу.— Кажется, Пенни нашла мальчика! Боже милостивый, похоже на то! Но женщина, напоминающая Зан, собирается уезжать, ох, Уилли!..

Не договорив, Альвира выпрямилась и быстро набрала номер сотового телефона Билли Коллинза.

Она помнила его наизусть.

84

Удастся ли, получится ли? С того самого момента, когда он отправил Ларри в Мидлтаун, Тед Карпентер снова и снова с ужасом думал о том, какие события он привел в движение, понимая при этом, что выбора у него не оставалось. Если Бриттани пойдет в полицию, то остаток жизни он проведет в тюрьме. Но даже это было не настолько плохо, как воссоединение Зан и Мэтью.

«Он мой сын,– думал Карпентер.– Она меня не хотела. Я подарил ей ребенка, а она заявила, что ничего о нем не знала, когда уходила от меня!» Тед забормотал, подражая голосу Зан:

— «Спасибо тебе за доброту, милый, и прощай! Ты не хотел заводить ребенка, а значит, и не должен на него тратиться. Это было бы нечестно. Но как любезно с твоей стороны помочь мне с переездом, даже дважды! Ах, как ты был добр, прислал водопроводчика, починил систему обогрева и всю проводку!» — Тед захлебывался от ярости.– Конечно, это было бы нечестно, ты же вообще не хотела делиться со мной сыном! Он был только твоим! Ну, леди, те денежки, что были положены на его имя, сегодня помогут твоему маленькому сокровищу отправиться в вечность! Интересно, она сейчас дома? Вчера вечером я даже смотреть на нее не стал. Я слишком устал и был встревожен, но теперь Ларри уже на пути в Мидлтаун. Если мне повезет, все будет сделано как надо.

Тед запустил компьютер, ввел код, включавший камеру наблюдения в квартире Зан, и тут же застыл от ужаса, увидев, как она, глядя прямо в объектив, пронзительно выкрикивает его имя.

85

Промерзнув до костей, Пенни Хэммел ждала среди деревьев за старым домом Сая Оуэнса. Внимательно изучив детский рисунок и будучи уверена в том, что не ошибается, что Глория Эванс действительно немного похожа на Зан Морланд, она отъехала подальше по дороге, позвонила Альвире и оставила ей сообщение. Потом вернулась, увидела, что машина Эванс уже стоит на месте, поэтому снова устроилась на своем наблюдательном посту.

Пенни не могла допустить, чтобы Эванс просто села в машину и уехала.

«Если я права и она прячет Мэтью Карпентера в доме Сая, то нельзя позволить, чтобы эта особа просто исчезла,— думала Хэммел, топая ногами, сжимая и разжимая пальцы, чтобы не замерзнуть окончательно.— Если она попытается сбежать, я поеду за ней и узнаю, куда девица направляется».

Пенни гадала, следует ли ей снова позвонить Альвире, но вообще-то была уверена, что та свяжется с ней сама, как только получит сообщение.

«Я ей звонила и домой, и на сотовый,— рассуждала Пенни, но некоторое время спустя думала уже по-другому: — Наверное, надо попытаться еще раз».

Она достала из кармана сотовый и открыла его. Перчатки мешали, и Пенни нетерпеливо стянула одну, но, прежде чем она успела набрать нужный номер, телефон зазвонил.

Как Хэммел и надеялась, это оказалась Альвира.

— Пенни, где ты?

— Слежу за тем домом, о котором тебе говорила. Я не хочу, чтобы эта леди сбежала. Она ведь утром собирала вещи! Альвира, я уверена, мальчик там, с ней! Она похожа на Зан Морланд.

— Пенни, будь поосторожнее! Я уже позвонила детективам, которые ведут это дело. Они сейчас связываются с полицией Мидлтауна. Через несколько минут копы будут там. Но ты...

— Альвира, перед домом остановился какой-то белый грузовик! — перебила ее Пенни.— Он припарковался на подъездной дороге. Водитель выходит и несет большую коробку. Зачем бы ей понадобились такие, если Глория готовится уехать? Что она собирается туда класть?

86

Билли Коллинз, Дженнифер Дин и Уэлли Джонсон ехали в машине спецназа к дому Теда Карпентера. Билли вкратце изложил двум детективам содержание своего разговора с Кевином Уилсоном.

— Мы ведь никогда не рассматривали отца в качестве подозреваемого! — ругал он себя.— Карпентер не совершил ни одной ошибки. Ни единой! Ни разу! Сначала он разъярился из-за того, что няня заснула. Потом набросился на Морланд за то, что та наняла слишком юную особу, но публично извинился перед ней. После появления в газетах тех фотографий — снова приступ ярости. Он все это время нас дурачил!

Зазвонил сотовый телефон Билли. Это была Альвира, получившая сообщение от Пенни.

Коллинз повернулся к Дженнифер Дин и рявкнул:

— Немедленно свяжись с полицией Мидлтауна, пусть мчатся в дом Оуэнса на Линден-роуд! Скажи, чтобы подбирались к нему осторожно. Похоже, Мэтью Карпентер может быть именно там.

Квартира Теда находилась в деловом центре города.

— Включай сирену! — приказал Билли офицеру, сидевшему за рулем.— Этот тип наверняка уже понял, что его загнали в угол.

Но, говоря это, детектив Коллинз чувствовал, что они, скорее всего, опоздали.

Когда стражи порядка подъехали к нужному зданию, они увидели толпу людей, и Билли Коллинз понял: случилось то, чего он боялся. Даже не успев еще выйти из полицейской машины, он знал, что тело, совсем недавно прорвавшее тент над одним из окон первого этажа и распластавшееся на тротуаре, принадлежит Теду Карпентеру.

87

«Помоги мне,— мысленно молилась Бриттани.— Я знаю, что не заслужила этого, но помоги мне».

Она улыбнулась и жестом предложила Ларри Посту подойти к окну гостиной. Сотовый телефон девушка держала в кармане. Ларри уже поднимал крышку большой коробки. Бриттани увидела ряды пачек стодолларовых купюр, каждая из них была перехвачена банковской лентой.

«Мне придется открыть дверь,— думала Бриттани.— Но может быть, я сумею как-то его обмануть? Охранной системы в доме нет, так что если он попытается открыть или разбить окно, то сделает это в одну минуту. Пост думает, что я никогда не решусь обратиться за помощью в полицию, но мне же ничего другого не остается. Хотя, возможно...

— Ладно, Ларри,— крикнула она, чтобы Пост услышал ее сквозь стекло.— Иди к двери, я открою.

Бриттани повернулась к Ларри Посту спиной, тут же достала из кармана телефон и набрала 911.

Когда оператор ответил ей, она прошептала:

— Ко мне в дом ломятся! Я знаю этого человека. Он очень опасен.— Поскольку местная полиция прекрасно ориентировалась в здешней топографии, девушка закричала: — Дом Оуэнса! Скорее! Пожалуйста, скорее!

88

«Надо туда идти,— решила Пенни.— Если этот тип запихнет Эванс и ребенка в грузовик, неизвестно, что может случиться. Я покажу рисунок, скажу, что нашла его, когда гуляла, и подумала, не они ли его потеряли. Копы, наверное, уже едут сюда, но вдруг они опоздают?..»

Она покинула наблюдательный пост за деревьями. Когда Пенни бежала через открытое пространство, она споткнулась о крупный камень. Какой-то инстинкт заставил ее наклониться и поднять его.

«Вдруг он мне пригодится?» — мелькнуло у нее в голове.

Пенни подбежала к дому и заглянула в кухонное окно. Та женщина, Эванс, оказалась там. Мужчина, который внес в дом коробку из грузовика, стоял в нескольких футах от нее с пистолетом в руке.

— Ты опоздал, Ларри,— говорила Бриттани.— Я еще час назад отвела Мэтти на людную аллею. Странно, что ты об этом не слышал. Разве в твоей машине нет радио? Шум поднялся ужасный, но, похоже, Тед не будет этому слишком рад.

— Ты врешь, Бриттани!

— Зачем мне лгать, Ларри? Разве не в этом заключался план? Мы ведь именно его и обсуждали, так? Мэтью нужно отвести в такое место, где его быстро обнаружат, я отправлюсь домой с деньгами, и все будут счастливы, потому что все наконец закончится. Я понимаю, конечно, что Тед беспокоится, как бы я в будущем не доставила ему неприятностей, но ты можешь его заверить, что у меня ничего такого и в мыслях нет. Я хочу просто снова вернуться к обычной жизни, а если выдам его, то сама попаду в тюрьму. Зачем мне туда, если ты принес деньги? Я так понимаю, здесь вся сумма? Шестьсот тысяч долларов? Жаль только, что мне теперь не до праздников, потому что мой отец умер.

— Бриттани, где Мэтью? Дай мне ключ от того чулана, в котором ты его прятала. Тед мне все рассказал!

Бриттани увидела, как в глазах Ларри вспыхнуло безумие. Он без труда отыщет чулан. Тот ведь находится в конце коридора, и Пост легко сумеет открыть его даже без ключа. Как продержаться до подхода помощи?

— Уж извини, Бриттани...

Ларри направил ствол пистолета ей в сердце. Никаких чувств на его лице не читалось.

Пенни не могла слышать, о чем говорят в кухне, но прекрасно видела, что тот мужчина готов застрелить Эванс. Она могла сделать только одно — изо всех сил швырнуть камень в окно. Стекло разлетелось вдребезги.

Сильно вздрогнув при звуке удара, ошеломленный дождем осколков, просыпавшихся на него, Пост спустил курок, но пуля пролетела над головой Бриттани.

Поняв, что это ее единственный шанс, девушка бросилась на Ларри и толкнула его с такой силой, что он потерял равновесие, пошатнулся, упал, вскинул руку, чтобы не расшибить голову о плиту, и выронил пистолет.

Бриттани мгновенно нагнулась и подхватила оружие. Как раз в этот момент к дому подкатила полицейская машина.

Направив пистолет на Поста, Бриттани крикнула:

— Не шевелись! Мне наплевать, если придется тебя пристрелить, а делать это я умею! Мы с папой частенько вместе охотились в Техасе.— Не сводя глаз с Ларри, она попятилась назад, к двери кухни, открыла ее, увидела Пенни и сказала: — А, черничная леди! Добро пожаловать. Мэтью Карпентер в чулане в конце коридора. Ключ — под подносом в столовой.

Ларри Пост вскочил и ринулся бежать. Он выскочил через парадную дверь и угодил прямиком в объятия полицейских. Несколько копов проскочили мимо него в дом. Маргарет Гриссом, она же Глория и Бриттани Ла Монти, упала на стул возле кухонного стола. Рука, в которой девушка держала пистолет, бессильно повисла.

— Бросай оружие! Бросай оружие! — крикнул кто-то из полицейских.

Глория положила пистолет на стол и пробормотала:

— Ох, если бы мне хватило храбрости застрелиться...

Пенни отыскала ключ и помчалась к чулану, но перед дверью остановилась и очень медленно открыла ее. Маленький мальчик, явно слышавший выстрел, сжался в углу и глядел на нее испуганными глазами. Свет был выключен. Пенни только и могла рассмотреть, что малыш, если верить фотографиям в газетах, действительно мог быть Мэтью.

Женщина широко улыбнулась, ее глаза наполнились слезами. Она наклонилась, подняла мальчика и прижала к себе.

— Мэтью, пора тебе возвращаться домой. Мамочка так давно тебя ищет!

89

Детективы Билли Коллинз, Дженнифер Дин и Уэлли Джонсон стояли в вестибюле сверхсовременного здания, где находилась квартира ныне покойного Теда Карпентера. Детективы из местного полицейского участка окружили тело. На место события вот-вот должны были приехать эксперты и медики.

Лица у всех были мрачными. Полицейские с нетерпением ждали известий из Мидлтауна. В самом ли деле Мэтью Карпентера прятали там, в доме Оуэнса?

Была ли права подруга Альвиры, та, что жила в Мидлтауне? Возможно ли, что женщина, так сильно похожая на Зан Морланд, все это время прятала там Мэтью Карпентера? После звонка Кевина Уилсона насчет видеокамеры в квартире Зан возник и другой вопрос. Где мог сейчас находиться Пост? Они уже проверили его данные по полицейской картотеке и знали, что Ларри отсидел немалый срок за непредумышленное убийство.

«Не приходится сомневаться в том, что он активно участвовал во всей этой истории с Мэтью, и не только тем, что ставил жучки в квартиры Морланд»,– думал Билли Коллинз.

Зазвонил сотовый Коллинза. Дженнифер Дин и Уэлли Джонсон, затаив дыхание, наблюдали за тем, как на лице Билли расплывается широкая улыбка.

— Они нашли малыша! — сообщил он.— С ним все в порядке!

Дженнифер Дин и Уэлли Джонсон ответили в унисон:

— Слава богу! Слава богу...

Дженнифер, понизив голос, обратилась к Билли:

— Послушай, мы все ошибались насчет Зан Морланд. Так что не кори себя одного. Все улики указывали на нее.

Коллинз кивнул и заявил:

— Да знаю я и очень рад тому, что ошибся. Теперь надо позвонить матери Мэтью. Полицейские Мидлтауна уже везут его в наш участок.

Отец Эйден О'Брайен узнал последние новости от того полицейского, который охранял его в госпитале. Состояние священника врачи теперь оценивали как тяжелое, но стабильное, и он постоянно шептал благодарственные молитвы. Теперь монаха не мучило то обстоятельство, что он вынужден был хранить тайну исповеди, хотя и считал Зан Морланд жертвой преступления. Ее невиновность была полностью доказана другим способом, а дитя возвращалось домой.

90

Зан и Кевин спешили в полицейский участок Центрального парка, где уже находились Альвира и Уилли. Билли Коллинз, Дженнифер Дин и Уэлли Джонсон ждали их. Билли сообщил Зан по телефону, что полицейские Мидлтауна заверили их в том, что Мэтью в общем чувствует себя неплохо, хотя выглядит бледненьким и худым. Он добавил, что обычно в таких случаях полиция требует, чтобы ребенка немедленно обследовали врачи, но на этот раз они согласны отложить осмотр на вторую половину дня или даже на завтра. Пока лучше забрать его домой.

— Зан, насколько наши ребята поняли, мальчик никогда вас не забывал,— предупредил он ее.— Пенни Хэммел, та женщина, благодаря которой его нашли, показала полицейским рисунок, по ее мнению сделанный Мэтью. Пенни нашла картинку на заднем дворе за тем домом. Я слыхал, портрет напоминает вас, а внизу написано печатными буквами слово «мамуля». Но мне все же кажется, что будет неплохо, если вы прихватите с собой какую-нибудь его любимую вещицу — игрушку, подушку, ну что-нибудь такое. Это может помочь ему успокоиться после всего, что он пережил.

Когда Зан вошла в полицейский участок, она энергично поблагодарила и обняла Альвиру и Уилли и больше не произнесла ни слова. Кевин Уилсон одной рукой бережно обнимал ее за плечи, в другой нес большой пакет. Когда они услышали сирену полицейских машин, подъезжавших к входу, Зан сунула туда руку и достала синий купальный халат.

— Он это помнит,— сказала мать.— Ему так нравилось кутаться в этот халат вместе со мной.

Телефон Билли Коллинза зазвонил.

Детектив послушал, улыбнулся и мягко сказал Зан:

— Идите в комнату для переговоров. Его уже ведут туда. Пойду встречу.

Не прошло и минуты, как дверь распахнулась, маленький Мэтью Карпентер перешагнул порог и растерянно огляделся. Зан перекинула халат через руку, бросилась к нему и опустилась на колени. Дрожа, она набросила халат на сына.

Мэтью осторожно коснулся пряди волос, упавшей на лицо Зан, и прижал ее к своей щеке.

— Мамуля! — прошептал он.— Мамуля, я так соскучился по тебе!

ЭПИЛОГ

Год спустя

Зан, Альвира, Уилли, Пенни, отец Эйден, Джош, Кевин Уилсон и его мать Кэтрин взволнованно наблюдали за тем, как Мэтью, теперь уже шестилетний, окончательно порыжевший, задувает свечи на своем праздничном торте.

— Все погасил! — с гордостью сообщил он.— За один раз!

— Отлично! — Зан взъерошила его волосы.— Хочешь открыть подарки до того, как разрежем торт?

— Да! — решительно кивнул мальчик.

«Он просто замечательно восстанавливается»,— подумала Альвира.

Конечно, Зан регулярно водила сына к детскому психотерапевту. Из робкого малыша, кутавшегося в мамин халат, когда Пенни отыскала его, он превратился в открытого, радостного мальчишку, который, правда, иной раз еще хватался за мать и говорил: «Мамуля, ты только не бросай меня, пожалуйста!..» Но большую часть времени это был полный энтузиазма первоклассник, который дождаться не мог того дня, когда пойдет в школу и обзаведется друзьями.

Зан понимала, что, когда Мэтью станет постарше, он начнет задавать вопросы. Тогда ей придется как-то справиться с гневом и печалью, говоря о том, что натворил и как умер его отец. Они с Кевином решили, что рассказывать придется понемногу, по частям. Вместе они с этим справятся.

Торжество состоялось в квартире Александры в Баттери-Парке, но им с Мэтью недолго оставалось жить здесь. Зан и Кевин решили пожениться через четыре дня, в годовщину возвращения Мэтью домой. Церемонию предстояло провести отцу Эйдену. После венчания они собирались переехать в квартиру Кевина. Кэтрин, его мать, уже стала доверенной няней Мэтью и наслаждалась новой для себя ролью бабушки.

Альвира думала о том, что прочитала этим утром в газете. На третьей странице излагалась история похищения Мэтью, подробно рассказывалось о том, как Глория изображала Зан, о самоубийстве Теда Карпентера и о суде над Ларри Постом и Маргарет-Глори Гриссом, она же Бриттани Ла Монти. Пост получил пожизненное, Ла Монти дали двадцать лет.

Когда Мэтью начал вскрывать пакеты с подарками, Альвира повернулась к Пенни и сказала:

— Если бы не ты, здесь не было бы такой радости.

Пенни улыбнулась и проговорила:

— Это все благодаря моим черничным плюшкам и игрушечному грузовику, который я в тот день заметила в прихожей, а потом еще нашла рисунок в кустах за домом Сая. Но самое главное, единственно важное — то, что Мэтью теперь ничто не грозит. Вознаграждение от Мелиссы Найт — это уж так, дополнительное удовольствие.

«Она ведь не шутит»,— благодушно подумала Альвира.

Пенни и в самом деле отнеслась к награде спокойно. Конечно, Мелисса Найт так и эдак пыталась увильнуть от выполнения обещания, но в конце концов ей пришлось выписать чек.

Тут Альвира увидела, как Мэтью с немного испуганным видом вдруг оставил подарки, обнял Зан, прижал к щеке прядь ее волос, а потом довольно сказал:

— Мамуля, я просто хотел убедиться, что ты здесь.— Мальчик улыбнулся.— А теперь не пора ли разрезать торт?

Литературно-художественное издание

Мэри Хиггинс Кларк

Я ПОЙДУ ОДНА

Ответственный редактор *Е. Гуляева*
Редактор *А. Маковцев*
Технический редактор *О. Шубик*
Компьютерная верстка *М. Львов*
Корректоры *Л. Ершова, Е. Терскова*

ООО «Издательский дом «Домино»
191014, Санкт-Петербург, ул. Некрасова, д. 60
Тел./факс: (812) 272-99-39. E-mail: dominospb@hotbox.ru

ООО «Издательство «Эксмо»
127299, Москва, ул. Клары Цеткин, д. 18/5. Тел. 411-68-86, 956-39-21.
Home page: **www.eksmo.ru** E-mail: **info@eksmo.ru**

Подписано в печать 12.09.2012. Формат 80x100 $^{1}/_{32}$.
Печать офсетная. Усл. печ. л. 19,26.
Тираж 5100 экз. Заказ 9022.

Отпечатано в ОАО «Можайский полиграфический комбинат»
143200, г. Можайск, ул. Мира, 93
www.oaompk.ru, www.оаомпк.рф тел.: (495) 745-84-28, (49638) 20-685

ISBN 978-5-699-58302-7

Оптовая торговля книгами «Эксмо»:
ООО «ТД «Эксмо». 142702, Московская обл., Ленинский р-н, г. Видное,
Белокаменное ш., д. 1, многоканальный тел. 411-50-74.
E-mail: **reception@eksmo-sale.ru**

По вопросам приобретения книг «Эксмо» зарубежными оптовыми покупателями
обращаться в отдел зарубежных продаж ТД «Эксмо»
E-mail: **international@eksmo-sale.ru**

International Sales: *International wholesale customers should contact Foreign Sales Department of Trading House «Eksmo» for their orders.*
international@eksmo-sale.ru

По вопросам заказа книг корпоративным клиентам, в том числе в специальном оформлении,
обращаться по тел. 411-68-59, доб. 2299, 2205, 2239, 1251.
E-mail: **vipzakaz@eksmo.ru**

Оптовая торговля бумажно-беловыми и канцелярскими товарами для школы и офиса «Канц-Эксмо»:
Компания «Канц-Эксмо»: 142700, Московская обл., Ленинский р-н,
г. Видное-2, Белокаменное ш., д. 1, а/я 5.
Тел./факс +7 (495) 745-28-87 (многоканальный).
e-mail: **kanc@eksmo-sale.ru**, сайт: **www.kanc-eksmo.ru**

Полный ассортимент книг издательства «Эксмо» для оптовых покупателей:
В Санкт-Петербурге: ООО СЗКО, пр-т Обуховской Обороны, д. 84Е.
Тел. (812) 365-46-03/04.
В Казани: Филиал ООО «РДЦ-Самара», ул. Фрезерная, д. 5.
Тел. (843) 570-40-45/46.
В Самаре: ООО «РДЦ-Самара», пр-т Кирова, д. 75/1, литера «Е».
Тел. (846) 269-66-70.
В Екатеринбурге: ООО «РДЦ-Екатеринбург», ул. Прибалтийская, д. 24а.
Тел. +7 (343) 272-72-01/02/03/04/05/06/07/08.
В Новосибирске: ООО «РДЦ-Новосибирск», Комбинатский пер., д. 3.
Тел. +7 (383) 289-91-42. E-mail: **eksmo-nsk@yandex.ru**
В Киеве: ООО «РДЦ Эксмо-Украина», Московский пр-т, д. 6.
Тел./факс: (044) 498-15-70/71.
В Донецке: ул. Артема, д. 160. Тел. +38 (062) 381-81-05.
В Харькове: ул. Гвардейцев Железнодорожников, д. 8.
Тел. +38 (057) 724-11-56.
Во Львове: ул. Бузкова, д. 2. Тел. +38 (032) 245-01-71.
Интернет-магазин: www.knigka.ua. Тел. +38 (044) 228-78-24.
В Казахстане: ТОО «РДЦ-Алматы», ул. Домбровского, д. 3а.
Тел./факс (727) 251-59-90/91. RDC-Almaty@eksmo.kz

Полный ассортимент продукции издательства «Эксмо»
можно приобрести в магазинах «Новый книжный» и «Читай-город».
Телефон единой справочной: 8 (800) 444-8-444.
Звонок по России бесплатный.

В Санкт-Петербурге в сети магазинов «Буквоед»:
«Парк культуры и чтения», Невский пр-т, д. 46. Тел. (812) 601-0-601
www.bookvoed.ru

Интернет-магазин ООО «Издательство «Эксмо»
www.fiction.eksmo.ru
Розничная продажа книг с доставкой по всему миру.
Тел.: +7 (495) 745-89-14 . E-mail: **imarket@eksmo-sale.ru**